CB079146

O Lago Místico

O Lago Místico

KRISTIN HANNAH

Tradução
Sylvio Deutsch

Novo Conceito

© 1999 by Kristin Hannah
Reading Group Guide © 2004 by Random House, Inc.
© 2014 Editora Novo Conceito
Todos os direitos reservados.

Esta é uma obra de ficção. Nomes, personagens, lugares e acontecimentos descritos são produto da imaginação do autor. Qualquer semelhança com nomes, datas e acontecimentos reais é mera coincidência.

2ª Impressão — 2015
Impressão e Acabamento Prol 160315

Produção editorial:
Equipe Novo Conceito

Este livro segue as regras da Nova Ortografia da Língua Portuguesa.

Dados Internacionais de Catalogação na Publicação (CIP)
(Câmara Brasileira do Livro, SP, Brasil)

Hannah, Kristin
O lago místico / Kristin Hannah; tradução Sylvio Deutsch. -- Ribeirão Preto, SP: Novo Conceito Editora, 2014.

Título original: On mystic lake.
ISBN 978-85-8163-581-1

1. Ficção norte-americana I. Título.

14-07908 CDD-813

Índice para catálogo sistemático:
1. Ficção : Literatura norte-americana 813

Novo Conceito
Rua Dr. Hugo Fortes, 1885
Parque Industrial Lagoinha
14095-260 – Ribeirão Preto – SP
www.grupoeditorialnovoconceito.com.br

Fundação Abrinq
Save the Children

Parte da renda deste livro será doada para a **Fundação Abrinq – Save the Children**, que promove a defesa dos direitos e o exercício da cidadania de crianças e adolescentes.
Saiba mais: **www.fundabrinq.org.br**

Para Barbara Kurek.
Minha mãe não poderia escolher uma madrinha melhor para mim.

Para os homens da minha vida, Benjamin e Tucker...

E em memória da minha mãe, Sharon Goodno John. Espero que haja livrarias no Paraíso, mãe.

Parte Um

A verdadeira viagem de autodescobrimento não está em procurar novas paisagens, mas em ter novos olhos.

– Marcel Proust

Capítulo 1

A CHUVA CAÍA DO CÉU CANSADO como pequenas gotas de prata. Em algum lugar por trás das nuvens estava o sol, fraco demais para lançar uma sombra no chão.

Era março, aquele período estagnado do ano, parado e quieto e cinza, mas o vento já tinha começado a esquentar, trazendo com ele a promessa da primavera. As árvores que na semana passada estavam nuas e quebradiças pareciam ter crescido dez centímetros em uma única noite sem lua, e, às vezes, se a luz do sol atingisse um galho do jeito certo, dava para ver um broto vermelho de vida nova surgindo na ponta da casca marrom rachada.

Como as plantas e os animais, as crianças do sul da Califórnia sentiam o sol chegando. Elas começaram a sonhar com sorvetes e picolés e as brincadeiras do ano passado. Até mesmo os moradores mais determinados da cidade, que viviam em prédios imensos de vidro e concreto em locais com nomes pretensiosos como Century City, pegavam-se indo para a área de artigos para bebês do supermercado. Pequenos gerânios em vasos começavam a aparecer nos carrinhos de compras, junto com tomates secos e garrafas de água Evian.

Durante dezenove anos, Annie Colwater esperara pela primavera com a antecipação ansiosa de uma garotinha antes do seu primeiro baile. Ela havia encomendado bulbos que vinham de terras distantes e comprado vasos de cerâmica pintada a mão para colocar suas flores anuais favoritas.

Mas, agora, tudo o que sentia era temor e uma vaga sensação de pânico sem forma. Depois de hoje, nada na bem-ordenada vida dela permaneceria igual, e ela não era uma mulher que gostasse das arestas afiadas e serrilhadas da mudança. Preferia as coisas correndo suaves, bem no meio da estrada. Era onde se sentia mais segura, no centro do comum, com sua família reunida ao seu redor.

Esposa.

Mãe.

Esses eram os papéis que a definiam, que davam sentido a sua vida. É o que sempre havia sido, e agora, quando se aproximava cautelosamente do seu aniversário de quarenta anos, era tudo o que jamais lembrava de querer ter sido. Casara-se logo depois da faculdade e ficara grávida no mesmo ano. O marido e a filha eram suas âncoras; sem Blake e Natalie, ela pensava com frequência que teria flutuado para o mar aberto, um navio sem capitão nem destino.

Mas o que uma mãe fazia quando sua única filha saía de casa?

Ela moveu-se agitada no assento da frente do Cadillac. As roupas que escolhera com tanto cuidado naquela manhã, calça de lã azul-marinho e blusa rosa pálido de seda, agora pareciam erradas. Geralmente ela conseguia se refugiar na camuflagem da moda, fingindo ser uma mulher que não era. Roupas de marca e maquiagem cuidadosamente aplicada podiam fazer com que *parecesse* ser a esposa de um poderoso homem de negócios, como se supunha que fosse. Mas hoje não. Hoje, o cabelo castanho até a cintura que havia afastado do rosto em um coque, da forma como o marido gostava, da forma como sempre usava, a deixava com dor de cabeça.

Ela bateu as unhas manicuradas no apoio para o braço e olhou para Blake, sentado confortavelmente no assento do motorista. Ele parecia totalmente relaxado, como se aquela fosse uma tarde normal em vez do dia em que a filha de dezessete anos deles estava partindo para Londres.

Era infantil estar assustada, ela sabia disso, mas saber não diminuía a dor. Quando Natalie contou que queria se formar mais cedo e passar o resto do ano em Londres, Annie sentiu orgulho da independência da filha. Era o tipo de coisa que as alunas de último ano da cara escola preparatória faziam, e precisamente o tipo de aventura sofisticada que Annie desejava para a filha.

Annie pessoalmente jamais teria a coragem de fazer algo tão ousado, não com dezessete anos, nem com trinta e nove. Viajar sempre a intimidara.

Apesar de adorar ver lugares novos e conhecer gente nova, sempre sentia um desconforto constante quando saía de casa.

Ela sabia que essa fraqueza era remanescente da sua juventude, um subproduto normal da tragédia que marcou sua infância, mas compreender seu medo não o diminuía. Em cada uma das férias da família, Annie tivera pesadelos, visões negras e distorcidas nas quais estava sozinha em um local desconhecido, sem dinheiro e sem saber para onde ir. Perdida, ela vagava por ruas que não conhecia, procurando a família, que era sua rede de segurança, até que, finalmente, soluçando no sono, ela acordava. Daí se enrodilhava junto do corpo adormecido do marido e, por fim, relaxava.

Sentia orgulho da independência e coragem da filha em escolher percorrer toda a distância até a Inglaterra pessoalmente, mas não imaginara que seria tão difícil ver Natalie partir. Elas eram como melhores amigas, ela e a filha, desde que Natalie emergira da fase de raiva e birra do começo da adolescência. Tiveram momentos difíceis, claro, brigas e sentimentos feridos, e as duas disseram coisas que não deviam ter dito, mas tudo isso apenas tornou a conexão entre elas mais forte. Eram uma unidade, as "meninas" de uma casa onde o único homem trabalhava oitenta horas por semana e às vezes passava dias inteiros sem se lembrar de sorrir.

Ela olhou pela janela do carro. Os cânions incrustados de concreto de Los Angeles eram um borrão de edifícios altos, grafite e luzes de neon que deixavam reflexos surpreendentes na névoa da chuva. Estavam chegando cada vez mais perto do aeroporto.

Ela estendeu a mão para o marido, tocou a manga de caxemira azul-clara. – Vamos para Londres com a Nana ajudá-la a se instalar com a família. Sei que...

– *Mamãe* – Natalie exclamou do banco de trás. – Cai na real. Seria tipo tão *humilhante* se vocês fossem comigo.

Annie fez a mão recuar e tirou uma bolinha de fiapo de sua calça cara de lã. – Foi só uma ideia – ela disse suavemente. – Seu pai está tentando me levar para a Inglaterra faz eras. Pensei que... talvez devêssemos ir agora.

Blake a olhou sem dizer nada, um olhar que ela não conseguiu ler. – Eu não falo na Inglaterra faz anos. – Então ele murmurou alguma coisa sobre o tráfego e enfiou a mão na buzina.

– Acho que você não vai sentir falta do tráfego da Califórnia – Annie disse em meio ao silêncio desconfortável que se seguiu.

No banco de trás, Natalie riu. – De jeito nenhum. Sally Pritchard, você se lembra dela, mãe, ela foi para Londres no ano passado, então a Sally disse que foi demais. Não é como a Califórnia, onde você precisa de um carro para ir a qualquer lugar. Em Londres, tudo o que se precisa fazer é pegar o metrô. – Ela enfiou a cabeça loira no espaço entre os dois bancos da frente. – Você pegou o metrô quando esteve em Londres no ano passado, pai?

Blake apertou a buzina outra vez. Com um suspiro de irritação, ele acionou o pisca-alerta e foi subitamente para a pista mais veloz. – O quê? O que você disse?

Natalie suspirou. – Nada.

Annie apertou o ombro de Blake como um lembrete gentil. Esses eram momentos preciosos, a última vez em que veriam a filha por meses e, como sempre, ele estava perdendo tudo. Começou a dizer alguma coisa para preencher o silêncio, algo que a impedisse de pensar na solidão da casa sem Natalie, mas então viu a placa, LAX[1], e não conseguiu dizer mais nada.

Blake tomou a rampa de acesso, entrou no silêncio escuro do estacionamento subterrâneo e desligou o motor. Por um longo momento, eles todos apenas ficaram ali. Annie esperou que ele dissesse alguma coisa paternal e importante, algo que marcasse a ocasião. Blake era tão bom com as palavras, mas ele se limitou a abrir a porta.

Como sempre, Annie seguiu o exemplo do marido. Ela saiu do carro e ficou parada ao lado da porta, revirando os óculos escuros nos dedos frios, muito frios. Olhou para a bagagem de Natalie, uma simples sacola de lona cinza e uma mochila verde da Eddie Bauer.

Ela ficou preocupada que aquilo não fosse o bastante, que fosse pesado e incômodo demais... Annie se preocupava com tudo. A filha subitamente pareceu tão jovem, o corpo alto e magro inundado por um vestido largo de brim que parava três centímetros acima da beirada das botas pretas de combate todas riscadas. Dois prendedores de metal seguravam o cabelo loiro

[1] Cada aeroporto internacional é designado por um código de três letras. O código do Los Angeles International Airport é LAX. (N.T.)

prateado longe do rosto pálido. Três anéis prateados formavam uma escada curva na orelha esquerda.

Blake caminhou na frente, levando as duas peças de bagagem, e Natalie e Annie o seguiram em silêncio. Ela desejava que ele andasse mais devagar, junto com elas, mas não disse nada, para o caso de Natalie não ter notado que o pai parecia estar apressado. No balcão, ele cuidou de tudo, e daí os três seguiram para o terminal internacional.

No portão, Annie agarrou a bolsa azul-marinho como se fosse um escudo. Sozinha, caminhou até a janela imensa e suja. Por um instante, viu a si mesma refletida no vidro, uma dona de casa magra vestida de forma impecável parada sozinha.

– Não fique tão calada, mãe. Eu não aguento isso. – As palavras continham uma pontinha de ansiedade que só uma mãe conseguiria perceber.

Annie forçou-se a rir. – Geralmente vocês dois estão me implorando para parar de falar. E olha que eu poderia pensar em um milhão de coisas para dizer agora. Puxa, ontem mesmo eu estava olhando para uma foto de você bebê e pensei...

– Eu também amo você, mãe – Natalie sussurrou.

Annie pegou a mão da filha e a segurou. Não ousou olhar para ela, temendo que a dor de cabeça ficasse evidente. Definitivamente, não era essa a imagem que queria que a filha carregasse no avião com a bagagem um pouco pesadas demais.

Blake parou atrás das duas. – Eu queria que você tivesse nos deixado comprar uma passagem de primeira classe. É um voo tão longo, e a comida na classe econômica é horrível. Puxa, provavelmente você vai ter de montar sozinha sua torta de carne assada.

Natalie riu. – Como se você soubesse como é a comida na classe econômica, pai.

Blake sorriu. – Bem, lá certamente não é confortável.

– O principal aqui não é o conforto – Natalie respondeu. – É a *aventura*.

– Ah, a aventura – Annie disse, finalmente recuperando a voz. Imaginou como seria ter sonhos assim grandiosos, e mais uma vez sentiu inveja da independência da filha. Natalie estava sempre tão certa de quem era e do que queria.

Uma voz ecoou nos alto-falantes. – Vamos começar agora a embarcar o voo três-cinco-sete, com destino a Londres.

– Vou sentir falta de vocês – Natalie disse suavemente. Ela olhou para o avião, mordendo nervosa a unha do polegar.

Annie colocou a mão no rosto macio de Natalie, tentando decorar cada detalhe daquele momento, a pequena pinta junto do lóbulo da orelha esquerda da filha, o tom exato do cabelo loiro liso e dos olhos azuis, as sardas espalhadas como canela por cima do nariz.

Annie desejava implantar tudo aquilo na memória para poder lembrar como se fosse uma fotografia nos próximos três meses. – Lembre-se, vamos ligar toda segunda-feira, às sete horas do seu horário. Você vai se divertir muito, Nana.

Blake abriu os braços. – Dê um abraço no seu pai.

Natalie lançou-se nos braços dele.

Cedo demais, a voz voltou a soar no alto-falante, anunciando o embarque da fileira de Natalie.

Annie deu um último longo e desesperado abraço na filha, mas que não foi longo o bastante, e depois, lentamente, recuou. Piscando depressa para afastar as lágrimas, ela viu Natalie entregar a passagem para a mulher na entrada, e depois, com um último aceno apressado, a filha desapareceu dentro do tubo de embarque.

– Ela vai ficar bem, Annie.

Ela ficou olhando para a porta vazia. – Eu sei.

Uma lágrima, foi o tempo que durou. Uma lágrima, escorrendo pelo rosto de Annie, e sua filha tinha ido embora.

Annie ficou ali muito tempo depois de o avião ter partido, muito depois da faixa branca de fumaça do escapamento ter se misturado com o céu sombrio. Ela podia sentir Blake ao seu lado. Queria que ele segurasse sua mão ou passasse o braço por seu ombro ou a abraçasse, alguma das coisas que ele teria feito cinco anos atrás.

Ela se virou. Nos olhos dele, viu seu próprio reflexo, e o espelho enevoado da vida deles juntos. Se beijaram pela primeira vez quando ela estava com dezoito anos, quase a mesma idade de Natalie, e nunca houve outro homem para ela em todos aqueles anos desde então.

O rosto atraente dele estava mais sério do que jamais o vira.

– Ah, Annie... – A voz dele era um sussurro. – O que você vai fazer agora?

Ela corria o risco de desabar, bem ali naquele aeroporto estéril e lotado.

– Me leve para casa, Blake – ela murmurou sem convicção. Queria ter suas coisas ao redor, tudo o que a fazia lembrar de quem ela era.

– Claro. – Ele pegou a mão dela e a levou pelo terminal, entrando na garagem. Sem dizer nada, eles entraram no Cadillac e bateram as portas. O ar-condicionado começou a funcionar no mesmo instante.

Enquanto o carro percorria uma via expressa depois da outra, Annie sentia-se exausta. Encostou-se pesadamente no banco e olhou para fora, para essa cidade que nunca tinha se tornado a cidade dela, apesar de ela e Blake terem ido morar lá logo depois da faculdade. Era um labirinto imenso, onde prédios belos e sofisticados eram demolidos todos os dias por algumas cargas de dinamite bem posicionadas, onde homens e mulheres sem gosto pela arte ou beleza colocavam fogo nos estopins que explodiam toneladas de mármore esculpido e vidro em pilhas de detritos fumegantes. Nessa cidade dos anjos, muito poucos notavam a perda de mais um ponto de referência. Antes mesmo de o prédio desabado esfriar, os construtores enxameavam na prefeitura, subindo uns por cima dos outros como formigas pretas em busca de permissão para construir. Em meses, um esguio filhote de prédio com faces de vidro subiria mais e mais para o céu marrom enfumaçado, tão alto que Annie costumava pensar se esses construtores estavam pensando que poderiam chegar ao paraíso gastando muitos milhões de dólares.

Ela foi tomada por uma vontade forte e inesperada de voltar para casa. Não a afluente e lotada beleza de Malibu, mas a paisagem verde e úmida de sua juventude, aquela parte selvagem do Estado de Washington onde os cogumelos cresciam do tamanho de pratos de jantar e a água corria em correntes prateadas junto de cada estradinha, onde guaxinins gordos e brilhantes saíam à luz da lua para beber das poças enlameadas no meio da estrada. Para Mystic, onde o que havia de mais alto eram os pinheiros do Oregon, que vinham crescendo desde a Revolução Americana. Fazia quase dez anos que não voltava. Talvez finalmente conseguisse convencer Blake a viajar agora que não estavam presos ao sul da Califórnia pelo horário de escola de Natalie.

– O que você acha de planejarmos uma viagem até Mystic? – ela perguntou para o marido.

Ele não olhou para ela, não respondeu à pergunta, e isso a fez se sentir estúpida e pequena. Mexeu no brinco de diamante em sua orelha e olhou para fora. – Eu estava pensando em entrar para o clube. Agora vou ter muito mais tempo. Você sempre diz que não saio muito de casa. Fazer aeróbica seria divertido, não acha?

– Eu não digo isso faz anos.

– Ah. Bem... e há o tênis. Eu adorava jogar tênis. Lembra quando jogávamos em dupla?

Ele saiu da via expressa e entrou nas curvas ondulantes e cheias de carros da Pacific Coast Highway. No portão da entrada para a estrada deles, acenou para o guarda e entrou na Colony, a joia da praia de Malibu. A chuva caindo no vidro borrou o mundo lá fora por um momento, antes que os limpadores de para-brisa levassem a água.

Na casa deles, Blake diminuiu, avançando lentamente pela passagem pavimentada com tijolos. E parou diante da garagem.

Annie olhou para ele. Era estranho ele não ter entrado na garagem. Era estranho que ele não tivesse apertado o controle remoto da porta. E era ainda mais estranho que ele mantivesse o carro ligado. Ele odiava deixar o Cadillac na chuva...

Ele não está sendo ele mesmo.

Essa constatação a fez lembrar-se de que não estava tão sozinha quanto sentia. Naquele momento, seu energético e ultracompetente marido estava tão frágil quanto ela.

Iam fazer aquilo juntos, ela e Blake. Iam ajudar um ao outro a atravessar o dia, e todos os dias e noites que viriam com o ninho vazio. Eram uma família antes de Natalie chegar, e seriam novamente, apenas eles dois. Poderia até ser divertido, como no passado, quando eram amigos, companheiros e amantes... nos dias quando saíam para dançar e não voltavam para casa até o sol estar aparecendo no horizonte.

Ela se virou para olhar para ele, e tirou um cacho de cabelo da frente dos olhos do marido. – Eu amo você. Vamos ajudar um ao outro a passar por isso.

Ele não respondeu.

Annie não esperava realmente que ele desse uma resposta, mas ainda assim o silêncio desagradável a atingiu. Escondeu o desapontamento e abriu a porta do carro. Pequenas gotas de chuva passaram pela abertura, deixando marcas na manga. – Vai ser uma primavera solitária. Talvez devêssemos falar com Lupita sobre organizar um churrasco. Não vamos a uma festa de praia à moda antiga faz anos. Vai ser bom para nós. Deus sabe que vai ser estranho andar pela casa sem...

– Annie. – Ele disse o nome dela de uma forma tão dura que ela mordeu a língua no meio da sentença.

Ele se virou para ela, e ela viu as lágrimas nos olhos dele.

Ela se inclinou e tocou o rosto dele em uma carícia suave e bem rápida. – Eu também vou sentir falta dela.

Ele desviou os olhos e suspirou com força. – Você não está entendendo. Eu quero o divórcio.

Capítulo 2

– Eu queria esperar para dizer... pelo menos até a semana que vem. Mas a ideia de vir para casa hoje à noite... – Blake balançou a cabeça e deixou a frase morrer no ar.

Muito lentamente, Annie fechou a porta do carro. A chuva batia no para-brisa e formava faixas que escorriam, obscurecendo o mundo lá fora.

Ela não deve ter ouvido direito. Franzindo a testa, estendeu a mão para ele. – Do que você está falando...

Ele se afastou para o outro lado, como se o contato com ela, o toque que conhecia fazia tanto tempo, fosse agora repugnante.

Subitamente tudo ficou real, com aquele gesto que ele não permitiu. Seu marido queria o divórcio. Ela recuou a mão e percebeu que estava tremendo.

– Eu devia ter feito isso já faz tempo, Annie. Não estou feliz. Não estou feliz com você faz anos.

O choque daquilo foi diferente de tudo o que ela já havia experimentado. Estava em todo lugar, espalhando-se por ela em uma onda de torpor atrás da outra. Sua voz estava presa lá dentro, e não conseguia arrumar um modo de soltá-la.

– Não acredito que estou dizendo isso – ele pronunciou suavemente, e ela ouviu sua respiração entrecortada e pesada. – Estou saindo com uma pessoa... outra mulher.

Ela olhou para ele com a boca aberta. Ele estava tendo um *caso.* A palavra penetrou lentamente, machucando-a a cada instante até chegar ao osso. Milhares de detalhes se encaixaram no lugar: jantares que ele perdeu, viagens que fez para lugares exóticos, a nova cueca de seda que começou a usar, a mudança da colônia de Polo para Calvin Klein depois de tantos anos, o amor que faziam tão raramente...

Como tinha sido tão cega? Ela *tinha* de ter notado. Lá no fundo, em algum centro feminino primitivo, ela devia saber o que estava acontecendo e tinha escolhido ignorar.

Annie virou-se para ele, querendo tanto tocá-lo que isso se tornou uma dor física. Por metade da vida, tinha tocado nele sempre que queria, e agora Blake lhe havia tirado esse direito. – Nós podemos superar um caso... – a voz soou fraca, não era de jeito nenhum a voz dela. – Os casais fazem isso o tempo todo. Quer dizer... Vai levar algum tempo até eu perdoar você, vou precisar de tempo até poder confiar, mas...

– Eu não quero que você me perdoe.

Isso não podia estar acontecendo. Não com ela. Não com *eles.* Ela ouviu as vozes e sentiu a dor, mas aquilo tudo tinha a sensação rodopiante de não ser real. – Mas nós temos tanta coisa. Nós temos uma *história.* Temos Natalie. Podemos lidar com isso, talvez tentar um aconselhamento. Sei que tivemos problemas, mas podemos resolver.

– Eu não quero tentar, Annie. Eu quero terminar.

– Mas *eu* não quero. – A voz dela ficou aguda, um gemido de reclamação. – Somos uma *família.* Você não pode jogar fora vinte anos... – ela não conseguia encontrar as palavras de que precisava. Aquilo a aterrorizava, o súbito silêncio que encontrou na própria alma; estava com medo de haver palavras que pudessem salvá-la, salvá-los, mas não conseguia encontrá-las. – Por favor, *por favor,* não faça isso...

Ele não disse nada por um longo tempo, longo o bastante para ela encontrar um fiozinho de esperança e tecê-lo em um pano sólido. *Ele vai mudar de ideia. Ele vai ver que somos uma família e dizer que é só uma crise de meia-idade. Ele vai...*

– Eu a amo.

O estômago de Annie começou a girar de forma agonizantemente lenta.

Amor? Como ele podia amar outra mulher? Amar levava tempo e precisava de esforço. Era um milhão de pequenos momentos empilhados uns sobre os outros para fazer algo tangível. Aquela declaração, amor e tudo o mais, a fazia a diminuir. Sentiu como se fosse uma pessoa minúscula que estava desaparecendo, a um milhão de quilômetros do homem que sempre tinha amado. – Há quanto tempo?

– Quase um ano.

Ela sentiu o primeiro calor das lágrimas. Um ano em que tudo entre eles tinha sido mentira. Tudo. – Quem é ela?

– Suzannah James. A nova sócia júnior da empresa.

Suzannah James. Uma das duas dúzias de convidados na festa de aniversário de Blake na semana passada. A jovem magrinha de vestido turquesa que não perdia uma só palavra que ele dizia. Aquela com quem ele dançou "A Kiss to Build a Dream On".

Lágrimas fizeram os olhos de Annie arder, deixando tudo embaçado. – Mas depois da festa nós fizemos amor...

Ele teria ficado imaginando o rosto de Suzannah na escuridão? Foi por isso que ele apagou todas as luzes antes de tocá-la? Um pequeno gemido escapou entre seus lábios. Não conseguia segurar aquilo tudo dentro de si. – Blake, por favor...

Ele pareceu indefeso, um pouco perdido, e, naquele momento de vulnerabilidade, ele era Blake novamente, o seu marido. Não esse homem frio que não a olhava nos olhos. – Eu a amo, Annie. Por favor, não me faça dizer isso de novo.

Os restos amargos da confissão dele maculavam o ar, deixavam-na sem ter o que respirar. *Eu a amo, Annie.*

Ela empurrou a porta do carro e saiu cegamente pela passagem de tijolos a caminho de casa. A chuva atingia seu rosto e se misturou com as lágrimas. Diante da porta, pegou as chaves na bolsa, mas as mãos estavam tremendo tanto que não conseguiu acertar a fechadura na primeira tentativa. Então a chave deslizou e fez um clique.

Ela entrou e bateu a porta.

Annie terminou a segunda taça de vinho e serviu uma terceira. Geralmente duas taças de chardonnay a deixavam tonta e cambaleante e tentando lembrar letras de músicas da juventude, mas nesta noite não estavam ajudando.

Ela caminhou sem rumo pela casa, tentando entender o que fizera de tão errado e como falhara.

Se soubesse como, talvez então pudesse consertar tudo. Havia passado os últimos vinte anos colocando as necessidades da família em primeiro lugar, e ainda assim de alguma forma tinha falhado, e sua falha a deixara sozinha, vagando por aquela casa imensa, sentindo saudade da filha que tinha partido e de um marido que estava apaixonado por outra.

Em algum ponto do caminho, tinha esquecido o que devia ter lembrado. Era uma lição que aprendera cedo na vida, uma lição que achava que conhecia bem. As pessoas partiam, e, se você amasse profundamente demais, com intensidade demais, a súbita ausência delas poderia gelar até sua alma.

Foi para a cama e se enterrou debaixo das cobertas, mas, quando percebeu que estava no lado "dela" da cama, sentiu como se tivesse levado um tapa. O vinho voltou pela garganta, com um gosto tão amargo que pensou que fosse vomitar. Olhou para o teto, piscando para conter as lágrimas. Com cada respiração, sentiu que ficava menor e menor.

O que ia fazer agora? Havia tanto tempo fazia parte daquele *nós*. Nem sabia se ainda havia um *eu* dentro dela. Ali do lado, o despertador na cabeceira da cama tiquetaqueava... e ela chorou.

O telefone tocou.

Annie acordou com o primeiro toque, o coração acelerado. Era ele, ligando para dizer que tinha sido tudo um engano, que lamentava muito, que sempre a amara. Mas, quando pegou o telefone, era Natalie, rindo – Ei, mãe, eu consegui.

A voz da filha trouxe de volta a dor no coração.

Annie sentou-se na cama, passando a mão fraca pelo cabelo embaraçado. – Oi, meu bem. Não posso acreditar que você já chegou. – A voz dela estava fina e instável. Ela respirou fundo, tentando se recompor. – Então, como foi o voo?

Natalie iniciou um monólogo que durou uns bons quinze minutos. Annie ouviu sobre a viagem de avião, o aeroporto, a estranheza do metrô de Londres e o modo como as casas eram todas ligadas, tipo, como em San Francisco, sabe, mãe...

– ... mãe?

Annie percebeu subitamente que tinha se desligado. Estava ouvindo Natalie, de verdade, mas algum momento bobo, um comentário sem sentido na conversa a fez começar a pensar em Blake, no carro que não estava na garagem e no corpo que não estava ao lado dela na cama.

Deus, é assim que vai ser de agora em diante?

– Mãe?

Annie fechou os olhos com força, numa tentativa fútil de escapar. Havia um rugido branco, uma estática soando em sua cabeça. – Eu... estou bem aqui, Natalie. Desculpe. Você estava falando sobre a família com quem está.

– Você está bem, mãe?

Lágrimas escorreram pelo rosto de Annie. Ela não se importou em enxugá-las. – Estou bem. E você?

Uma pausa em que se escutaram os barulhos da conexão. – Sinto falta de vocês.

Annie ouviu a solidão na voz da filha e precisou de todo o autocontrole para não sussurrar *Venha para casa, Nana. Vamos ficar solitárias juntas.*

– Acredite, Nana, você vai fazer amigos. Em um instante você vai estar se divertindo tanto que não vai ficar sentada junto do telefone esperando sua velha mãe ligar. Quinze de junho vai chegar depressa demais.

– Ei, mãe, você está parecendo um pouco trêmula. Você vai ficar bem enquanto estou fora?

Annie riu; foi um som nervoso, agitado. – Claro que sim. Não ouse se preocupar comigo.

– Certo. – A palavra foi dita tão suavemente que Annie teve de fazer força para escutar. – Antes que eu comece a chorar, é melhor falar com papai.

Annie se encolheu. – Papai não está aqui agora.

– Ah!

– Mas ele ama você. Ele me pediu para dizer isso para você.

– Sim, claro que sim. Então, você liga na segunda?

– Com toda a certeza.

– Amo você, mãe.

Annie sentiu o choro inundar a garganta outra vez, apertando tanto que ela mal podia falar. Suprimiu a necessidade imensa de avisar Natalie sobre o mundo, dizer para ela tomar cuidado com vidas que desmontam em um dia de chuva de primavera sem nenhum aviso. – Se cuide, Natalie. Te amo.

– Te amo.

E o telefone ficou mudo.

Annie recolocou o fone na base e rastejou para fora da cama, indo sem ver até o banheiro. As luzes se acenderam como algo saído de um filme do Oliver Stone. Ela olhou horrorizada para seu reflexo. Ainda estava usando as roupas com que fora ao aeroporto, todas amassadas, a ponto de ficarem irreconhecíveis. O cabelo estava tão colado à cabeça que parecia que ela havia usado cola branca como condicionador.

Ela bateu com o punho no interruptor da luz. Na escuridão abençoada, tirou a roupa, ficando de calcinha e sutiã, e deixou as roupas amassadas caídas no chão. Sentindo-se cansada, velha e inchada, saiu do banheiro e voltou para a cama.

Podia sentir o cheiro dele nos lençóis. Só que não era ele. Blake, o seu Blake, sempre usara Polo. Annie dava a colônia de presente a ele todo Natal; o vidro já vinha embrulhado para as festas em uma caixa de presente verde na Nordstrom. Ela dava a colônia a ele todo ano e ele a usava todo dia... até que Calvin Klein e Suzannah mudaram tudo.

A melhor amiga de Annie apareceu muito animada na manhã seguinte, batendo na porta da frente, gritando: – Abra a porta, vamos, ou eu chamo os bombeiros.

Annie colocou o roupão de seda preta e foi até a porta sentindo-se cansada. Estava terrível por causa do vinho que bebera na noite anterior, e precisou de um esforço considerável para simplesmente abrir a porta. As refinadas lajotas de pedra pareciam feitas de gelo sob seus pés descalços.

Terri Spencer encontrava-se parada ali, vestindo um macacão largo de brim. O cabelo grosso e crespo, parecendo uma nuvem negra, estava escondido por um cachecol muito vermelho. Grandes brincos dourados balançavam nas orelhas. Ela se parecia exatamente com a cigana que representava em uma série diária para mulheres. Terri cruzou os braços, inclinou os quadris amplos e examinou Annie. – Você está horrível.

Annie suspirou. Claro que Terri já sabia. Por mais que a amiga dissesse ser um espírito livre, o atual marido dela era um advogado. E os advogados fofocavam. – Você já sabe.

– Frank me contou. Você podia ter me ligado.

Annie passou a mão trêmula pelo cabelo embaraçado. Eram amigas desde sempre, ela e Terri. Eram praticamente irmãs. Mas, mesmo com tudo o que haviam passado juntas, todos os altos e baixos, Annie não sabia como começar a falar. Estava acostumada a tomar conta de Terri, com o estilo louco e exagerado de atriz da amiga e a torrente constante de divórcios e casamentos. Annie estava acostumada a tomar conta de todo mundo. Exceto de Annie. – Eu queria ligar, mas está sendo... difícil.

Terri passou um braço rechonchudo em torno dos ombros de Annie e a levou até o sofá ultraestofado da sala. Depois foi de janela em janela, abrindo as cortinas de seda branca. A janela de seis metros de altura, indo de parede a parede, emoldurava o mar e um céu tão azul que feria os olhos, deixando Annie sem ter onde se esconder.

Quando Terri terminou, sentou-se ao lado de Annie no sofá. – Agora me conte – ela pediu suavemente. – Que merda aconteceu?

Annie desejou poder sorrir, era o que Terri queria, era por isso que usara o palavrão, mas Annie não tinha como responder. Dizer aquilo em voz alta faria parecer real demais. Ela se inclinou para a frente, enterrando o rosto inchado nas mãos. – Ah, Deus...

Terri abraçou a amiga e a apertou com força, balançando-a para a frente e para trás, tirando o cabelo sujo das faces grudentas dela. Foi bom ser abraçada e reconfortada, saber que não estava tão sozinha quanto sentia.

– Você vai superar isso – Terri disse por fim. – Neste momento você acha que não vai conseguir, mas vai. Eu garanto. Blake é um idiota, você sabe. Você vai ficar melhor sem ele.

Annie foi para trás e olhou para a amiga através da névoa das lágrimas. – Eu não... não quero ficar sem ele.

– Claro que não quer. Eu só quis dizer...

– Eu sei o que você quis dizer. Você quis dizer que vai ficar mais fácil. Como se eu fosse confiar na sua opinião sobre isso. Você troca de marido com mais frequência do que troca de calcinha.

As sobrancelhas negras e grossas de Terri se ergueram. – Um a zero para a dona de casa. Olhe, Annie, sei que sou dura e pessimista, e que é por isso que meus casamentos terminam, mas lembra como eu costumava ser? Lembra da faculdade?

Annie se lembrava, apesar de preferir não se lembrar. Terri costumava ser uma doce Poliana; foi por isso que se tornaram amigas. Terri permaneceu inocente até o dia em que seu primeiro marido, Rom, disse que estava tendo um caso com a filha do contador deles. Terri recebeu um aviso de vinte e quatro horas e então, *bam!*, a conta no banco se foi, as economias foram misteriosamente "gastas" e o consultório médico que os dois construíram juntos foi vendido a um amigo por um dólar.

Annie estava sempre com Terri naquela época, bebendo vinho no meio do dia, até fumando maconha em algumas ocasiões, o que deixava Blake insano. *O que você está fazendo com aquela mulher vulgar?*, ele costumava dizer. *Você tem dúzias de amigas mais aceitáveis.* Foi uma das poucas vezes em que Annie enfrentou Blake.

– Você ficou comigo todos os dias – Terri disse suavemente, segurando a mão da amiga e apertando-a gentilmente. – Você me ajudou a passar por aquilo, e eu vou estar aqui com você agora. Sempre que precisar de mim. Vinte e quatro horas por dia.

– Eu não sabia que doía tanto... é como se... – As lágrimas de humilhação queimaram novamente. Ela desejou conseguir fazer com que parassem, mas era impossível.

– É como estar sangrando por dentro... como se nada fosse fazer melhorar? Eu sei.

Annie fechou os olhos. A compreensão de Terri era quase mais do que ela podia suportar. Ela não queria que a amiga soubesse tanto; não *Terri,* que nunca manteve um casamento por mais que alguns anos e não conseguia nem mesmo cuidar de um bicho de estimação. Era aterrorizador pensar que isso era... comum. Como se a perda de vinte anos não fosse nada, só mais um divórcio em um país onde ocorria um milhão de divórcios por ano.

– Olhe, menina, eu detesto mencionar isso, mas é preciso. Blake é um ótimo advogado. Você precisa se proteger.

Era um conselho que machucava, daqueles que fazem uma mulher querer se enrodilhar em uma bola muito pequena e quebrada. Annie tentou sorrir. – Blake não é assim.

– Ah, é? Você precisa se perguntar quanto o conhece.

Annie não podia lidar com isso agora. Já bastava perceber que o ano passado tinha sido uma mentira; ela não conseguia imaginar a possibilidade de Blake ter se tornado um completo estranho. Ela olhou para Terri, esperando que a amiga pudesse compreender. – Você está me pedindo para ser alguém que eu não sou, Terri. Quer dizer, ir até um banco e limpar a conta, pegar todo o *nosso* dinheiro. É algo tão... definitivo. E tem a ver com coisas... apenas coisas. Não posso fazer isso com Blake. Não posso fazer isso *comigo.* Sei que sou ingênua, até mesmo estúpida, por confiar nele, mas ele foi meu melhor amigo por mais da metade da minha vida.

– Que belo amigo.

Annie tocou a mão rechonchuda da amiga. – Amo você por se preocupar comigo, Terri. De verdade, amo, sim, mas não estou pronta para esse conselho. Espero... – A voz dela baixou até se tornar um sussurro. Sentia-se desesperadamente ingênua quando fitou os olhos tristes da amiga, sabendo que ela estava certa. – Ainda estou torcendo para não precisar disso, eu acho.

Terri forçou um sorriso brilhante. – Talvez você esteja certa. Talvez seja apenas uma crise de meia-idade e ele vai superar.

Elas passaram as horas seguintes conversando. De novo e de novo, Annie recordava uma lembrança ou situação curiosa de seu casamento e a mencionava, como se *falar* sobre sua vida, recordar tudo, fosse fazer com que ele voltasse para casa.

Terri a escutou e sorriu e a abraçou, mas não deu mais nenhum conselho prático, e Annie ficou grata por isso. Por volta do meio-dia elas pediram uma pizza grande de linguiça de cordeiro da Granita's, sentaram-se no deque e comeram a pizza inteira. Quando o sol finalmente desceu no azul do Pacífico, Annie sabia que Terri logo teria de ir.

Annie virou-se para a melhor amiga. Por fim, ela fez a pergunta que circulava em sua mente durante a maior parte da tarde. – E se ele não voltar, Terri? – Ela disse tão baixinho que, por um momento, é possível que as palavras tivessem se perdido sob o som distante das ondas quebrando na praia.

– E se ele não voltar?

Annie olhou para longe. – Não posso imaginar minha vida sem ele. O que vou fazer? Para onde vou?

– Você vai para casa – Terri disse. – Se eu tivesse um pai tão legal quanto o Hank, eu correria para casa em um instante.

Casa. Ela percebeu pela primeira vez com um choque que a palavra era tão frágil quanto porcelana chinesa. – Minha casa é com Blake.

– Ah, Annie – Terri suspirou, apertando a mão dela. – Não é mais.

Dois dias depois, ele ligou.

A voz dele foi o som mais doce que ela jamais ouviu. – Blake...

– Preciso ver você.

Ela engoliu em seco, sentindo o súbito calor das lágrimas. *Obrigada, Deus. Ela sabia que ele ia voltar.* – Agora?

– Não. Minha agenda está meio apertada hoje de manhã. Assim que eu puder sair daqui.

Pela primeira vez em dias, Annie conseguia respirar.

Quando Blake olhou para os altivos ângulos brancos da casa, sentiu uma inesperada sensação de perda. Era tão bonita essa casa deles, tão impressionante e contemporânea. Uma verdadeira joia em uma rua onde as casas rotineiramente custavam cinco milhões de dólares e nada era caro demais.

Annie havia concebido, criado e desenhado o lugar. Ela pegou a vista, o mar, a areia e o céu e os traduzira em uma casa que parecia ter crescido de dentro da colina. Ela escolheu cada ladrilho, cada ornamento; por toda a casa havia pequenos itens incongruentes de caprichos, um anjo aqui, uma gárgula ali, um velho gancho de planta de macramê no canto de uma sala junto de um painel de madeira de cem dólares o metro quadrado, uma foto da família em uma moldura feita de conchas. Não havia local na casa que não refletisse a personalidade dela, borbulhante e levemente fora do esquadro.

Ele tentou lembrar como tinha sido amá-la, mas não conseguia mais.

Estava dormindo com outras mulheres fazia dez anos, seduzindo-as e indo para a cama com elas e as esquecendo. Tinha viajado com elas, passado a noite com elas, e durante todo esse tempo Annie estava em casa, assando receitas da revista *Gourmet* e colecionando amostras de cores de tinta e de ladrilhos, levando e trazendo Natalie da escola. Ele pensava que cedo ou tarde ela perceberia que ele não a amava mais, mas ela era tão confiante. Ela sempre acreditava no melhor de cada pessoa, e, quando amava, era com corpo e alma, para sempre.

Ele suspirou, subitamente sentindo-se cansado. Estar chegando aos quarenta mudou sua visão do mundo, fez com que percebesse que não queria mais estar preso em um casamento sem amor.

Antes que o grisalho avançasse seus dedos feios por seus cabelos e as rugas surgissem sob seus olhos azuis, ele pensou que tinha tudo: uma carreira glamorosa, uma bela esposa, uma filha amorosa e toda a liberdade de que precisava.

Ele viajava com os colegas da faculdade duas vezes por ano, ia a pescarias em ilhas remotas com belas praias e mulheres ainda mais belas; jogava basquete duas noites por semana e fechava o bar local nas noites de sexta-feira. Ao contrário da maioria dos amigos, ele sempre teve uma esposa que compreendia, que ficava em casa. A esposa e mãe perfeita, tudo o que pensava querer.

Então conheceu Suzannah. O que começou como apenas mais uma conquista sexual tornou-se a coisa mais inesperada de todas: amor.

Pela primeira vez em anos, ele se sentia jovem e vivo. Eles faziam amor em qualquer lugar, em todos os momentos do dia e da noite. Suzannah nunca se importava com o que os vizinhos iam pensar nem se importava com uma criança dormindo no quarto ao lado. Ela era selvagem e imprevisível, e era inteligente, ao contrário de Annie, que pensava que a Associação de Pais e Mestres era tão importante para a ordem mundial quanto a Comunidade Europeia.

Ele caminhou lentamente até a porta da frente. Antes que tocasse a campainha, a porta de roseira entalhada a mão abriu.

Ela estava ali, as mãos juntas em um gesto nervoso na cintura. Um vestido de seda creme agarrado ao corpo, e ele não pôde evitar de notar que tinha perdido peso nos últimos dias, e Deus sabia que ela não tinha mais peso para perder.

O rosto pequeno em formato de coração estava pálido, de uma forma assustadora, e os olhos, geralmente tão brilhantes e verdes quanto as folhas de um trevo, estavam opacos e injetados. O cabelo longo fora preso em um rabo de cavalo que acentuava as linhas agudas do rosto e fazia os lábios parecerem inchados. Os brincos não combinavam; ela estava usando um de diamante e outro de pérola, e de alguma forma essa pequena incongruência fez voltar a dor aguda da sua traição.

– Blake... – ele ouviu o pequeno toque de esperança na voz dela, e percebeu subitamente o que ela devia ter pensado quando ele ligou esta manhã.

Merda. Como podia ter sido tão estúpido?

Ela se afastou da porta, alisando uma ruga que não existia no vestido. – Entre, entre. Você... – ela desviou os olhos depressa, mas não antes de ele ver que ela mordia o lábio inferior, o hábito nervoso que tinha desde jovem. Ele pensou que ela fosse dizer alguma coisa, mas no último instante ela se virou e seguiu para a sala e saiu para o imenso deque de vários níveis com vista para a calma área da Colony da praia de Malibu.

Droga, ele queria não ter vindo. Não precisava ver a dor dela em relevo agudo, a forma como ela ficava alisando o vestido e mexendo no cabelo.

Ela foi até a mesa, onde havia uma jarra de limonada, a predileta dele, e dois copos de cristal em uma elegante bandeja de prata. – Natalie está se virando bem. Só falei com ela uma vez, e eu ia ligar de novo, mas... bem... está sendo difícil. Pensei que ela fosse perceber alguma coisa na minha voz. E, claro, ela ia perguntar de você. Talvez mais tarde... quando você estiver aqui... podemos ligar de novo.

– Eu não devia ter vindo – ele falou em um tom mais forte do que pretendia, mas não podia aguentar mais ouvir o tremor na voz dela.

A mão dela tremeu. A limonada passou pela beirada do copo e caiu sobre a pedra cinzenta da mesa. Ela não olhou para ele, e ele ficou feliz por isso. Não queria ver o rosto dela.

– Por que você fez isso?

Algo na voz dela, talvez resignação, ou dor, o pegou despreparado. Lágrimas surgiram nos olhos dele; não conseguia acreditar que isso estava causando *dor.* Enfiou a mão no bolso e pegou os papéis que tinha rascunhado. Sem dizer nada, ele se inclinou sobre o ombro dela e deixou os papéis caírem na mesa. Um canto do envelope caiu sobre a poça de limonada. Uma mancha escura e borbulhante começou a se formar.

Ele parecia não conseguir tirar os olhos da mancha. – Estes papéis, Annie...

Ela não se moveu, não respondeu, apenas ficou ali de costas para ele.

Ela parecia patética, com os ombros caídos e os dedos agarrando a beirada da mesa. Ele não precisava ver o rosto dela para saber o que ela sentia. Podia ver as lágrimas caindo, uma depois da outra respingando na pequena poça na pedra como minúsculas gotas de chuva.

Capítulo 3

– Não posso acreditar que você está fazendo isso. – Annie não pretendia dizer nada, mas as palavras saíram sozinhas. Como ele não respondeu, ela se virou para ele. Era triste constatar que, depois de quase vinte anos de casamento, não podia aguentar olhar nos olhos dele. – Por quê?

Era isso que ela realmente queria entender. Sempre pusera as necessidades da família acima das suas próprias, sempre fizera tudo o que podia para que aqueles que amava se sentissem seguros e felizes. Isso começou muito antes de conhecer Blake, na infância dela. A mãe morreu quando Annie era muito pequena, e ela aprendeu a guardar a própria dor em compartimentos estanques bem longe do coração. Incapaz de compreender a perda, ela se concentrou na tristeza do pai. Isso se tornou, com o passar dos anos, sua principal característica. Annie, aquela que cuidava, a que dava amor. Mas agora o marido não queria mais o seu amor, não queria mais ser parte da família que ela havia criado e da qual cuidava.

– Não vamos repetir isso – ele disse com um suspiro pesado.

As palavras foram como um tapa. Ela ergueu a cabeça subitamente e olhou para ele. – Repetir? Você está *brincando?*

Ele parecia triste e cansado. – Quando foi que você me viu brincar? – Ele passou a mão pelo cabelo cortado com perfeição. – Eu achei que você fosse... compreender minha ligação de hoje de manhã. Desculpe.

Compreender. Uma palavra fria do mundo das leis que parecia separá-los ainda mais.

Ele se aproximou dela, mas teve o cuidado de não chegar perto demais. – Eu vou cuidar de você. É isso o que vim dizer. Você não precisa se preocupar com dinheiro nem nada. Eu vou cuidar bem de você e da Natalie. Eu juro.

Ela olhou para ele sem acreditar. – Dezenove de fevereiro. Você se lembra dessa data, Blake?

O bronzeado de um milhão de dólares dele foi empalidecendo até virar cinza. – Bem, Annalise...

– Não me venha com esse "Bem, Annalise". Dezenove de fevereiro. O dia do nosso casamento. Você se lembra desse dia, Blake? Você disse, você *jurou* que ia me amar até que a morte nos separasse. Você prometeu naquele dia também que ia cuidar de mim.

– Isso faz muito tempo.

– Você acha que uma promessa como essa tem data de validade, como se fosse uma caixa de leite? Deus...

– Eu mudei, Annie. Droga, nós ficamos juntos mais de vinte anos; nós dois mudamos. Acho que você vai ser mais feliz sem mim. De verdade. Agora você pode se concentrar naqueles hobbies que nunca teve tempo para fazer. Sabe? – Ele parecia completamente perdido. – Como aquela coisa de caligrafia. E escrever aquelas historinhas. E pintar.

Ela queria dizer para ele sumir dali, mas as palavras se prenderam nas lembranças em sua mente, e aquilo tudo doía tanto.

Ele foi até ela, os passos sonoros e duros no chão de pedra. – Eu fiz o rascunho de um acordo. Mais do que generoso.

– Eu não vou facilitar para você.

– O quê?

Annie percebeu pela voz dele que o surpreendera, e não era de admirar. Os anos deles juntos o ensinaram a não esperar protestos de Annie sobre o que quer que fosse. Ela ergueu o rosto para ele. – Eu disse que não vou facilitar para você, Blake. Não mesmo.

– Você não pode impedir um divórcio na Califórnia – ele disse suavemente, com a voz de advogado.

– Eu conheço a lei, Blake. Está esquecendo que trabalhei com você durante anos, construindo o escritório de advocacia com você? Ou só se lembra das horas que *você* colocou no escritório? – Ela se aproximou dele, tomando o cuidado de não o tocar. – Se você fosse um cliente, que conselho daria?

Ele ajeitou o colarinho muito branco. – Isso não é relevante.

– Você diria para esperar, gastar algum tempo para "esfriar". Recomendaria uma separação experimental. Eu *ouvi* você dizer isso. – As palavras a deixaram ainda mais triste. – Puxa vida, Blake, você não quer nem nos dar essa chance?

– Annalise...

Ela foi controlando as lágrimas a cada respiração trêmula. Estava tudo em jogo naquele instante. – Prometa que vai esperar até junho, quando Natalie voltar para casa. Vamos conversar de novo... ver onde estamos depois de alguns meses separados. Eu dei vinte anos para você, Blake. Você pode me dar três meses.

Ela sentiu os segundos passarem, cortando pequenas fatias de sua alma. Podia ouvir a oscilação calculada da respiração dele, a canção de ninar que a fizera dormir por mais da metade da sua vida.

– Está bem.

O alívio foi imenso. – O que vamos dizer para Natalie?

– Puxa, Annie, não é como se ela fosse ter um ataque cardíaco. A maioria dos pais dos amigos dela é divorciada. Isso é metade do nosso problema, você só consegue pensar em Natalie. Conte a verdade para ela.

Annie sentiu a primeira faísca de raiva de verdade. – Não ouse transformar isso num problema de maternidade, Blake. Você está me deixando porque é um canalha egoísta.

– Um canalha egoísta que está apaixonado por outra mulher.

As palavras cortaram tão fundo quanto ele pretendia. As lágrimas queimavam nos olhos dela, enevoaram a visão, mas ela não ia deixar que caíssem. Ela devia saber que não era bom brigar com ele, não tinha experiência nisso, e palavras que magoavam era a profissão dele. – É o que você diz.

– Está bem – ele disse em tom controlado, e ela percebeu pela sua voz que a conversa estava encerrada. – O que você quer contar para Natalie e quando?

Essa era a única resposta que ela tinha. Podia ser um fracasso completo como esposa e amante, mas sabia cuidar da filha. – Nada por enquanto. Não quero estragar a viagem dela. Podemos contar a ela... o que for preciso contar... quando ela voltar.

– Está bem.

– Está bem.

– Vou mandar alguém amanhã pegar algumas das minhas coisas. Devolvo o Cadillac na segunda.

Coisas. Era a que tudo se resumia depois de todos esses anos. As coisas que eram a vida deles, a escova de dentes dele, os bobes dela, a coleção de discos dele, as joias dela, eram tudo apenas coisas a serem divididas e guardadas em malas separadas.

Ele pegou o envelope na mesa e o estendeu para ela. – Abra.

– Por quê? Para eu ver como você é generoso com o *nosso* dinheiro?

– Annie...

Ela fez um gesto de desprezo com a mão. – Não me importa quem fica com o quê.

Ele franziu a testa. – Seja sensata, Annie.

Ela o fitou com força. – É isso o que meu pai me disse quando eu contei que ia me casar com um pobretão magrelo de vinte e um anos. *Seja sensata, Annie. Não precisa ter pressa. Você é jovem.* Mas não sou mais jovem, não é, Blake?

– Annie, por favor...

– Por favor o quê? Por favor não torne isso difícil para você?

– Olhe os papéis, Annie.

Ela chegou mais perto, olhou para ele através das lágrimas. – Só tem uma coisa que eu quero, Blake. – A garganta dela se fechou e ficou difícil falar. – Meu coração. Eu quero ele de volta inteiro. Você me dá isso nos seus preciosos papéis?

Ele revirou os olhos. – Eu devia esperar isso de você. Está bem. Estou morando na casa da Suzannah, se houver uma emergência. – Ele pegou uma caneta no bolso e anotou em um pedaço de papel que tirou da carteira. – Aqui está o número.

Ela não pegou. Ele o soltou e o papel flutuou até o chão.

Annie ficou completamente imóvel na cama king-size, escutando o som familiar da própria respiração, o ritmo constante do seu coração. Queria pegar o telefone e ligar para Terri, mas já estava se apoiando demais na melhor amiga. Elas conversavam todos os dias, por horas e horas, como se falar pudesse diminuir a dor que Annie sentia, e, quando as conversas terminavam, ela se sentia mais sozinha do que nunca.

A semana anterior passara de forma indistinta, sete dias sem fim desde que o marido contara que estava apaixonado por outra mulher. Cada noite solitária e cada dia vazio pareciam arrancar mais um pedacinho dela. Logo estaria tão pequena que ninguém perceberia sua presença.

Às vezes, quando acordava, estava gritando, e o pesadelo era sempre o mesmo. Estava em uma sala escura, olhando para um espelho com a beirada dourada, só que não havia nenhum reflexo.

Jogando as cobertas para o lado, ela saiu da cama e foi até o closet, que era grande o bastante para entrar lá dentro. Puxou com força a gaveta de lingerie e tirou uma caixa cinza grande. Abraçando a caixa contra o peito, voltou até a cama. Uma coleção de fotos da vida inteira, lembranças na ponta dos seus dedos, todas as fotos prediletas que havia guardado ao longo dos anos. Passou por elas lentamente, saboreando cada uma. No fundo da caixa, encontrou uma pequena bússola de bronze, um presente muito antigo do pai. Não havia nada gravado nela, mas Annie ainda se lembrava do dia em que ganhou o presente, e as palavras que o pai dissera: *Sei que agora você está se sentindo perdida, mas isso não vai durar para sempre, e isto aqui vai garantir que você sempre encontre o caminho de volta para casa... onde eu sempre vou estar esperando.*

Ela segurou a peça de metal em uma das mãos, imaginando quando e por que havia procurado por ela. Muito lentamente, ela a pendurou novamente no pescoço, então olhou para as fotos, começando com as em preto e branco, a trilha Kodak de sua infância. Pequenas fotos com os cantos dobrados e com a data em preto no alto. Havia dúzias de fotos dela sozinha, algumas junto com o pai. E uma com a mãe.

Uma.

Annie se lembrava do dia em que a foto fora tirada; ela e a mãe estavam fazendo biscoitos de Natal. Havia farinha por todos os lados, no balcão, no rosto de Annie, no chão. O pai chegou do trabalho e deu risada delas. *Meu Deus, Sara, você está fazendo biscoitos para um exército inteiro. Somos só nós três...*

Alguns meses depois, restavam apenas dois deles. Um homem silencioso e triste com sua filhinha ainda mais quieta.

Annie passou a ponta do dedo pela foto. Sentira a falta da mãe tantas vezes ao longo dos anos, na formatura do colegial, no dia do casamento, no dia em que Natalie nasceu, mas nunca tanto quanto sentia agora. *Preciso de você, mãe,* ela pensou pela milionésima vez. *Preciso que você me diga que vai ficar tudo bem...*

Ela recolocou a foto preciosa na caixa e pegou uma colorida que mostrava Annie segurando um bebê recém-nascido envolto em um cobertor cor-de-rosa. E ali estava Blake, jovem, atraente e orgulhoso, a mão grande envolvendo a filhinha de forma protetora. Ela passou por mais dúzias de fotos, acompanhando a vida de Natalie de criança até a formatura do colegial, dos biscoitos de água e sal até o rímel.

A vida toda de Natalie estava naquela caixa. Eram incontáveis fotografias de uma menina sorridente de olhos azuis, posando junto de uma sucessão de bichos de pelúcia e bicicletas e bichos de estimação. Em algum ponto ao longo do caminho, Blake parou de aparecer nas fotos da família. Como é que Annie nunca havia notado isso antes?

Mas não era Blake quem ela estava realmente procurando.

Estava procurando Annie. A verdade foi entrando nela, girando e machucando, mas ela não conseguia parar. Em algum lugar naquela caixa que continha lembranças tangíveis de sua vida, ela precisava se encontrar. Passou foto por foto, colocando de lado uma após a outra.

Não havia quase nenhuma foto dela. Como a maioria das mães, ela estava sempre por trás da câmera, e, quando achava que estava parecendo cansada, ou gorda, ou magra, ou feia... ela rasgava a foto e jogava fora.

Agora, era como se nunca tivesse estado lá. Era como se não tivesse realmente existido.

Essa ideia a assustou tanto que se levantou da cama, jogando as fotos para o lado com um movimento da mão. Ao passar pelas portas francesas, viu de relance uma mulher de meia-idade desarrumada, com ar desesperado, vestindo o robe de banho do marido. Ela estava se tornando algo patético. Ainda mais patético do que tinha sido antes.

Como podia ousar fazer isso consigo mesma? Tirar vinte anos da vida e os jogar fora como um suéter que não serve mais?

Foi até o closet, arrancou as roupas dos cabides caros e as jogou no lixo. Então foi até o estúdio, o precioso estúdio dele. Abriu com ímpeto uma gaveta da mesa e arrancou tudo lá de dentro.

No fundo de uma das gavetas, encontrou dúzias de recibos de compras de flores, quartos de hotel e lingerie.

A raiva que sentia tornou-se fúria. Ela jogou tudo, os recibos, notas, lembretes, agendas, os canhotos dos cheques, em uma grande caixa de papelão. Nela, com grandes letras grossas, escreveu o nome dele e o endereço do escritório. Em letras menores, escreveu: *Cuidei disso por vinte anos. Agora é sua vez.*

Respirando depressa, sentindo-se melhor do que se sentira em dias, ela olhou em volta, para a casa perfeita e vazia.

O que fazer agora? Para onde devia ir? Annie tocou a bússola pendurada no pescoço e percebeu a resposta.

Talvez soubesse qual era o tempo todo.

Ia voltar para a menina que viu naquelas raras fotos em preto e branco... de volta para onde era alguém além de esposa de Blake e mãe de Natalie.

Parte Dois

No meio do inverno, eu finalmente descobri que havia em mim um verão invencível.

– Albert Camus

Capítulo 4

Depois de horas voando e guiando, Annie finalmente dirigiu o carro alugado pela longa ponte flutuante que conectava a Península Olympic ao resto do Estado de Washington. De um lado da ponte, as ondas estavam agitadas, com espuma branca; do outro lado, a água era calma e prateada como uma moeda recém-cunhada. Ela baixou o vidro e desligou o ar-condicionado. O ar doce e enevoado entrou no carro, fazendo pequenos cachos do cabelo moverem-se sobre seu rosto.

Quilômetro após quilômetro, a paisagem passava com os vívidos verdes e azuis do mundo da sua infância. Ela saiu da estrada moderna e pegou a estrada menor de duas pistas que se afastava da costa. Sob uma camada arroxeada de neblina, a península ficava escondida, uma costeleta de terra com uma cordilheira imensa, com neve nos picos de um lado e praias expostas ao vento do outro. Era um lugar primitivo, intocado pela agitação da vida moderna. Florestas antigas guarnecidas por meadas de musgo prateado, e a costa irregular abrigada das ondas fortes por uma imensa cortina de pedra. No centro da península ficava o Olympic National Park, quase um milhão de acres de área desabitada, controlada pela mãe natureza e pelos mitos dos americanos nativos que já moravam ali muito antes de os pioneiros brancos chegarem.

Quando se aproximou da sua cidade natal, as florestas ficaram mais densas e escuras, ainda cobertas, no começo da primavera, por uma névoa brilhante e opalescente que escondia os topos serrilhados das árvores. Era aquela época do ano em que as florestas ainda estavam hibernando, e a noite caía antes de o sinal da saída da escola tocar. Nenhuma pessoa sã se aventurava para além da estrada principal antes do começo do verão; lendas eram contadas e recontadas sobre crianças que fizeram isso e nunca mais foram vistas, sobre Sasquatches[2] que vagavam pela floresta de noite, atacando turistas desavisados. Ali, na área mais central da floresta temperada, o clima podia mudar mais depressa do que as ideias de uma adolescente; podia ir de ensolarado para neve em um instante, deixando nada além de um arco-íris vermelho que se tornava negro nas pontas.

Era uma terra antiga, um local onde as árvores de cedro vermelho cresciam até noventa metros de altura e caíam em completo silêncio, para morrer e produzir sementes entre os seus, onde o tempo era marcado pelas marés e pelos anéis nas árvores e pelo movimento dos salmões.

Quando finalmente chegou à cidade de Mystic, Annie diminuiu a velocidade, absorvendo as vistas familiares. Era uma pequena comunidade de lenhadores, entalhada por pioneiros idealistas na grande floresta Quinault. A rua principal tinha apenas seis quarteirões. Ela não precisava ir até o final para saber que na Elm Street o asfalto irregular dava lugar a uma rua de terra e pedrisco cheia de buracos.

O centro da cidade tinha o aspecto acabado, esquecido, de um velho de cabelos brancos deixado na chuva. Um único e cansado semáforo controlava o tráfego inexistente além do grupo de lojas geminadas de tijolo e frente de madeira. Quinze anos atrás, Mystic era uma cidade animada, sustentada pela pescaria e pela produção de madeira, mas os anos seguintes obviamente tinham sido duros e os comerciantes partiram para comunidades mais lucrativas, deixando para trás várias lojas vazias.

Peruas enferrujadas estavam estacionadas a quarenta e cinco graus diante de parquímetros com trinta anos de idade; apenas algumas pessoas de macacões desbotados e grossos casacos de inverno podiam ser vistas nas calçadas.

As lojas que restavam tinham nomes caseiros: a loja de tecidos I of the Needle[3], o balcão de donuts Holey Moses[4], a loja de roupas por consignação

---

[2] Também conhecido como Big Foot, o Pé Grande. (N.T.)

[3] I of the Needle: trocadilho com "eye of the needle", que quer dizer buraco da agulha. (N.T.)

[4] Holey Moses: trocadilho com a expressão "Holy Moses", "Moisés Sagrado", comum nos

Kiddie Corner[5], o boliche Dwayne's Lanes[6], o Eve's Leaves Dress Emporium[7], o Vittorio's Italian Ristorante[8]. Cada vitrine tinha uma placa que dizia ESTE LOCAL É SUSTENTADO PELOS LENHADORES, um lembrete ressentido para políticos distantes, que viviam em casas com colunas altas em cidades muito longe dali, de que o trabalho dos lenhadores era o sangue vital da região.

Era uma cidade de lenhadores, uma cidadezinha exausta, mas para Annie, cujos olhos estavam acostumados com o aço, o concreto e o vidro, parecia adorável. O céu estava agora cinzento, mas ela se lembrava como o lugar parecia sem a cobertura das nuvens. Ali, em Mystic, o céu começava bem profundamente na palma da mão de Deus e se desenrolava até onde os olhos podiam alcançar. Era uma terra maravilhosa, de paisagens sublimes, com um ar que cheirava a pinheiro, névoa e chuva.

Tão diferente do sul da Califórnia.

O pensamento veio sem ser chamado, uma pequena alfinetada para lembrar que ela era uma mulher de trinta e nove anos, acabando de entrar em um divórcio que não queria. E que estava voltando para casa porque não tinha nenhum outro lugar para onde ir.

Tentou não pensar em Blake ou Natalie ou naquela casa grande e vazia equilibrada de modo precário sobre a praia. Em vez disso, lembrou das coisas que não se importava em deixar para trás, como o calor que sempre a deixava com dor de cabeça, o câncer que podia sentir escondido nos raios invisíveis do sol, a poluição que fazia os olhos e a garganta arderem, os dias de "ar ruim", quando eram aconselhados a ficar dentro de casa, os deslizamentos de lama e os incêndios que destruíam bairros inteiros em uma única tarde.

Estados Unidos. Também é hábito entre eles, especialmente fora das cidades grandes, alterar as expressões que usem nomes da Bíblia para não blasfemar. Holey quer dizer perfurado, com buraco, o que combina com os donuts em formato de rosquinha. (N.T.)

[5] Kiddie Corner: canto das crianças. *Kiddie* é gíria para *kid*, criança. (N.T.)

[6] Dwayne's Lanes: *lane* quer dizer pista (no caso, de boliche); Pistas do Dwayne. (N.T.)

[7] Eve's Leaves Dress Emporium: Empório de Vestidos Folhas da Eva. (N.T.)

[8] Vittorio's Italian Ristorante: Restaurante Italiano do Vittorio, misturando inglês e italiano. (N.T.)

Annie tinha raízes nessa região que eram profundas e iam bem longe. O avô tinha vindo para cá havia quase setenta anos, um alemão de queixo quadrado com apetite por liberdade e disposição para usar uma serra. Ele havia arrancado uma boa vida da terra e criado seu único filho, Hank, para fazer o mesmo. Annie era a primeira Bourne em duas gerações que deixara o lugar, e a primeira a ir para a faculdade.

Ela seguiu a Elm Street, saindo da cidade. Dos dois lados da estrada, a terra havia sido cortada em terrenos iguais. Casas modulares podiam ser vistas em quadrados de grama, por trás de jardins cheios de carros quebrados e máquinas de lavar que tinham visto dias melhores. Para qualquer lado que olhasse, Annie via a evidência dos lenhadores: caminhões, serras e placas sobre a coruja mosqueada.

A estrada começou a lenta e ondulante subida pela colina, indo mais e mais para dentro da floresta. Uma a uma, as casas foram ficando para trás, dando lugar às árvores. Quilômetros e mais quilômetros de árvores retorcidas e recentes apinhadas por trás de placas que diziam CORTADAS EM 1992. REPLANTADAS EM 1993. Havia uma placa a cada quinhentos metros, mais ou menos; só as datas mudavam.

Por fim, ela chegou ao cruzamento para a estradinha de cascalho que serpenteava pelos quinze acres de árvores antigas.

Quando criança, esse local havia sido seu playground. Passara horas incontáveis subindo nos arbustos e troncos caídos onde outras plantas encontravam abrigo para crescer, procurando tesouros: um cogumelo branco que só crescia à luz da lua vermelha, um cervo recém-nascido esperando a mãe voltar, um amontoado gelatinoso de ovos de sapo escondido por baixo de folhas mortas.

Então, ela chegou à casa de madeira de dois andares onde havia crescido. A aparência era exatamente aquela de que recordava: uma estrutura com formas triangulares com cinquenta anos de idade pintada de cinza perolado com detalhes em branco. Uma varanda branca contornava a casa toda, e cestas de gerânios tinham sido penduradas em cada coluna. Fumaça espiralava da chaminé de tijolos, misturando-se com a camada baixa de neblina no alto.

Atrás da casa, um batalhão de árvores antigas protegia uma lagoa secreta, rodeada de samambaias. O musgo cobria os troncos das árvores, pendurado em xales rendados indo de um galho para outro. O gramado seguia até a beirada de uma corredeira, por onde os salmões subiam. Annie sabia que, se andasse pela grama, ela a amassaria entre os dedos dos pés, e, nesta época do ano, o riacho soava como um velho ressonando enquanto dormia.

Annie manobrou o Mustang alugado, entrando na área de estacionamento atrás do barraco, e desligou o motor. Pegando a bolsa, foi até a porta da frente.

Um instante depois de tocar a campainha, seu pai abriu a porta.

O grande Hank Bourne, com um metro e noventa de altura e cento e dez quilos, parou ali por um segundo, olhando para a filha sem acreditar. Então surgiu um sorriso, enterrado fundo no bigode e barba grisalhos.

– Annie – ele sussurrou naquela voz grave e rascante dele.

Os braços se abriram e ela se lançou para a frente, enterrando o rosto nas dobras aveludadas do pescoço dele. Ele cheirava a fumaça de lenha e sabonete Irish Spring e aos doces de manteiga com açúcar mascavo que sempre carregava no bolso da camisa. Lembranças da infância.

Annie se deixou ser carregada pelo conforto do abraço do pai. Por fim ela recuou, incapaz de olhar para ele, sabendo que ele ia ver as lágrimas em seus olhos. – Oi, pai.

– Annie – ele disse de novo, mas desta vez ela escutou a pergunta que ele não fez.

Ela se forçou a fitar o olhar inquiridor do pai. Hank parecia bem para seus sessenta e sete anos. Os olhos ainda eram brilhantes e curiosos como os de um jovem, mesmo enfiados como eram nas dobras da pele rosada curtida. As tragédias que ele havia enfrentado apareciam só de vez em quando, mas logo sumiam, uma sombra que cruzava o rosto enrugado quando um sinal ficava vermelho em um dia de chuva, ou quando o som desalmado da sirene de uma ambulância cortava o nevoeiro.

Ele enfiou a mão cheia de cicatrizes, cortada há muito pelas implacáveis lâminas da serraria, na parte de cima do macacão de brim. – Você está sozinha, Annie?

Ela se encolheu um pouco. A pergunta tinha camadas e mais camadas. Havia tantas formas de responder.

Ele olhou para ela com tanta intensidade que Annie se sentiu desconfortável, como se o pai estivesse perscrutando sua alma, lá naquela casa grande no Oceano Pacífico onde o marido dela tinha dito *Eu não amo você, Annie.*

– Natalie foi para Londres – ela disse com a voz fraca.

– Eu sei. Estava esperando você ligar para me passar o endereço. Pensei em mandar alguma coisa para ela.

– Ela está com uma família chamada Roberson. Está chovendo todos os dias, e muito, pelo que enten...

– O que está acontecendo, Annie Virginia?

Ela engoliu o resto da frase junto com uma golfada de ar. Não havia para onde ir exceto para a frente. – Ele... ele me deixou, pai.

Hank ficou completamente confuso. – O quê?

Annie queria rir e fingir que não era nada, que era forte o bastante para lidar com isso, mas se sentia como criança novamente, perdida e sem conseguir falar.

– O que houve? – ele perguntou suavemente.

Ela deu de ombros. – É a velha história. Ele está com quarenta anos... e ela tem vinte e oito.

O rosto enrugado e magro de Hank desabou. – Ah, meu bem... – Ela viu que o pai procurava palavras, e viu a tristeza encher os olhos dele quando não encontrou nenhuma. Ele foi até ela, encostou a palma de pele seca no rosto dela. Por um instante, o passado avançou, deslizando para o presente; ela sabia que os dois estavam se lembrando de outro dia, muito tempo atrás, quando Hank contou para a filha de sete anos que tinha acontecido um acidente... que a mamãe tinha ido para o céu...

Ela se foi, meu bem. Ela não vai voltar.

No silêncio que se seguiu, Hank abraçou a filha. Ela encostou o rosto na reconfortante flanela da camisa xadrez de trabalho. Queria pedir a ele algumas palavras de conselho, algum pensamento reconfortante para levar para o quarto e se enrolar com ele, mas eles nunca tinham tido esse tipo de relação. Hank nunca se sentia bem dando conselhos paternais. – Ele vai voltar – ele disse baixinho. – Os homens podem ser bem estúpidos. Mas o Blake vai ver o que fez, e ele vai voltar, implorando por uma segunda chance.

– Quero acreditar nisso, pai.

Hank sorriu, aparentemente animado com o efeito de suas palavras. – Acredite, Annie. Aquele cara ama você. Eu percebi na primeira vez em que o vi. Vocês eram jovens demais para casar, eu sabia, mas você era uma garota sensata, e eu disse para mim mesmo: *esse é o sujeito que vai cuidar da minha filha*. Ele vai voltar. Agora, que tal se instalarmos você no seu velho quarto e depois pegarmos o velho jogo de xadrez?

– Seria perfeito.

Hank pegou a mão dela. Juntos eles atravessaram a sala com pouca decoração e subiram a escada raquítica para o segundo andar.

Diante do velho quarto de Annie, Hank girou a maçaneta e empurrou a porta. O quarto era um jorro de papel de parede amarelo dourado iluminado pelos últimos raios do sol lilás que se punha; era um papel com desenho típico para uma garota jovem, escolhido pela mãe dela muitos anos atrás, e nunca mudado. Nem Annie nem Hank jamais pensaram em tirar o papel, nem quando Annie passou da idade. Uma cama branca estreita de ferro dominava o quarto, com muitas colchas brancas e amarelas em cima dela. Ao lado da janela estreita com veneziana dupla havia uma cadeira de balanço, a cadeira que o pai havia feito para ela quando completou treze anos. *Você é uma mulher agora;* ele tinha dito, *então vai querer uma cadeira de mulher.*

Ela passou muito da juventude naquela cadeira, olhando para a noite sem fim, recortando fotografias de celebridades da revista *Teen Beat,* escrevendo cartas apaixonadas para Bobby Sherman[9] e David Cassidy[10], sonhando com o homem com quem um dia iria se casar.

Ele vai voltar. Embrulhou-se nas palavras de Hank, deixando que formassem um escudo contra outros pensamentos, mais negros. Queria desesperadamente que as palavras do pai fossem verdade.

Porque, se ele estivesse errado, se Blake não voltasse, Annie não tinha ideia de quem era nem de onde seria seu lugar.

---

[9] Cantor, compositor e ator que fez sucesso nos Estados Unidos nos anos 1960 e 1970. (N.T.)

[10] Ator, cantor, compositor e guitarrista. Ficou conhecido por seu papel na série "The Partridge Family" (no Brasil, "Família Dó-Ré-Mi"). (N.T.)

Capítulo 5

A NOITE TINHA PASSADO EM ondas intermitentes. Em várias ocasiões, Annie acordou subitamente, com o resto de um soluço flutuando na escuridão ao seu redor, as cobertas enroladas nas pernas, úmidas e com cheiro azedo. Passara quatro dias andando pela velha fazenda como um espírito perdido, agitada e machucada. Raramente se afastou muito do telefone.

Cometi um erro, Annie. Me desculpe; eu amo você. Se você voltar para casa, eu nunca mais vou ver Suzannah outra vez. Ela esperava pela ligação o dia todo, e depois, de noite, desabava em um sono agitado e sonhava novamente com isso.

Annie sabia que tinha de fazer alguma coisa, mas não tinha ideia do quê. Durante toda a vida havia cuidado dos outros, tinha usado sua vida para criar a situação perfeita para a vida de Blake e Natalie, e agora, sozinha, estava perdida.

Vá dormir de novo. Era isso. Ela deitou novamente e dormiu...

Ouviu uma batida na porta. – Eu já vou – ela murmurou, abraçando o travesseiro.

A porta foi aberta. Hank apareceu ali. Estava usando uma camisa xadrez de flanela vermelha e azul e um macacão de brim muito desbotado e manchado, o "uniforme" que usara na serraria por quase quarenta anos. Ele trazia uma bandeja cheia de comida. A expressão no rosto era de desaprovação, o que fazia com que estreitasse os olhos. Ele baixou a bandeja com cuidado e cruzou o quarto. – Você está com uma aparência péssima.

Estupidamente, ela começou a chorar. Sabia que era verdade. Estava magra, feia e suja, e ninguém, incluindo Blake, jamais ia se interessar por ela novamente. A ideia a deixou enjoada. Colocou uma das mãos diante da boca e correu para fora do quarto. Era humilhante saber que o pai podia ouvir enquanto vomitava, mas não tinha como evitar. Depois, escovou os dentes e voltou trêmula para o quarto.

A preocupação nos olhos de Hank cortava como uma faca.

– Chega – ele disse, batendo as mãos uma na outra. – Você vai ao médico. Pegue suas roupas.

A ideia de sair, de *partir*, a encheu de horror. – Não posso. As pessoas vão... – Ela nem sabia do que estava com medo. Só sabia que em seu quarto, ali em sua cama de menina, se sentia segura.

– Eu ainda posso carregar você no ombro, menina. Ou você se veste ou vai para a cidade de pijama. A decisão é sua. Mas você vai para a cidade.

Ela quis argumentar, mas sabia que o pai estava certo e, francamente, era bom que alguém cuidasse dela. – Está bem, está bem. – Annie foi lentamente até o banheiro e vestiu as mesmas roupas amassadas que usara na viagem até ali. Prender o cabelo estava além das suas capacidades; ela só penteou com os dedos e cobriu os olhos injetados com óculos escuros. – Vamos.

* * *

Annie olhou pela janela meio aberta da perua Ford do pai. Atrás da cabeça dela, o suporte para um rifle ficava batendo no vidro.

Ele conduziu o veículo com habilidade, evitando os buracos na estrada, e parou diante de uma construção térrea larga de tijolos. Uma placa feita a mão dizia CLÍNICA MÉDICA DE MYSTIC. DR. GERALD BURTON, MÉDICO DE FAMÍLIA.

Annie sorriu. Não pensava no velho Doc Burton fazia anos. Ele havia feito o parto de Annie e cuidara durante quase vinte anos de suas gripes e infecções de ouvido e acidentes de infância. Ele fazia tanto parte de sua vida quanto os aparelhos para os dentes, as festas da escola e as aventuras de nadar pelados no Lago Crescent.

Hank desligou o motor. O velho Ford cuspiu, tossiu e ficou em silêncio. – Parece estranho trazer você aqui de novo. Quase estou com medo de ter esquecido de uma vacina e que eles não deixem você entrar na escola no começo das aulas.

Annie sorriu. – Talvez o Doc Burton me dê um pirulito de uva se eu for boazinha.

Hank virou-se para ela. – Você sempre é boa, Annalise. Não esqueça disso.

As palavras trouxeram aquilo de volta dentro dela, mandaram-na de volta para aquela casa grande junto do mar onde o marido tinha dito que amava outra mulher. Antes que a tristeza se agarrasse, ela endireitou os ombros e abriu a porta. – Encontro você no... – Ela olhou em volta, para ver o que ainda estava lá.

– No parque do rio. Você adorava ir lá.

– No parque do rio – ela disse, lembrando-se de toda as tardes que tinha passado na margem do rio, engatinhando na lama, procurando ovos de peixe e libélulas. Com um aceno, ela desceu da perua, pendurou a bolsa no ombro e subiu os degraus de pedra até a porta da frente da clínica.

Lá dentro, uma senhora de cabelo azulado olhou para ela. A plaqueta no peito dela dizia OI! EU SOU MADGE. – Olá. Posso ajudar?

Annie subitamente sentiu que chamava atenção demais em suas roupas amassadas, com o cabelo escorrido e sem vida caído ao redor do rosto. Felizmente os óculos escuros escondiam seus olhos. – Eu sou Annie Colwater. Gostaria de ver o doutor Burton. Acho que meu pai marcou hora.

– Ele marcou, sim, meu bem. Sente-se. O Doc vai ver você em um instante.

Depois de ter preenchido os formulários do seguro, Annie sentou-se na sala de espera, olhando sem prestar atenção uma edição da revista *People.* Não esperou mais que quinze minutos até o Dr. Burton contornar a esquina e entrar na sala de espera. Os dez anos em que ela ficou distante apareciam nas dobras de pele vermelha no pescoço dele e na quantidade de cabelo que havia perdido, mas ele ainda era o velho Doc Burton, o único homem em toda Mystic que usava religiosamente uma gravata para trabalhar.

– Bem, Annie Bourne, em carne e osso.

Ela sorriu para o homem idoso. – Já faz muito tempo.

– É verdade. Venha, venha. – Ele passou o braço pelo ombro dela e a levou para a sala de exame mais próxima. Annie sentou-se na mesa de exame forrada com papel e cruzou as pernas na altura dos tornozelos.

O médico sentou-se em uma cadeira amarela de plástico manchada e a olhou. Os óculos muito grossos aumentavam os olhos dele, deixando-os parecendo dois pratos. Ela imaginou quantos anos fazia desde que ele começara a perder a visão. – Você não está parecendo muito bem.

Ela conseguiu sorrir. Aparentemente a visão dele não estava assim tão ruim. – É por isso que estou aqui. Hank disse que estou com péssima aparência; ele achou que podia ser alguma doença.

Ele soltou uma risada alta e abriu uma pasta, encostando a caneta na folha em branco. – É bem coisa do Hank. Da última vez que o vi ele estava com enxaqueca, e estava certo de que era um tumor cerebral. Então, o que está acontecendo com você?

Annie achou difícil começar a falar. – Eu não estou dormindo bem... dores de cabeça... enjoo... esse tipo de coisa.

– Alguma possibilidade de você estar grávida?

Ela devia estar preparada para essa pergunta. Se estivesse preparada, não teria machucado tanto. Mas fazia anos que qualquer médico havia lhe feito essa pergunta delicada. Os médicos dela sabiam qual era a resposta. – Nenhuma chance.

– Você sente algum calor súbito? Sua menstruação é regular?

Ela deu de ombros. – Minha menstruação sempre foi irregular. No ano passado, não veio em dois meses. Francamente, não é algo com o que se preocupar. Meu ginecologista me avisou que posso estar perto da menopausa.

– Eu não sei... você é um pouco jovem para isso...

Annie sorriu. – Obrigada.

Ele fechou a pasta, colocou-a gentilmente no colo, então olhou para ela outra vez. – Tem algo acontecendo na sua vida que possa levar a uma depressão?

Depressão.

Uma palavra para descrever uma montanha de dor. Uma palavra para roubar a luz do sol da alma da pessoa e deixá-la presa em um cenário cinza e frio, sozinha, procurando algo que não conseguia nem dizer o que era.

– Pode ser.

– Você gostaria de falar sobre isso?

Ela olhou para o velho médico. A compreensão gentil nos olhos aquosos levou-a por uma estrada serpenteante, e, no final dela, Annie se sentiu novamente com doze anos, sendo a primeira menina da classe a menstruar. Hank não sabia o que dizer, então a pegou e a levou até o Doc Burton, e deixou o doutor lidar com o medo da filha.

Lágrimas surgiram nos olhos dela e escorreram pelo rosto. – Eu me separei recentemente. Não estou... lidando bem com isso.

Lentamente, ele tirou os óculos, colocou-os sobre os papéis na mesa e massageou com ar cansado a ponta do nariz pontudo. – Eu lamento, Annie. Vejo muito disso, sabe? Está acontecendo aqui na boa e velha Mystic tanto quanto na cidade grande. Claro que você está abatida, e a depressão pode sem dúvida explicar a falta de sono, a falta de apetite, as náuseas. Vários sintomas. Eu posso prescrever Valium, ou talvez Prozac. Algo que tire a força do problema até você conseguir chegar do outro lado.

Ela quis perguntar se ele conhecia alguma mulher que tivesse chegado do outro lado... ou alguma cujo marido tivesse mudado de ideia... mas eram perguntas tão íntimas e reveladoras que ela ficou quieta.

O médico voltou a colocar os óculos no nariz e olhou para ela. – Esse é um momento em que você tem de tomar muito cuidado consigo mesma, Annie. A depressão não é algo com o que se brinque. Se você passar noites demais sem conseguir dormir, venha falar comigo. Aí eu passo algum remédio.

– Pílulas para tomar o lugar de um amante? – Ela se forçou a sorrir. – Deve ser um remédio e tanto. Talvez eu prefira tomar um punhado delas agora.

Ele não sorriu. – Um punhado não é uma expressão que gosto de ouvir, e sarcasmo não fica bem em uma dama, mocinha. Quanto tempo você vai ficar por aqui?

Annie sentiu uma golfada de vergonha, como se tivesse novamente dez anos de idade. – Desculpe. Eu tenho de ir... para casa no meio de junho. – *A menos que Blake ligue.* Ela tremeu por dentro com a ideia. – Acho que vou ficar até lá.

– Meio de junho, é? Certo, quero ver você no dia primeiro de junho. Não importa o que aconteça. Vou marcar hora para você, certo?

Era bom ter alguém se preocupando com seu progresso. – Certo. Tenho certeza que vou estar melhor até lá.

Ele acompanhou Annie até o lado de fora da clínica. Dando tapinhas no ombro dela, disse novamente para ela se cuidar, então se virou e voltou para dentro.

Annie sentiu-se melhor ao deixar a clínica e caminhar na direção do parque da cidade. O ar fresco da primavera a rejuvenesceu, e o céu estava tão azul e brilhante que Annie teve de recolocar os óculos escuros. Era um daqueles raros dias de começo de primavera, que trazem toda a promessa do verão. Ela passou por uma estátua entalhada a serra elétrica de um alce Roosevelt e seguiu pelo parque, chutando as últimas folhas negras do inverno que se agarravam à grama úmida.

Encontrou Hank sentado no mesmo banco de madeira que sempre estivera ali junto do rio. Ela se sentou ao lado dele.

Ele lhe passou um copo de isopor com café fumegante.

– Aposto que você não toma um café decente desde o colegial.

Ela envolveu o copo quente com os dedos. – Eu *tenho* uma máquina de café, pai.

Eles tomaram seus cafés em silêncio. Annie escutou o som familiar e reconfortante da água correndo.

Hank tirou um croissant de um saco de papel e o entregou para ela. Seu estômago se rebelou contra a ideia de comer, e ela disse que não queria.

– O que o Doc disse? – Hank perguntou.

– Grande surpresa... Estou deprimida.

– Você já está brava?

– Ontem à noite imaginei Blake sendo devorado por piranhas. Isso parece braveza, não acha? – Ele não respondeu, só ficou olhando para ela até que, em tom mais suave, ela disse – Fiquei brava durante algum tempo, mas agora estou... vazia demais para ficar brava. – Ela sentiu as lágrimas chegando e não tentou detê-las. Humilhada, desviou os olhos. – Ele acha que eu não sou nada, pai. Ele espera que eu viva com uma pensão e seja... nada.

– O que você acha?

– Acho que ele está certo. – Ela fechou os olhos com força. – Me dê algum conselho, pai. Algumas palavras sábias.

– A vida é uma porcaria.

Ela riu apesar de tudo. Era algo exatamente assim que esperava que ele fosse dizer, e, apesar de não ajudar em nada, a familiaridade daquilo era reconfortante. – Muito obrigada, pai. Eu peço sabedoria e você me vem com um adesivo de para-choque.

– Como você acha que as pessoas chegam a essas frases de para-choque? – Ele deu tapinhas na mão dela. – Vai ficar tudo bem, Annie. Blake ama você; ele vai voltar. Mas você não pode passar o tempo todo naquela cama. Você precisa sair. Fazer alguma coisa. Encontrar algo para se manter ocupada até Blake conseguir tirar a cabeça do próprio rabo.

– Ou do dela.

– Belo comentário vindo da minha filhinha. Aqui vai um para você – ele disse com um sorriso. – Quando a vida lhe dá limões, faça uma limonada.

Ela imaginou a jarra de limonada que tinha feito para Blake, e a grande mancha dela que ficou no envelope do acordo. – Eu não gosto de limonada.

A expressão dele voltou a ficar séria. – Annie Virginia, acho que você não sabe do que gosta, e está na hora de descobrir.

Ela sabia que ele estava certo. Não podia continuar como estava, esperando um telefonema que não ia acontecer, chorando sem parar.

– Você tem de correr alguns riscos, meu bem.

– Eu corro riscos. Eu não passo fio dental todo dia, e às vezes misturo estampa floral com xadrez. Uma vez usei sapatos brancos *depois* do Dia do Trabalho[11].

– Estou querendo dizer...

---

[11] Nos Estados Unidos, o Dia do Trabalho é celebrado na primeira segunda-feira de setembro e é considerado oficialmente o último dia do verão. No fim do século 19, as mulheres de famílias ricas tradicionais utilizavam uma série de regras no vestir para se diferenciar das mulheres de famílias de novos-ricos, e uma delas era não usar branco a não ser no verão. Por isso, o Dia do Trabalho era o último dia em que se podia vestir branco. Essas regras evidentemente não estão mais em uso, mas a ideia de não usar branco depois do Dia do Trabalho persistiu e tornou-se popular. (N.T.)

Annie riu, a primeira risada de verdade desde que a merda atingiu o ventilador. – Cortar o cabelo.

– O quê?

– Blake sempre gostou do meu cabelo comprido.

Hank sorriu. – Ora, ora. Acho que você está um pouco brava, afinal de contas. Esse é um bom sinal.

Lurlene's Fluff-n-Stuff não era o tipo de salão que Annie costumava frequentar. Era um salão de beleza de estilo antigo, de cidade pequena, que ficava em uma casa vitoriana pintada em um tom de rosa igual ao do Pepto Bismol com detalhes em branco brilhante. Havia uma varanda na frente da casa, oferecendo uma sombra para três cadeiras de balanço cor-de-rosa.

Annie estacionou diante de uma placa rosa que dizia: ESTACIONAMENTO RESERVADO PARA CLIENTES DA LURLENE. VIOLADORES SERÃO SUBMETIDOS A UM CORTE DE CABELO E PERMANENTE. Ao seguir pelo caminho feito de pedras de cimento em forma de coração até a varanda da frente, ela ouviu uma versão bem baixinha de "It's a Small World" vindo de um único alto-falante junto da porta.

Ela parou, subitamente com medo. Sempre usara o cabelo comprido. O que estava pensando, que uma tesoura podia recuperar sua juventude? *Calma, Annie.* Respirando fundo, ela drenou tudo exceto o que precisava para dar mais um passo à frente, subindo os degraus para ir cortar o cabelo.

Estava quase no degrau de cima quando a porta do salão foi aberta e uma mulher apareceu. Ela devia ter pelo menos um metro e oitenta de altura, com um imenso cabelo vermelho igual ao da Lucille Ball que quase tocava no batente da porta. Alguém havia derramado o corpo digno de uma estátua dentro de uma calça de spandex vermelho (era isso ou uma camada de pintura vermelha com brilho). Um suéter angorá muito justo com listras pretas e brancas era muito esticado por seios do tamanho dos Alpes. Um imenso brinco de zebra balançava em cada orelha.

A mulher se moveu, com um pequeno tremor de excitação percorrendo todo o corpo dela, descendo até as sapatilhas douradas que cobriam os pés do tamanho de canoas. – Você deve ser Annie Colwater... – Ela pronunciou

Colwatah com um sotaque sulista tão forte e doce quanto melaço de milho.

– Puxa, meu bem, estava esperando você! Seu papai disse que você queria mudar tudo, puxa, eu não consegui acreditar nos meus ouvidos. Um *makeover* completo em Mystic! – Ela desceu os degraus que rangiam parecendo um flutuante do Rose Bowl[12]. – Eu sou Lurlene, docinho. Grande como um alce, você está pensando, mas com duas vezes mais senso de moda. Agora, querida, venha para dentro. Você veio ao lugar certo. Vou tratar você como uma rainha. – Ela deu tapinhas no ombro de Annie e segurou o braço dela, levando-a escada acima para uma sala brilhante toda em rosa e branco com alguns espelhos com molduras de palha. Cortinas xadrez impediam a visão pelas janelas e um grande tapete rosa cobria o chão.

– Minha cor é o rosa – Lurlene disse com orgulho. – As duas cortinas vermelhas e amarelas são projetadas para fazer você se sentir especial e segura. Eu li isso numa revista, e não é que é verdade? – Ela levou Annie, passando por outras duas clientes, ambas mais velhas, com o cabelo grisalho enrolado em bobes pequenos e multicoloridos.

Lurlene ficou falando sem parar enquanto lavava o cabelo de Annie. *Deus, não vejo tanto cabelo assim desde minha Barbie Disco.* Depois que colocou um pano de proteção fúcsia em torno dos ombros de Annie e a instalou em uma cadeira confortável diante do espelho, Lurlene olhou por cima do ombro de Annie. – Você tem certeza que quer cortar? Muitas mulheres dariam a bola esquerda dos maridos por um cabelo assim.

Annie recusou-se a ceder ao tremor dos nervos que se instalou em algum ponto perto do estômago. Chega de meias medidas. Nunca mais. – Corte tudo – ela disse em tom firme.

– *Claro* que você tem certeza – Lurlene disse com um sorriso cheio de dentes. – Algo assim pelo ombro, talvez...

– Corte tudo.

Os lábios pintados de Lurlene se abriram. – Tudo? Mas... tudo *mesmo?*

---

[12] O Rose Parade (desfile das rosas) é um desfile que celebra o Ano-Novo, realizado na cidade de Pasadena, na Califórnia, onde carros decorados com temas florais, chamado *floaters,* desfilam um atrás do outro, acompanhados por bandas e cavaleiros. O Rose Bowl é um jogo especial de futebol americano, muito concorrido e que não faz parte de nenhum campeonato, criado para ajudar a financiar o desfile. (N.T.)

Annie fez que sim com a cabeça.

Lurlene se recuperou depressa. – Puxa, meu bem, você vai ser minha grande realização.

Annie tentou não pensar no que estava fazendo. Uma olhada para seu rosto branco e cansado no espelho, com o cabelo todo para trás, afastado das feições magras, era o bastante para forçá-la a fechar os olhos com força... e os manter assim.

Ela sentiu um puxão no cabelo, então um corte com lâminas de aço, e um tufo de cabelo caiu no chão.

Snip, snip.

– Eu fiquei muito surpresa quando seu papai ligou. Tenho ouvido histórias sobre você faz anos. Kathy Johnson, você lembra dela? Bem, Kath e eu fizemos o curso de estética juntas. Claro que a Kath nunca terminou, algo com as tesouras a incomodava, mas nos tornamos melhores amigas. Ela me contou toneladas de histórias sobre quando vocês eram pequenas. Você e Kathy eram bem malucas.

Kathy Johnson.

Era um nome que Annie não ouvia fazia anos. *Kathy e Annie, amigas para sempre.* Foi o que elas escreveram uma no anuário da escola da outra, foi o que prometeram quando o final do colegial se aproximava.

Annie sempre quis manter a amizade, ficar em contato, mas por algum motivo nunca fez isso. Como tantas amizades juvenis, aquela tinha diminuído até sumir. Cartões de Natal durante alguns anos, e depois até isso parou. Annie não tinha notícias de Kathy havia anos. O afastamento começou antes de o colegial terminar, quando Nick pediu Kathy em casamento.

Nick.

Annie ainda lembrava do dia em que o viu pela primeira vez. Na aula de inglês. Ele entrou com ar arrogante, os olhos azuis desafiando todo mundo na sala. Vestia uma calça Levi's rasgada e uma camiseta branca lavada muitas vezes, com um maço de cigarros enrolado na manga. Ele era diferente de todo mundo que ela conhecia, com o cabelo selvagem, comprido demais e com aquela atitude de "não mexa comigo". Annie se apaixonou no mesmo instante; assim como todas as outras garotas da sala, incluindo a melhor amiga dela, Kathy.

Mas foi Kathy quem ele escolheu, e, com essa escolha, Annie experimentou pela primeira vez as feridas com sal do coração partido.

Ela sorriu com a lembrança, desbotada e distante como era. Talvez fosse ver os dois, tentar reatar a velha camaradagem; seria legal ter uma amiga neste momento. No mínimo, poderiam dar risadas sobre os velhos tempos.
– Como estão Nick e Kathy?

A tesoura parou abruptamente de cortar. – Você não soube?

– O quê?

Lurlene inclinou-se em uma nuvem de perfume com odor de rosas. – Kathy morreu faz oito meses.

Annie estatelou os olhos. Uma mulher pálida, branca como giz com o cabelo meio cortado olhou para ela do espelho oval. Ela fechou os olhos rapidamente de novo. Quando conseguiu falar, foi com a voz suave e fina.
– O que...

– Eu tenho ajudado quanto posso, cuidando do bebê e tal, mas aquela menina dela, a Isabella, bem... ela não está mais certa da cabeça. Conseguiu ser posta para fora da escola ontem. Dá para imaginar isso? Uma menina de seis anos sendo expulsa da escola? O que é que eles estão pensando?, eu pergunto. Eles todos sabem sobre a mãe dela. Era de pensar que teriam um pouco de piedade. Nick tem procurado uma babá, mas ele vê defeito em todas que aparecem.

– Como aconteceu? – Mal dava para ouvir a voz de Annie.

– Eles a chamaram na sala do diretor e disseram: menina, você está sendo expulsa da escola. – Lurlene soltou uma exclamação de desgosto. – Aquela menina não precisa ser rejeitada de novo. O que ela *precisa* é de um pai. Claro que um coelho é um pai melhor do que ele no momento, e olhe que coelhos comem os filhotes. Eu queria poder fazer mais por eles, mas Buddy, o meu marido, ele diz que criou os filhos dele, todos os cinco, com a ex-esposa, Eartha, você a conhece? Ela mora ali em Forks. Então, Buddy não quer passar por *aquilo* de novo, não casar com Eartha, claro, mas criar filhos. E eu nunca tive filhos, o que é que eu sei a respeito? Quer dizer, eu posso cortar o cabelo dela e fazer uma permanente, e até pintar as unhazinhas dela, mas não sei muito mais do que isso. Não ligo de olhar a menina depois da escola, ela ajuda muito em casa, mas ela me assusta, para dizer a verdade, com os problemas dela e tudo o mais.

Aquilo tudo estava atingindo Annie depressa demais. Ela não conseguia realmente compreender.

Kathy.

Como Kathy poderia estar morta? Ontem mesmo eram amigas, brincando juntas no recreio da escola, rindo dos garotos no secundário e saindo em encontros juntas no colegial. Elas tinham sido amigas daquele jeito que só as meninas conseguem, usavam as roupas uma da outra e dormiam na casa uma da outra e contavam uma para a outra todos os segredos. Ela juraram ser amigas para sempre.

Mas não tiveram tempo nem energia para ficar em contato quando suas vidas seguiram por estradas separadas... e agora Kathy tinha ido embora. Annie não *pretendia* esquecer Kathy. Mas tinha esquecido, e era isso que importava agora. Ela foi para Stanford, conheceu Blake e trocou o passado pelo futuro.

– O Nick está desmontando, pura e simplesmente – Lurlene disse, estourando uma grande bola de goma de mascar. – Ele e Kathy compraram a velha casa Beauregard no Lago Mystic...

A casa Beauregard. Uma imagem surgiu na mente de Annie, envolta no papel fino das lembranças doce-amargas. – Eu conheço. Mas você ainda não me disse como a Kathy...

O secador de cabelo ganhou vida, suplantando a pergunta de Annie. Ela achou que ainda ouvia Lurlene falando, mas não dava para entender nada. Então, depois de alguns minutos, o secador foi desligado. Lurlene colocou a tesoura no balcão de ladrilhos de porcelana com um barulho alto.

– Puxa vida, você está ficando ótima – Lurlene apertou o ombro dela. – Abra os olhos, meu bem, e dê uma olhada.

Annie abriu os olhos e viu uma estranha no espelho. O cabelo castanho estava tão curto que não restava nenhum cacho. O corte enfatizava a pele pálida, e fazia os olhos verdes parecerem assustados e grandes demais para as feições delicadas do rosto. Sem batom, os lábios que não sorriam não tinham cor alguma, pareciam uma linha branca. Ela parecia Kate Moss aos cinquenta, depois de ser atacada por um cortador de grama. – Ah, meu Deus...

Lurlene assentiu para o reflexo, sorrindo como um daqueles cachorros que colocam diante do vidro traseiro dos carros. – Você está parecendo aquela moça que ficou com o Warren Beatty. Você sabe de quem estou falando, aquela do *The American President.*

– Annette Bening – disse uma das senhoras ali do lado.

Lurlene pegou uma câmera descartável. – Preciso de uma foto disso. Vou mandar para a revista *Modern Do.* Vou ganhar uma viagem para Reno, com certeza. – Ela se abaixou junto de Annie. – Sorria.

Antes que Annie pudesse pensar, Lurlene tirou a foto e se ergueu, mordendo a ponta vermelha da unha de acrílico. – Aposto que não tem cem mulheres no mundo que podem fazer justiça a esse corte, querida, mas você é uma delas.

Tudo que Annie queria era sair daquele lugar sem chorar. *Vou ficar bem. Vai crescer de novo,* ela disse para si mesma, mas tudo em que conseguia pensar era em Blake, e no que ele diria sobre o que ela tinha feito quando, e *se,* ele voltasse para ela. Trêmula, ela pegou a bolsa. – Quanto eu lhe devo?

– Nada, meu bem. Todas nós já tivemos semanas ruins.

Annie virou-se para Lurlene. Nos olhos com muito rímel havia uma compreensão verdadeira. Se não estivesse se sentindo tão enjoada, Annie poderia ter conseguido sorrir. – Obrigada, Lurlene. Talvez eu possa retribuir o favor um dia.

O rosto maquiado de Lurlene abriu-se em um sorriso grande. – Oras, meu bem, estamos em Mystic. Se você sentar e esperar o suficiente, um favor vai aparecer correndo. – Ela se abaixou e pegou uma grande caixa verde de iscas de pesca em um canto. A caixa fez um barulho alto ao ser colocada sobre o balcão e ter a tampa aberta. Lá dentro havia maquiagem bastante para transformar Robin Williams em Courtney Love. Lurlene sorriu. – Agora, está pronta para o *makeover* completo?

Annie arfou. Podia imaginar o resultado, seu rosto mais colorido do que um disco de cores da Benjamin Moore[13]. – N-não, obrigada, estou com pressa. – Ela levantou e se afastou da cadeira.

---

[13] Fábrica e loja de tintas para casa, interior e exterior, fundada em 1883. (N.T.)

– Mas, mas... eu ia fazer você ficar parecendo...

Annie murmurou um agradecimento apressado e correu para a porta. Escapou para dentro do Mustang alugado e ligou o motor, saindo do estacionamento jogando pedrisco e poeira no ar. Percorreu quase dois quilômetros antes de sentir as lágrimas.

Não foi senão quase quinze minutos depois, quando passava pela esquina do golfe em miniatura World-of-Wonders, com os nós dos dedos brancos de tanta força que fazia para segurar a direção e as lágrimas escorrendo pelo rosto, que ela se lembrou da pergunta que ficou sem resposta:

O que tinha acontecido com Kathy?

Annie dirigiu por Mystic, chegando às estradinhas de terra escavadas pela água da chuva, indo até as colinas com plantações, até as lágrimas terem secado e virado faixas finas prateadas no rosto. Sabia que tinha de estar com uma aparência animada quando visse o pai. Por fim, quando conseguiu se recuperar um pouco mais, ela foi para casa.

Hank estava sentado numa das velhas poltronas amarelas perto da lareira com uma revista de palavras cruzadas aberta no colo. Quando ela entrou, ele ergueu o rosto. O sorriso dele murchou mais depressa do que um bolo quando a porta do forno é batida. – Puxa vida – ele disse lentamente.

Annie não conseguiu evitar rir. – Eu vou atuar no *G.I. Jane II*[14].

A risada de Hank começou devagar, e foi ganhando força. – Parece... bom, meu bem.

– Bom? Eu queria parecer mais jovem, mas não queria ficar com cara de *criança.*

Hank levantou-se e abriu os braços. A revista caiu no chão com as páginas ondulando. – Venha aqui, meu bem.

Annie foi até ele e se deixou abraçar. Quando o pai se afastou, ele tirou do bolso do peito um pedaço pequeno de doce de manteiga com açúcar mascavo. Ele sempre achara que esses doces ajudariam Annie nos piores momentos. Ele lhe dera um quando a mãe morreu. *Aqui, meu bem, coma este*

---

[14] *G.I. Jane — Até o Limite da Honra* no Brasil. G.I. Jane é a versão feminina de G.I. Joe, que é a forma como chamam nos Estados Unidos o soldado raso genérico. (N.T.)

docinho. Depois disso, durante anos, sempre que sentia o cheiro desses doces ela olhava ao redor, procurando o pai.

Sorrindo, ela pegou o doce e o abriu, colocando-o na boca. Girou-o pela língua, com gosto de açúcar e lembranças.

Ele tocou o rosto dela. – A beleza real está por dentro.

– Isso é algo que as mulheres dizem umas para as outras, pai. Acredite, homens não pensam assim.

Hank produziu um sorriso maroto. – Eu acredito, e, da última vez que olhei, eu era um homem. E acho que seu cabelo ficou ótimo. Só vai levar algum tempo para me acostumar com ele.

– Bem, eu me *sinto* como uma nova mulher, e é isso o que queria.

– Claro que sim. – Ele deu um tapinha no ombro dela. – Agora, que tal um jogo de *Scrabble*[15]?

Annie concordou e o deixou ir na frente. Hank pegou a caixa do jogo no armário no canto da sala, onde devia estar desde a última vez em que eles dois tinham jogado, vinte anos atrás. Ele tirou a poeira da tampa e colocou a caixa na mesa de centro.

Annie olhou para os seus sete quadradinhos de madeira com letras, tentando compor uma palavra para iniciar o jogo. – Então, pai, você não me contou sobre Kathy Johnson.

Ele não ergueu o rosto. – Não contei? Eu achava que tinha escrito para você contando. Ou será que contei quando fui lá para o Natal?

– Não.

Ele deu de ombros, e Annie percebeu que não ia olhar para ela. – Ah, bem, acho que agora você já sabe. Aquela Lurlene não deixa nada escapar. Lamento você ter de ficar sabendo assim.

Annie podia ver que Hank estava desconfortável. Ficava puxando o colarinho, apesar de nem estar abotoado até em cima, e olhava para as peças do jogo como se fossem os dez mandamentos originais. Ele não era do tipo de homem que gostava de falar sobre morte. De quem quer que fosse. E certamente não queria falar da morte de uma mulher que havia visto crescer.

---

[15] Jogo que consiste em posicionar peças com letras em um tabuleiro, formando palavras. Ganha mais pontos quem forma as maiores palavras. (N.T.)

Annie não insistiu. Forçando um sorriso, ela escolheu quatro letras e iniciou o jogo. Teria de descobrir de alguma outra forma sobre a morte, e a vida, de Kathy.

Capítulo 6

Nick Delacroix estava parado no jardim de casa debaixo da chuva, olhando para a cerejeira com péssimo aspecto que havia plantado no ano anterior. Lentamente, ele se ajoelhou na grama enlameada e baixou a cabeça.

Não tinha chorado no enterro da esposa, nem ontem, quando a filha foi expulsa da escola, mas sentia essa estranha vontade de chorar agora, por causa dessa porcaria de árvore que não crescia. Ele se levantou e virou para o outro lado, caminhando com ar cansado para a casa.

Quando chegou lá dentro, com a porta fechada a suas costas, não conseguia parar de pensar na maldita árvore.

Era por causa de ontem; tinha sido um dia ruim, e nos últimos oito meses ele havia tido muitos dias assim.

Sua Izzy tinha sido expulsa da escola.

Pensando nisso, a raiva cresceu dentro dele novamente. Quando a raiva diminuiu, tudo o que ficou foi a vergonha.

Ontem, sua Izzy tinha ficado em pé no meio da sala do diretor, os olhos castanhos cheios de lágrimas, os lábios tremendo. O vestido cor-de-rosa manchado e rasgado, e ele percebeu com uma sensação ruim que o vestido já estava assim quando ela o colocara. O cabelo negro comprido, que antes fora o orgulho e a alegria dela, estava todo emaranhado porque não havia mãe para penteá-lo.

Ele pensou rapidamente, de forma absurda, no que teria acontecido com todas aquelas fitas bonitas que ela tinha antes.

Não podemos mais aceitá-la na escola, Sr. Delacroix. O senhor compreende?

Izzy estava parada ali, sem se mover. Ela não falou nada. Mas, também, fazia meses que não falava. Esse era um dos motivos de ela estar sendo expulsa... isso e o desaparecimento. Alguns meses antes, ela começou a acreditar que estava desaparecendo, um dedo por vez. Agora usava uma luva preta na mão esquerda, a mão que não conseguia mais ver nem usar. Recentemente ela passou a mover a mão direita de forma estranha, como se achasse que aqueles dedos também tivessem "desaparecido".

Ela não ergueu o rosto, não olhou para Nick, mas uma única lágrima correu pelo seu rosto. Ele ficou vendo a lágrima cair, atingir o vestido e desaparecer em uma pequena mancha cinzenta.

Nick queria dizer alguma coisa, mas não tinha ideia de como confortar uma menina que havia perdido a mãe. Então, como sempre, sua incapacidade de ajudar a filha o deixou bravo. Começou com ele pensando que precisava beber alguma coisa, só uma dose para acalmar os nervos. E o tempo todo ela ficou ali parada, quieta demais, imóvel demais para uma menina de seis anos, olhando para ele com uma expressão adulta de tristeza e desapontamento.

Ele atravessou a sala, passando por cima das caixas de comida que tinha pedido na noite anterior. Uma mosca solitária voou preguiçosa por cima dos restos. O som dela parecia o de um cortador de grama.

Nick olhou para o relógio, piscando depressa até clarear a visão. Oito e meia.

Merda. Estava atrasado para pegar Izzy. De novo.

A ideia de encará-la, de desapontá-la de novo, de ver aquela luvinha negra...

Talvez se ele tomasse uma bebida. Só uma dose...

O telefone tocou. Ele sabia antes de atender que era Lurlene, querendo saber onde ele estava. – Alô, Lurl – ele disse, encostando na parede. – Eu sei, eu sei, estou atrasado. Estava saindo.

– Não precisa se apressar, Nicky. O Buddy saiu com os meninos hoje, e, antes que você pule na minha garganta, a Izzy está bem.

Ele suspirou, sem ter notado até esse momento que estava tenso. – Você não se importa de eu estar atrasado e Izzy está bem. Então, o que há de novo?

A voz dela baixou para o nível de sussurro em um palco. – Na verdade, estou ligando por causa de uma fofoca interessante.

– Puxa vida, Lurl. Eu não dou a menor...

– Encontrei uma velha amiga sua hoje, você se importa com isso, não é? E, devo dizer, ela não é nem um pouco como eu imaginava. Puxa, só de ouvir você e a Kath... ops, eu não pretendia falar nela, desculpe! Mas ela é tão doce quanto manteiga cremosa. Eu nem reparei que ela é rica. Ela é tão normal. Como a senhorita Sissy Spacek. Eu a vi na *Oprah* outro dia, e você podia jurar que ela não é nem um pouco diferente de nós.

Nick tentou continuar a conversa, mas a coisa estava saindo do controle. – Sissy Spacek esteve no seu salão hoje?

A risada musical de Lurlene subiu e desceu pelas escalas. – Seu bobo, *claro* que não. Aqui é Mystic, não Aspen. Estou falando de Annie Bourne. Ela está de volta à cidade, visitando o pai.

Nick não podia ter ouvido direito. – Annie Bourne está de volta à cidade?

Lurlene começou a falar sobre cortes de cabelo e suéteres de caxemira e diamantes do tamanho de uvas. Nick não conseguiu acompanhar. *Annie Bourne.*

Ele murmurou qualquer coisa, não tinha ideia do quê, e desligou.

Puxa vida, Annie Bourne. Ela não vinha para casa fazia anos; ele sabia disso porque Kathy tinha esperado em vão por algum telefonema da antiga melhor amiga.

Passando pelos destroços da sala de estar, ele foi até a lareira e pegou uma foto. Era uma foto que tinha visto diariamente mas para a qual não olhava de verdade havia anos. Um pouco desbotada, as cores apagadas pelo tempo e pela luz do sol, mostrava eles três, tirada nos últimos dias felizes do verão antes do último ano na escola. Annie e Kathy e Nick. O trio assombroso.

Ele estava no meio, com um braço ao redor de cada uma das garotas. Parecia jovem, despreocupado e alegre, um rapaz diferente daquele que morava em um carro sujo e apertado apenas alguns meses antes. Naquele verão perfeito, quando ele experimentou pela primeira vez o doce licor chamado vida normal, e finalmente compreendeu o que queria dizer ter amigos, *ser* um amigo.

E quando se apaixonou.

A foto tinha sido tirada no final da tarde, quando o céu tinha aquele tom profundo e completo de azul. Tinham passado o dia no lago, gritando e rindo quando mergulhavam do penhasco. Foi o dia em que ele havia compreendido que aquilo teria de terminar, o dia em que percebeu que, cedo ou tarde, teria de escolher qual das meninas iria amar.

Nunca houve dúvida sobre quem ia escolher. Annie já havia se inscrito para Stanford, e, com as notas dela, todo mundo sabia que seria aceita. Ela estava a caminho do mundo. Mas Kathy não. Kathy era uma garota calma de cidade pequena que tinha momentos de tristeza... uma garota que precisava desesperadamente ser amada e de alguém para cuidar dela.

Ele ainda lembrava do que tinha dito para Annie naquele dia. Depois da vida que tinha vivido com a mãe, ele sabia o que queria: respeito e estabilidade. Queria fazer a diferença na vida das pessoas, ser parte de um sistema legal que se preocupasse com a morte de uma mulher jovem que vivia no carro.

Ele contou para Annie que sonhava ser policial em Mystic.

Ah, não, Nick, ela sussurrara, girando no cobertor para olhar para ele. *Você pode fazer mais que isso. Se você gosta da lei, pense grande... grande... você pode ser um ministro do Supremo Tribunal, talvez um senador.*

Aquilo o magoou, aquelas palavras, a calma e a não intencional depreciação dos seus sonhos. *Eu não quero ser ministro do Supremo Tribunal.*

Ela tinha rido, aquela risada suave que vinha do fundo e sempre fazia a cabeça dele doer de desejo. *Você tem que pensar grande, Nick. Você ainda não sabe o que quer. Quando começar a faculdade...*

Não vai ter faculdade para mim, espertinha. Eu não vou conseguir uma bolsa como você.

Ele viu a decepção surgir nos olhos dela, lentamente, a realização de que ele não queria o que ela queria, e de que ele não iria muito longe. Ele não tinha coragem de sonhar grandes sonhos.

Tudo o que queria era ajudar as pessoas e ser necessário. Era tudo o que sempre conheceu, aquilo no que era bom.

Mas Annie não compreendeu. Como poderia? Ela não conhecia as sarjetas onde ele rastejara ao longo da vida.

Ah, foi tudo o que ela disse, mas havia uma infinidade de consciência recém-descoberta nessas palavras, uma pequena instabilidade na voz dela que ele nunca tinha ouvido antes. Depois disso, eles ficaram deitados lado a lado no cobertor verde rasgado olhando para as nuvens, os corpos a uma distância infinitesimal um do outro.

Naquela época era tão simples para ele. Amava Annie... mas Kathy precisava dele, e a necessidade dela exercia uma atração poderosa.

Pediu Kathy em casamento alguns meses antes da formatura, mas isso não importava mais, porque Annie sabia que ele faria isso. Eles tentaram, depois do noivado, manter a amizade, mas foi inevitável que começassem a se distanciar. Viraram Nick-e-Kathy, com Annie como espectadora. Quando Annie partiu para a faculdade, em meio a uma chuva de promessas de manter contato, Nick sabia que não haveria amizade por toda a vida, nem mais nada de trio assombroso.

Quando voltou da casa de Lurlene, eram quase nove e meia. Bem além da hora de uma menina de seis anos ir dormir, mas Nick não teve coragem de colocá-la direto na cama.

Izzy sentou-se de pernas cruzadas no chão diante da lareira fria e escura. Sempre tinha sido o lugar favorito dela naquela casa; pelo menos era na época em que havia um fogo queimando ali atrás dela, sempre uma onda de calor carinhoso acariciando as costas dela. Ela estava segurando a boneca de pano, Miss Jemmie, em um dos braços, o melhor que conseguia fazer desde que começara a “desaparecer.” O silêncio na sala era avassalador, tão penetrante quanto a poeira que se agarrava aos móveis.

Aquilo deixou Nick em frangalhos. Ficava tentando iniciar uma conversa com a filha, mas todos os seus esforços caíam no poço negro do mundo silencioso de Izzy.

– Desculpe pelo que aconteceu na escola, Izzy – ele disse sem jeito.

Ela ergueu o rosto, os olhos castanhos dolorosamente secos e grandes demais para a palidez leitosa do rosto pequeno.

As palavras estavam erradas; ele percebeu isso instantaneamente. Não lamentava apenas o que tinha acontecido na escola. Lamentava por tudo. A morte, a vida, e todos os anos de distância e desapontamento que os levaram a essa situação lamentável na vida. Mais que tudo, ele lamentava que fosse um tamanho fracasso, por não ter ideia para onde ir dali de onde estavam.

Nick se levantou e foi até a janela. Um brilho de luar caía sobre a superfície negra do Lago Mystic, e uma lâmpada fraca na varanda lançava uma rede amarelada sobre as duas cadeiras de balanço que não eram usadas havia meses. A chuva caía em fios prateados da beirada do telhado, fazendo barulho nos degraus de madeira.

Ele sabia que Izzy o observava cautelosamente, esperando e se preocupando com o que ele faria a seguir. O mais triste é que ele sabia qual era essa sensação, esperar segurando a respiração para ver o que o pai ou a mãe faria a seguir. Ele sabia como isso torcia seu interior em um nó e mal deixava oxigênio para respirar adequadamente.

Ele fechou os olhos. A lembrança retornou suavemente, sem intenção, codificada na sinfonia percussiva da chuva, o som incessante da água atingindo a madeira. Isso o fez lembrar de um dia, muito tempo atrás, quando uma chuva parecida caía no teto enferrujado do Impala da mãe dele...

Estava com quinze anos, um rapaz alto e calado, com segredos demais, parado em uma esquina, esperando que a mãe viesse pegá-lo na escola. Os outros alunos passavam por ele em uma risonha e falante centopeia de jeans azuis, mochilas e camisetas psicodélicas. Ele ficou olhando com inveja, enquanto os outros embarcavam nos ônibus amarelos que esperavam junto da calçada.

Por fim os ônibus foram embora, lançando fumaça, trocando de marcha, seguindo para os bairros que Nick nunca tinha visto, e a escola ficou em silêncio. O céu cinzento desabou. Carros passavam pela rua em borrões de cor provocados pela chuva. Nenhum dos motoristas notou um garoto magro, de cabelo preto, jeans esfarrapado e camiseta branca.

Ele estava com muito frio; lembrava disso acima de tudo. Não havia dinheiro para um casaco de inverno, então sua pele estava arrepiada e as mãos tremiam.

Venha logo, mãe. Era a prece que ele repetia de novo e de novo, mas sem nenhuma esperança real.

Ele odiava ficar esperando a mãe. Ali parado, sozinho, o queixo enfiado no peito para se aquecer, sentia-se consumido pela dúvida. Ela estaria bêbada demais? Seria um dia bom e gentil quando ela se lembrava de que o amava?

Ou um dia negro e desagradável quando a bebida a transformava em uma mulher maluca que gritava e tropeçava e odiava o único filho? Dias negros eram a norma atualmente; tudo em que a mãe conseguia pensar era no quanto havia perdido. Ela choramingava que os cheques de ajuda do governo não serviam para comprar gim e reclamava do fato de estarem reduzidos a morar no carro, a um passo de serem sem-teto.

Nick sempre conseguia ler o humor da mãe em um instante. Um rosto pálido e sujo que nunca sorria e olhos cheios de lágrimas significava que ela havia encontrado uma garrafa cheia. Apesar de ele examinar o carro todos os dias, procurando bebida como outras crianças procuram ovos de Páscoa, sabia que não tinha como impedir que ela bebesse.

Ele moveu-se de uma perna para a outra, tentando produzir algum calor corporal, mas a chuva o atingia com força, fazendo a água gelada deslizar por suas costas. *Venha logo, mãe.*

Ela não apareceu naquele dia. Nem no dia seguinte. Ele vagou pelas áreas escuras e perigosas de Seattle por toda a noite, e por fim acabou dormindo na porta cheia de lixo de um restaurante chinês de segunda classe. De manhã, escovava os dentes e procurava um pacote de biscoitos da sorte no lixo, daí ia para a escola.

A polícia o encontrou ao meio-dia, dois homens sérios de uniformes azuis que disseram que a mãe tinha sido esfaqueada. Eles não disseram o que ela estava fazendo na hora do crime, mas Nick sabia. Ela estava tentando vender seu corpo magro e sujo pelo preço de uma garrafa de gim. Os policiais disseram a Nick que não havia suspeitos, e ele não ficou surpreso. Ninguém exceto Nick se importava com ela quando estava viva; ninguém ia se importar que mais uma bêbada esquelética sem teto que tinha ficado velha antes do tempo por causa da bebida e da traição tivesse sido assassinada.

Nick enterrou a lembrança no chão negro e empapado dos seus desapontamentos. Desejava esquecer isso, mas, claro, o passado agora estava próximo. Estava respirando em seu pescoço desde a morte de Kathy.

Com um suspiro cansado, ele se virou e olhou para sua filha completamente silenciosa. – Está na hora de ir para a cama – ele disse suavemente, tentando esquecer, também, de que naqueles velhos dias, que não estavam assim tão distantes, ela teria protestado veementemente contra a ideia de ir para a cama sem um "momento familiar."

Mas agora ela se levantou, segurando a boneca com os dois dedos "visíveis" da mão direita, e caminhou para longe dele. Sem nenhum olhar para trás, ela começou a longa e lenta subida para o segundo andar. Vários dos degraus rangeram com o peso mínimo dela, e cada som atingiu Nick como um soco. O que é que ia fazer agora com Izzy fora da escola? Ela não tinha para onde ir e não havia ninguém para tomar conta dela. Não podia ficar em casa com ela, precisava trabalhar, e Lurlene tinha a própria vida para cuidar.

O que é que ia fazer?

Duas vezes durante a noite, Annie acordou em sua cama solitária e ficou andando pelo quarto. A morte de Kathy a fazia lembrar de como o tempo era precioso, e como era fugaz. Como às vezes a vida arrasava com as boas intenções e não dava nenhuma segunda chance de dizer o que realmente importava.

Ela não queria pensar no marido, *Eu a amo, Annie,* mas os pensamentos estavam sempre ali, reunidos no ar ao seu redor, disparando como relâmpagos na escuridão do quarto. Ela olhou para rosto no espelho, estudando o corte de cabelo, tentando descobrir quem era e onde seria seu lugar. Olhou para si mesma por tanto tempo que a imagem tremeu e mudou e ficou cinza, e ela se perdeu no reflexo embaçado de uma mulher que não conhecia.

Sem Blake, não tinha ninguém que tivesse testemunhado os últimos vinte anos da sua vida. Ninguém além de Hank que pudesse lembrar como ela havia sido aos vinte e cinco ou trinta, ninguém com quem compartilhar seus sonhos perdidos.

Pare com isso.

Olhou para o relógio na cabeceira. Seis da manhã. Annie sentou-se na beirada da cama, pegou o celular e ligou para Natalie, mas a filha já tinha saído. Então arriscou ligar para Terri.

Terri atendeu no quinto toque. – É bom que seja importante – ela grunhiu.

Annie riu. – Desculpe, sou eu. Muito cedo?

– Não, não. Adoro levantar antes de Deus. Está tudo bem?

Annie não sabia se as coisas voltariam a ficar bem, mas essa resposta estava ficando repetitiva. – Estou indo.

– A julgar pela hora, eu diria que você não está dormindo muito.

– Não muito.

– Sim, eu também ficava andando e chorando nos primeiros três meses depois que Rom-o-merda me deixou. Você tem de encontrar alguma coisa para fazer.

– Estou em Mystic; as opções são um tanto limitadas. Acho que posso experimentar minha mão em arte em latas de cerveja. Isso vende muito por aqui. Ou talvez aprenda a caçar com arco e flecha, e daí posso empalhar o que pegar.

– É bom ouvir você rir.

– É melhor que chorar.

– Sério, Annie. Você precisa encontrar alguma coisa para fazer. Algo que a faça sair da cama, ou ir para a cama de alguém. Tente fazer compras. Vá comprar roupas novas. Algo que mude o seu visual.

Annie passou a mão pelo cabelo curto. – Ah, eu mudei meu visual. Estou parecendo o Rush Limbaugh[16] usando anfetamina.

Elas conversaram por mais meia hora, e, quando desligou, Annie sentia-se, se não mais forte, pelo menos mais animada. Ela se levantou da cama e tomou um banho longo e quente.

Vestindo uma blusa branca de caxemira com gola em V e calça de lã bege, ela desceu e fez um grande café da manhã para o pai: ovos mexidos, suco de laranja, panqueca e bacon de peru. Não demorou para o aroma o atrair para baixo.

Ele entrou na cozinha amarrando o cinto do robe cinza que descia até o tornozelo. Coçou a barba branca e olhou para ela. – Você está de pé. Vai ficar mais tempo fora da cama ou só está andando por aí até a dor de cabeça começar de novo?

---

[16] Grande personalidade do rádio e televisão nos Estados Unidos. Autodeclarado conservador, Limbaugh faz inúmeras declarações contra o Partido Democrata e pontos de vista liberais, incluindo drogas. O que não impediu que tenha sido acusado e preso pela utilização de várias drogas farmacológicas ao longo da vida. (N.T.)

A percepção da pergunta lembrou Annie de que o pai experimentara a tragédia e conhecia a depressão em primeira mão. Ela pegou pratos de porcelana chinesa no velho armário de carvalho no canto e rapidamente arrumou dois lugares na mesa.

– Estou seguindo em frente com minha vida, pai. Começando agora. Começando aqui. Sente-se.

Ele puxou uma cadeira. Que fez um barulho alto raspando no linóleo amarelo gasto. – Não estou certo se dar o café da manhã para um homem é um passo adiante assim grande.

Ela lançou um sorriso torto para ele e se sentou também. – Na verdade, pensei em ir fazer compras.

Ele ajeitou a comida no prato. – Em Mystic? A menos que esteja procurando as iscas ideais, não sei o que mais você vai conseguir comprar por aqui.

Annie olhou para seus ovos. Queria comer, de verdade, mas a visão da comida a deixou um pouco nauseada. Ela esperou que o pai não notasse. – Pensei em começar comprando alguns livros. Esse parece ser um bom momento para ler tudo o que não li nesses anos. Droga, eu posso ler *Moby Dick* no meu tempo livre. E as roupas que eu trouxe não vão servir aqui.

– Sim, branco não é uma cor muito prática aqui na terra da lama. – Ele despejou um tanto de ketchup junto dos ovos e colocou pimenta por cima de tudo. Pegando o garfo, Hank olhou para Annie. Ela percebeu que ele fazia o possível para não sorrir. – Que bom para você, Annie Virginia. – Então, mais suave. – Que bom para você.

Mystic parecia tirar uma soneca sob o sol brilhante da primavera. A cidade estava cheia de atividade, com fazendeiros e esposas e pescadores indo para cima e para baixo nas calçadas de concreto, com pressa de cuidar dos seus assuntos enquanto havia poucas nuvens bem espalhadas no céu azul. Todos sabiam que essas mesmas nuvens poderiam se juntar subitamente como meninos maus da escola, lançando uma torrente de chuva tão terrível que até mesmo uma águia adulta não conseguiria levantar voo.

Annie caminhou pela rua principal, olhando as vitrines, entrando duas vezes por portas meio abertas. A cada vez um sininho tocou no alto e uma voz chamou, *Boa tarde, moça. Está um dia lindo, não é?* Na cafeteria, pediu um *mocha latte* duplo, e foi bebendo enquanto andava pela rua.

Passou por lojas que vendiam itens para turistas, implementos, tecidos e material de pesca. Mas não havia nenhuma livraria. Na Drugstore H & P, comprou o último best-seller de Pat Conroy, mas não encontrou mais nada que a interessasse. Não havia muitas opções. Era uma pena, porque precisava de um manual para o resto da sua vida.

Por fim, encontrou-se diante da Eve's Leaves Dress Emporium. Um manequim sorriu para ela da vitrine, vestindo uma capa amarela brilhante e um chapéu combinando. O cotovelo dela, dobrado em uma pose esquisita, segurava um cartaz que dizia: *A primavera está no ar.* Flores de seda multicoloridas brotavam de latas junto dos pés com botas, e havia um ancinho apoiado em uma parede.

Annie empurrou a porta de vidro. Um sininho tocou anunciando sua entrada.

Em algum lugar, uma mulher exclamou. – *Não* pode ser!

Annie olhou ao redor procurando a dona da voz. Molly Block, sua velha professora de inglês do colegial, veio correndo entre as fileiras de expositores redondos, os braços rechonchudos balançando.

– Annie? – ela disse, sorrindo. – Annie Bourne, é você?

– Sou eu, senhora Block. Como está?

Molly plantou as mãos nos quadris largos. – Senhora Block. Não me faça me sentir tão velha, Annie. Puxa, eu era praticamente uma *criança* quando fui sua professora. – Ela sorriu de novo, e empurrou o óculos de aro de arame para cima no nariz. – É ótimo ver você novamente. Puxa, faz anos.

– É bom ver você também, Molly.

– O que a traz para nosso cantinho do mundo? Pensei que você tinha se casado com um grande advogado e estava vivendo a boa vida na enfumaçada Califórnia.

Annie suspirou. – As coisas mudam, eu acho.

Molly inclinou a cabeça e examinou Annie. – Você parece bem; eu poderia matar para poder usar esse corte de cabelo, mas eu ia parecer um balão de festa. Essa caxemira branca não vai durar muito por aqui. Uma boa chuva e você vai achar que saiu de casa vestindo um coelho morto.

Annie deu risada. – É verdade.

Molly deu tapinhas no ombro dela. – Siga-me.

Uma hora depois, Annie parou diante do espelho de corpo inteiro. Estava usando uma calça jeans de dezenove dólares (quem diria que ainda fabricavam calças por esse preço?), meias de algodão e tênis, além de uma malha larga em um tom utilitário de cinza com o logotipo da Universidade de Washington.

As roupas a fizeram se sentir como uma nova mulher. Não queria parecer com a futura ex-esposa de trinta e nove anos de um grande advogado da Califórnia; estava parecendo uma mulher comum de cidade pequena, talvez alguém que tivesse cavalos para alimentar e varandas para pintar. Uma mulher com uma vida. Pela primeira vez, ela quase gostou do corte de cabelo.

– Ficou bem em você – Molly disse, cruzando os braços rechonchudos e assentindo. – Você parece uma adolescente.

– Nesse caso, vou levar tudo.

Enquanto Molly cuidava das compras, ela falou e falou sobre a vida em Mystic, quem estava dormindo com quem, quem tinha falido com o fiasco da coruja mosqueada, quem estava concorrendo para o conselho da cidade.

Annie olhou pela janela. Escutou vagamente as fofocas de cidade pequena, mas não conseguia realmente se concentrar. As palavras de Lurlene ficavam voltando, girando, circulando, *Kathy morreu faz oito meses.* Ela se virou para Molly. – Ouvi falar... sobre Kathy Johnson... Delacroix.

Molly parou, os dedos gorduchos segurando uma etiqueta de preço. – Foi uma pena o que aconteceu. Vocês eram muito amigas no colegial. – Ela sorriu com ar triste. – Lembro quando você, Nick e Kathy prepararam aquele quadro para a o show de talentos. Vocês cantaram uma música boba sobre o Pacífico Sul. Nick usou aquele imenso sutiã de cocos, e no meio da música vocês estavam rindo tanto que não conseguiram terminar.

– Eu me lembro – ela disse suavemente, imaginando como tinha esquecido daquilo até aquele instante. – Como Nick está desde... sabe? – Ela não conseguiu se fazer pronunciar as palavras.

Molly balançou a cabeça com ar triste e cortou a etiqueta de preço da calça jeans com uma tesoura. – Não sei. Ele faz as rondas e está trabalhando, eu acho. Você sabe que ele é policial, não é? Não o vejo sorrir muito mais, e a filha está bem mal, pelo que ouvi dizer. Eles podem gostar da visita de uma velha amiga, eu aposto.

Depois de pagar pelas roupas novas, Annie agradeceu a Molly pela ajuda e levou as compras para o carro. Então se sentou no banco do motorista por algum tempo, pensando, lembrando.

Não podia ir até ele, não agora, seguindo um impulso, ela sabia disso. Uma coisa assim tinha de ser bem pensada. Não dava para simplesmente entrar na vida de um estranho, e era isso que ele era: uma estranha. Não via Nick fazia anos.

Além do mais, ela também estava ferida e em más condições. Que bem poderia fazer para um homem que tinha perdido a esposa?

Mas iria até ele. Provavelmente sabia disso desde o momento em que Lurlene mencionou o nome dele, sabia que era inevitável. Não importava que não fizesse sentido; não importava que ele provavelmente não se lembrasse mais dela. O que importava é que tinham sido amigos, e que a esposa dele tinha sido sua melhor amiga. E que ela não tinha mais lugar algum para ir.

A noite estava caindo quando Annie reuniu coragem para ir ver Nick. Uma estradinha serpenteante levava até a casa Beauregard. Árvores imensas e antigas acompanhavam a estrada, os troncos obscurecidos por arbustos. De vez em quando, através da beirada escura da floresta, ela podia ver o brilho prateado do lago. Os últimos poucos raios de luz cinzenta caíam como neblina através dos galhos pesados, cobertos de musgo.

Não estava chovendo, mas pequenas gotas de orvalho começaram a aparecer no para-brisa. Ali, na terra das dez mil cachoeiras, o ar estava sempre muito úmido, e os lagos tinham o tom azul-marinho do gelo glacial. Alguns, como o Lago Mystic, eram tão profundos que em alguns pontos o fundo nunca tinha sido encontrado, e tão remotos que às vezes, se tivesse sorte, você poderia encontrar um par de cisnes-trombeteiros parando em meio à migração. Ali, no meio daquela área úmida dessa terra secreta e selvagem, eles sabiam que estariam em segurança.

A estradinha virava para um lado e outro e por fim terminou em uma grande entrada circular. Annie parou perto da viatura da polícia, desligou o motor e olhou para a bela casa antiga, construída na virada do século, quando a madeira era sólida e os detalhes, entalhados a mão por mestres especialistas que tinham orgulho do trabalho que realizavam. A distância, ela podia ouvir o rugido do poderoso Rio Quinault, e sabia que nesta época do ano ele estaria forçando e mordendo as margens, muito cheio em seu trajeto até o Oceano Pacífico.

Uma névoa pálida amarelada obscurecia metade da casa, movendo-se com correntes invisíveis vindas do lago. A névoa passava de forma fantasmagórica pelos degraus brancos da varanda da casa e contornava os postes entalhados.

Annie se lembrava de uma noite quando essa casa foi iluminada apenas pela luz das estrelas. Ela estava abandonada naquela época; cada janela quebrada continha pedaços irregulares de sombras e luar. Ela e Nick tinham ido até lá de bicicleta, que deixaram junto do lago, e olhavam para a casa grande e maltratada.

Um dia eu vou ser dono dessa casa, Nick tinha dito, as mãos bem enfiadas nos bolsos.

Ele se virara para ela, o rosto atraente cortado em ângulos duros pelo luar brilhante. Ela nem percebeu que ia ser beijada, não estava preparada, mas, quando os lábios dele tocaram os seus, macios e hesitantes como o toque das asas de uma borboleta, ela começou a chorar.

Ele tinha recuado, surpreso. *Annie?*

Ela não sabia dizer o que estava errado, nem porque estava chorando. Sentira-se tola e desesperadamente ingênua. Era seu primeiro beijo, e ela o havia arruinado.

Depois disso, ele se afastou dela. Por um longo tempo, ficara olhando para o lago, os braços cruzados, o rosto impassível. Ela tinha ido até ele, mas Nick recuara, murmurando alguma coisa sobre ter de ir para casa. Foi a primeira e única vez que ele a beijou.

Annie afastou a lembrança e concentrou os pensamentos no aqui e agora.

Nick e Kathy tinham consertado a velha casa, as janelas estavam todas no lugar, a tinta amarela cobrindo tudo. Havia contornos verdes em cada janela, mas, ainda assim, o lugar parecia... sem cuidado.

Gerânios e lobélias do ano passado ainda podiam ser vistos nas floreiras, mortos, um monte de ramos marrons. A grama estava alta demais e havia musgo crescendo na passagem de tijolos. Uma banheira de cimento para pássaros estava suja, caída no chão entre rododendros imensos.

Mesmo assim aquele era um dos locais mais lindos que ela já havia visto. A nova grama da primavera era verde como esmeralda e grossa como pelo de chinchila; o gramado se afastava da casa e seguia até a beira do lago azul. Atrás do edifício, nuvens inchadas podiam ser vistas penduradas em um céu martelado até assumir a cor de aço polido.

Annie colocou a bolsa sob o braço e cruzou lentamente o gramado molhado, subindo os degraus brancos da varanda. Diante da porta de carvalho, ela parou, então respirou fundo e bateu.

Não houve resposta.

Estava para ir embora quando escutou pés raspando no chão, em passos lentos. Subitamente a porta se abriu, e Nick estava ali parado diante dela.

Annie o reconheceria em qualquer lugar. Ainda era alto, com mais de um metro e oitenta, mas o tempo havia reduzido os músculos de astro do futebol americano a fibras fortes e esguias. Ele estava sem camisa, e os músculos do estômago desciam até uma calça Levi's que era pelo menos dois números grande demais. Ele se parecia de couro velho, com a pele pálida esticada sobre as faces encovadas. O cabelo estava despenteado, e algo, o tempo ou a tristeza, tinha tirado a cor dele, deixando o tom prateado do níquel quando é atingido pelo sol.

Mas eram os olhos dele, estranhos poços de azul piscina, que atraíram e seguraram sua atenção. O olhar dele passou por ela, o olhar de um policial que não perdia detalhe algum, fosse o cabelo curto ou as roupas de cidade pequena recém-compradas. Certamente não perderia o diamante do tamanho de um Buick na mão esquerda dela. – Annie Bourne – ele disse suavemente, sem sorrir. – Lurlene me disse que você estava na cidade.

Um silêncio desconfortável caiu enquanto ela tentava decidir o que dizer. Ela moveu o peso de uma perna para a outra, nervosa. – Eu... eu lamento pela Kathy.

Ele pareceu suavizar um pouco com essas palavras. – Sim – ele disse. – Eu também.

Ele parecia que ia dizer alguma coisa, e ela esperou, inclinada para a frente, mas no fim Nick não falou nada, apenas inclinou a cabeça e abriu mais a porta.

Ela o seguiu para dentro da casa. Estava escuro, não havia nenhuma luz acesa, nem fogo na lareira, e havia um cheiro fraco de bolor no ar.

Algo fez um clique. Luz branca brilhante irrompeu de um abajur sem cobertura; era tão brilhante que por um momento Annie não conseguiu enxergar mais nada. Então seus olhos se ajustaram.

A sala parecia que tinha sido atingida por uma bomba. Havia uma garrafa de uísque caída do lado do sofá, com um tanto da bebida presa na curvatura do gargalo; caixas abertas de pizza espalhadas pelo chão; roupas em montes no chão e nas costas das cadeiras. Uma camisa azul de policial pendurada na tela da televisão.

– Eu não passo mais muito tempo em casa – ele disse no silêncio desagradável. Estendendo a mão, pegou uma camisa de flanela desbotada do chão e a vestiu.

Ela esperou que ele dissesse alguma coisa, e, como não disse, Annie olhou ao redor. A sala tinha um belo assoalho de tábuas de carvalho e era dominada por uma grande lareira de tijolos, escurecida pela idade e pela fumaça. Parecia que não acendiam um fogo ali fazia muito, muito tempo. As peças de mobília, um sofá marrom desbotado, uma mesinha lateral de tronco de árvore, uma poltrona, estavam espalhadas sem ordem pela sala, tudo coberto por uma boa camada de poeira. Um arco de pedra levava para uma sala de jantar formal, onde Annie viu uma mesa oval de bordo e quatro cadeiras com assento e encosto forrados com um tecido xadrez de branco e vermelho. Ela calculou que a porta verde fechada levava para a cozinha. Na esquerda, uma escada de carvalho abraçava a parede com papel de parede brilhante e levava para o segundo andar sem nenhuma luz acesa.

Annie sentiu o olhar de Nick sobre si. Nervosa, tirou um fio invisível da manga e procurou algo para dizer. – Ouvi dizer que você tem uma filha.

Lentamente, ele assentiu. – Izzy. Isabella. Ela tem seis anos.

Annie juntou as mãos para impedir de as ficar torcendo. Seu olhar caiu sobre uma fotografia sobre a lareira. Ela atravessou a sala, evitando tudo o que havia no chão, e tocou a foto. – O trio assombroso – ela disse, sorrindo. – Não lembro desta aqui...

Perdida nas próprias lembranças, Annie escutou vagamente que ele saía da sala. Um momento depois ele estava de volta.

Nick se aproximou dela, chegando tão perto que Annie conseguiu sentir o calor da respiração dele em sua nuca. – Você quer uma bebida?

Ela se virou e o encontrou bem perto, segurando uma garrafa de vinho e dois cálices. Por um segundo isso a assustou, depois se lembrou de que agora eram dois adultos, e oferecer um cálice de vinho era uma forma educada de entreter uma convidada. – Seria ótimo. Onde está sua filha? Posso conhecê-la?

Uma expressão impossível de determinar passou pelo rosto dele. – Ela está na casa da Lurlene esta noite. Elas vão ver desenhos no cinema Rose com os netos do Buddy. Vamos sentar perto do lago. – Ele pegou um cobertor no sofá e a conduziu para fora da casa. Juntos, sem ficar perto demais, eles se sentaram no cobertor.

Annie tomou um gole do vinho que Nick serviu para ela. O lusco-fusco brilhava por entre as árvores com tons de vermelho sangue. Uma pálida meia-lua subiu lentamente, espalhando um véu branco azulado pela superfície azul-marinho do lago. Pequenos brilhos prateados ondulavam até a margem, terminando no chão de pedrinhas. Lembranças passavam pelo ar, caindo como chuva no chão ao redor deles. Ela se lembrou de como antes era tudo tão fácil entre eles, como se sentavam juntos nos eventos esportivos, vendo Kathy como líder de torcida da lateral do campo; como se apertavam em poltronas de vinil para comer hambúrgueres gordurosos e batatas fritas depois dos jogos. Eles sabiam conversar um com o outro, sobre o quê ela não conseguia lembrar, mas no passado também pensava que podia dizer qualquer coisa para ele.

E agora, todos esses anos depois, com a estrada esburacada de suas vidas separadas entre eles, ela não conseguia imaginar como tecer os fios de uma simples conversa.

Ela suspirou, tomando o vinho. Estava bebendo mais do que devia, e mais depressa, mas isso ajudava a diminuir a sensação de inconveniência. Algumas estrelas surgiram, pontos de luz olhando do céu roxo do fim do dia.

Ela não conseguiu mais aguentar o silêncio. – É lindo...

– Belas estrelas... – eles disseram ao mesmo tempo.

Annie riu. – Quando em dúvida, fale do tempo ou da vista.

– Podemos fazer melhor que isso – ele disse calmamente. – A vida é curta demais para perder tempo com conversa mole.

Ele se virou para ela, e ela viu a rede de rugas que contornavam seus olhos azuis. Nick parecia triste e cansado e infinitamente solitário. Era isso, a solidão, o que a fez sentir que eram de alguma forma parceiros, vítimas de guerras similares. Então, ela colocou a conversa mole de lado, esqueceu sobre saquear a mina compartilhada dos anos de adolescência deles e se lançou na intimidade. – Como foi que Kathy morreu?

Ele virou o cálice de vinho e se serviu de mais um. O líquido dourado brilhante subiu até a borda do cálice e transbordou, caindo sobre a perna da calça dele. – Ela se matou.

Capítulo 7

Annie ficou olhando para Nick, surpresa demais para falar. – Eu... – Ela não conseguia dizer *eu lamento.* As palavras eram vazias demais, quase obscenamente previsíveis. Ela tomou um grande gole de vinho.

Nick não pareceu notar que ela não falou, ou talvez tenha ficado grato por isso. Ele olhou para o lago, suspirando com força. – Lembra que ela tinha aqueles humores? Ela chegava ao limite do desespero ainda adolescente, e durante a vida toda, e nenhum de nós sabia disso. Pelo menos *eu* não sabia... até que começou a ficar ruim. Quanto mais ela envelhecia, pior isso ficava. Maníaco-depressiva. Esse é o termo técnico. Ela começou a ter episódios logo após fazer vinte anos, apenas seis meses depois de os pais dela morrerem em um acidente de carro. Em um dia ela era absolutamente doce, então acontecia alguma coisa... ela chorava e se trancava no closet. Ela não tomava os remédios na maior parte do tempo, dizia que faziam parecer que estava respirando através de gelatina. – A voz dele falhou, e ele tomou outro gole grande de vinho. – Um dia eu cheguei mais cedo do trabalho, e eu a encontrei no banheiro, chorando, batendo a cabeça na parede. Ela olhou para mim, o rosto coberto de lágrimas e sangue, e disse "Oi querido. Quer que eu prepare seu jantar?".

– Comprei este lugar para fazê-la feliz, esperando que talvez a ajudasse a lembrar como a vida costumava ser. Pensei... se eu pudesse fazer um lar para ela, um lugar seguro onde pudéssemos criar nossos filhos, tudo ficaria bem. Deus, eu só queria ajudá-la...

A voz dele falhou outra vez, e ele tomou outro gole de vinho. – Durante algum tempo isso deu certo. Colocamos nosso coração e nossa alma e economias neste mausoléu. Então Kathy ficou grávida. Durante algum tempo, depois de a Izzy nascer, as coisas foram boas. Kathy tomava os remédios e tentava... ela tentava muito, mas não conseguia cuidar do bebê. Ela começou a odiar este lugar, o aquecimento que raramente funcionava, o encanamento ruim. Cerca de um ano atrás, ela parou novamente de tomar os remédios... e daí tudo desabou.

Ele terminou o segundo cálice de vinho e serviu mais um. Balançando a cabeça, disse suavemente – E, ainda assim, eu não percebi o que ia acontecer.

Ela não queria mais escutar aquilo. – Nick, você não...

– Uma noite cheguei do trabalho com uma lata de sorvete de creme de manteiga e um vídeo alugado e a encontrei. Ela deu um tiro na cabeça... com a minha arma.

Os dedos de Annie tiveram um espasmo ao redor da haste do cálice. – Você não precisa falar sobre ela.

– Eu *quero* falar. Ninguém mais perguntou. – Ele fechou os olhos, inclinando-se para trás, apoiando-se nos cotovelos. – Kathy era como o conto de fadas quando estava bem, era muito, muito bom, e, quando estava mal, você queria estar em Nebraska.

Annie também se inclinou para trás, olhando para as estrelas. O vinho a deixava tonta, mas estava se sentindo bem; a bebida removia as pontas cortantes das palavras dele.

Ele sorriu cansado para ela. – Um dia ela me amava com todo o coração, e, no dia seguinte, nem falava comigo. Era pior de noite; às vezes ela me beijava, em outras se virava para a parede. Se eu nem sequer a tocasse nessas noites, ela gritava para eu sair dali. Ela começou a contar histórias doidas, que eu batia nela, que Izzy não era realmente filha dela, que eu era um impostor que tinha matado o marido verdadeiro dela a sangue-frio. Isso *me* deixava... maluco. Quanto mais ela se afastava, mais eu tentava me aproximar. Eu sabia que não estava ajudando, mas não conseguia parar. Ficava pensando que, se eu a amasse o bastante, ela ficaria bem. Agora que ela se foi, tudo o que posso pensar é em como fui egoísta, estúpido e ingênuo. Eu devia ter escutado o médico e a internado. Pelo menos ela ainda estaria viva...

Sem pensar, Annie estendeu a mão e tocou o rosto dele com gentileza. – Não é sua culpa.

Ele a olhou com ar abatido. – Quando sua esposa estoura os miolos na sua cama, com sua filha pequena ali no quarto ao lado, acredite, *ela* pensa que é sua culpa. – Ele fez um som suave e abafado, como o choro de um cachorrinho que apanha. – Deus, ela devia me odiar...

– Você não acredita realmente nisso.

– Não. Sim. Às vezes. – Os lábios dele tremeram quando falou. – E o pior é que às vezes eu a odiava também. Eu odiava o que ela estava fazendo com Izzy e comigo. Ela começou a ficar mais e mais como a minha mãe... e eu sabia, lá no fundo, eu sabia que não ia conseguir salvá-la. Talvez eu tenha parado de tentar... eu não sei.

A dor dele a chamava, e Annie não podia se afastar. Ela o tomou nos braços, acariciando-o como faria com uma criança. – Está tudo bem, Nick...

Quando ele finalmente se afastou e olhou para ela, os olhos estavam cheios de lágrimas. – E tem a Izzy. Minha... minha filhinha. Ela não diz uma palavra faz meses... e agora ela acha que está desaparecendo. Primeiro foi só um dedo da mão esquerda, depois o polegar. Quando foi a mão inteira, ela começou a usar uma luva preta e parou de falar. Notei que recentemente ela usa apenas dois dedos da mão direita, então acho que ela pensa que a mão direita também está desaparecendo. Só Deus sabe o que ela poderá fazer se... – Nick tentou sorrir. Ela conseguiu ver o esforço sobre-humano que ele estava fazendo apenas para continuar falando, mas então Nick parou. Annie viu quando o controle acabou, rasgando como um papel molhado. – O que eu posso fazer? Minha filha de seis anos se escondeu debaixo da cama uma noite porque ouviu um barulho. Ela queria ir até a mamãe dela para ser abraçada, mas felizmente não foi. Porque a mamãe dela tinha encostado uma arma na cabeça e estourado os miolos. Se Izzy tivesse passado pelo corredor naquela noite, ela teria visto pedaços da mamãe dela no espelho, na cabeceira da cama, no travesseiro... – Lágrimas começaram a escorrer pelo rosto com a barba por fazer.

A tristeza dele a puxou para baixo, misturando-se em algum ponto da escuridão com a dor. Ela queria dizer que ficaria tudo bem, que ele ia sobreviver, mas as palavras não saíam.

Nick olhou para ela, e Annie viu que ele a via embaçada por causa das lágrimas. Ele tocou o rosto dela, a mão desceu até o pescoço e a puxou para mais perto.

Ela sabia que esse momento ficaria para sempre, muito depois de ela desejar esquecê-lo. Talvez mais tarde fosse pensar no que a levou a agir assim: seria o reflexo tremeluzente das estrelas no lago, ou o modo como a mistura de luar e lágrimas fazia os olhos dele parecerem piscinas de prata derretida? Ou a solidão muito profunda dentro dela, como um cubo de gelo pressionado contra seu coração partido?

Ela sussurrou suavemente o nome dele; na escuridão pareceu ser um pedido, ou uma oração.

O beijo que deu nos lábios dele pretendia ser de conforto; disso ela tinha certeza, uma gentil comiseração de compreensão por um coração partido. Mas, quando os lábios deles se tocaram, suaves, macios e salgados por causa das lágrimas, tudo mudou. O beijo ficou quente, faminto e desesperado. Ela estava pensando em Blake, e sabia que ele estava pensando em Kathy, mas isso não importava. O que importava era o calor de estarem juntos.

Ela lutou com os botões da camisa dele e passou a mão por baixo da flanela amassada o mais depressa que conseguiu, deslizando as palmas abertas sobre os pelos do peito dele. As mãos subiram hesitantes até os ombros e desceram pelas costas nuas. Tocá-lo parecia algo secreto e proibido, perigoso, e a fazia *querer*...

Com um gemido, ele tirou a camisa e a jogou para o lado. As roupas de Annie foram tiradas a seguir. A camiseta cinza e o sutiã ondularam na grama molhada como bandeiras de rendição.

O ar fresco da noite passou pela pele nua dela. Annie fechou os olhos, embaraçada pela intensidade do desejo que sentia. As mãos dele estavam em todo lugar, tocando-a, esfregando, acariciando, apertando, deslizando pela curva das costas dela. Em uma parte distante da mente, ela sabia que estava se deixando levar, que isso não era uma boa ideia, mas a sensação era tão boa. Ninguém a desejara tanto assim fazia muito, muito tempo. Talvez desde sempre...

Eles se tornaram um amontoado selvagem de membros nus e bocas que se procuravam. Annie cedeu ao doloroso prazer daquilo tudo, a sensação da pele grossa dos dedos dele em seu rosto, nos seios, entre suas pernas. Ele a tocou em locais e de modo que nunca imaginara, levou seu corpo ao limite pulsante entre o prazer e a dor. A respiração dela saía em ondas curtas e fortes, até estar procurando por ar e não aguentando mais esperar o alívio. – Por favor, Nick... – ela implorou.

Ela se agarrou nele, sentindo a sensação molhada das lágrimas no rosto, e não sabia se eram dele ou dela ou uma mistura das lágrimas dos dois, e, quando ele a penetrou, ela teve um momento estonteante, desesperado, quando pensou que fosse gritar...

O clímax dela foi devastador. Ele se agarrou a ela, gemeu, e, quando ela sentiu o orgasmo dele, ela gozou outra vez, gemendo o nome dele, desabando sobre o peito úmido e peludo dele. Ele a tomou nos braços, acariciando seu cabelo, murmurando palavras suaves e calmantes junto do seu ouvido. Mas o coração dela estava batendo com tanta força e o som rugia em seus ouvidos tão alto que ela não entendeu nada do que ele disse.

Quando Annie voltou para a terra, entre um chuveiro de estrelas, caiu em chão duro. Estava nua ao lado de Nick, respirando ofegante. Lá no alto, o céu estava completamente negro e cheio de estrelas, e a noite cheirava a vinho derramado e paixão consumada.

Muito lentamente, Nick afastou a mão da mão dela. Sem o calor do contato, a pele dela parecia grudenta e fria.

Annie pegou uma beirada do cobertor e puxou por cima dos seios nus, movendo-se para longe dele. – Meu Deus – ela sussurrou. – O que foi que fizemos?

Ele se curvou para a frente, enterrando o rosto nas mãos.

Annie tateou pela grama molhada e encontrou a camiseta, que puxou para mais perto. Tinha de dar o fora dali, agora, antes que desmontasse. – Isso não aconteceu – ela disse com a voz sussurrante, incerta. – Isso *não* aconteceu.

Ele não olhou para ela enquanto recolhia sua roupa e se vestia depressa. Quando estava novamente protegido, levantou-se e virou as costas para ela.

Annie estava tremendo e fazendo o possível para não chorar enquanto se vestia. Ele provavelmente a estava comparando com Kathy, lembrando como a esposa tinha sido linda, e imaginando que porcaria havia deixado acontecer, fazer sexo assim com uma mulher magra demais, velha demais, com o cabelo curto demais, que se deixara ser um nada tão grande...

Por fim, ela se levantou. Olhou para os próprios pés, desejando que o chão se abrisse e a engolisse. – É melhor eu ir... – ela ia dizer ir para *casa,* mas não tinha mais uma casa tanto quanto não tinha mais marido esperando lá por ela. Ela se endireitou e mudou as palavras. – Voltar para a casa do meu pai. Ele vai ficar preocupado...

Por fim, Nick virou-se para ela. O rosto estava marcado e contido, e o arrependimento nos olhos dele a atingiu como um tapa. Deus, ela queria desaparecer...

– Eu nunca dormi com ninguém além da Kathy – ele disse suavemente, sem olhar diretamente para ela.

– Ah – foi tudo que ela conseguiu dizer, mas a admissão dele a fez se sentir um pouco melhor. – Isto foi uma primeira vez para mim também.

– Acho que a revolução sexual passou longe de nós dois.

Em outro momento essa declaração teria sido engraçada. Ela indicou o carro com a cabeça. – Acho que é melhor eu ir.

Sem dizer nada, eles foram juntos até o carro. Ela tomou cuidado para não o tocar, mas durante o tempo todo ficou pensando nas mãos dele em seu corpo, no calor que ele iniciara bem lá no fundo dela, naquele lugar que estava frio e morto fazia tanto tempo...

– Então – ele disse no silêncio desconfortável –, estou achando que Bobby Johnson estava mentindo quando disse que transou com você depois do jogo em Sequim.

Ela parou onde estava e se virou para ele, combatendo uma vontade completamente inesperada de rir. – *Transou* comigo?

Ele deu de ombros, sorrindo. – Foi ele quem disse, não eu.

– *Transou* comigo? – Ela balançou a cabeça. – Bobby Johnson disse isso?

– Não se preocupe, ele disse que você era boa. E ele nem mesmo deixou *implícita* uma chupada.

Desta vez ela riu, e parte da tensão sumiu. Eles começaram a andar de novo, atravessando o gramado molhado, indo para o carro dela. Ele abriu a porta para ela, e isso a surpreendeu, aquele inesperado gesto de cavalheirismo. Ninguém abria uma porta para ela fazia anos.

– Annie? – ele disse o nome dela suavemente.

Ela ergueu os olhos para ele. – Sim?

– Não lamente isso. Por favor.

Ela engoliu em seco. Por alguns momentos, Nick tinha feito com que se sentisse bela e desejável. Como poderia lamentar isso? Queria estender a mão para ele novamente, qualquer coisa para afastar a solidão fria que a envolveria novamente no momento em que entrasse no carro alugado e fechasse a porta. – Lurlene me disse que você está procurando uma babá... para Isabella. Eu posso cuidar dela... durante o dia... se isso ajudar...

Ele franziu a testa. – Por que você faria isso por mim?

A pergunta a deixou triste; era cheia de desconfiança e falava de uma vida inteira de desapontamentos. – Isso *me* ajudaria, Nick. De verdade. Deixe-me ajudar você.

Ele a fitou por um longo tempo, aquele olhar de policial desconfiado novamente. Então, lentamente, de forma decidida, ele pegou a mão dela e a ergueu. Sob a luz pálida do luar, o diamante de três quilates brilhou como fogo frio. – Você não devia estar em algum outro lugar?

Agora ele ia saber que fracasso ela era, por que tinha voltado correndo para Mystic depois de todos esses anos. – Me separei recentemente... – ela quis dizer mais, colocar uma desculpa que suavizasse a declaração feia e resplandecente, mas a garganta se fechou e lágrimas surgiram nos seus olhos.

Ele soltou a mão dela como se o estivesse queimando. – Puxa vida, Annie. Você não devia ter me deixado agir como um completo chorão, como se mais ninguém no mundo tivesse problemas. Você devia...

– Eu *realmente* não quero falar sobre isso. – Ela viu que ele se encolheu, e lamentou imediatamente o tom de voz que usou. – Desculpe. Acho que já choramos o suficiente por uma noite.

Ele assentiu, desviando os olhos por um minuto. Então olhou para a casa. – Izzy bem que precisa de uma amiga agora. Sei que eu não estou fazendo nenhum bem para ela.

– E isso me ajudaria também. Estou um pouco... perdida no momento. Seria bom ser útil.

– Certo – ele disse por fim. – Lurlene pode tirar uma folga. Ela e Buddy queriam ir para Branson, e, como Izzy está fora da escola... – ele suspirou. – Tenho de pegar a Izzy na Lurlene amanhã. Posso encontrar você na casa dela. Ela mora no Raintree Estates, lembra onde é? Uma casa cor-de-rosa com gnomos no jardim. Não dá para não ver.

– Claro. A que horas?

– Digamos, à uma? Posso encontrar você lá no meu intervalo do almoço.

– Perfeito. – Ela olhou para ele por mais um longo minuto, então se virou e entrou no carro. Ligou o motor e partiu lentamente. A última coisa que viu pelo espelho retrovisor enquanto ia embora foi Nick olhando para ela.

Bem depois de ela ter ido embora, Nick ainda estava na beirada do gramado, olhando para a estrada escura. Lentamente, ele caminhou de volta para a casa, deixando a porta de tela bater atrás dele. Foi até a lareira e pegou novamente a fotografia deles três. Olhou para ela por um longo, longo tempo, e então, cansado, subiu a longa e rangente escada até seu velho quarto. Preparando-se, ele abriu a porta. Entrou com cautela, os olhos se ajustando depressa à penumbra. Dava para ver a cama desfeita, as roupas amontoadas ao redor. Dava para ver o abajur que Kathy tinha pedido na Spiegel e a cadeira de balanço que ele havia feito quando Izzy nasceu.

Pegou uma camiseta do chão, bateu a porta e desceu para seu solitário sofá, onde se serviu de mais uma bebida. Sabia que era perigoso usar álcool para aplacar a dor, e, nos últimos meses, estava buscando esse falso conforto cada vez mais.

Recostando-se, ele tomou um grande gole tranquilizador. Terminou aquela dose e se serviu de outra.

O que ele e Annie tinham feito naquela noite não mudava nada. Tinha de lembrar disso. A vida que ela havia instilado nele era efêmera e passageira. Logo ela iria embora, e ele ficaria sozinho outra vez, um viúvo com uma filha com problemas que teria de encontrar uma forma de atravessar o restante da vida.

Havia luz na sala quando Annie estacionou junto da casa do pai. Ela não gostou da ideia de confrontá-lo neste momento, às duas da manhã, com as roupas amassadas e úmidas. Droga, ela provavelmente estava cheirando a sexo.

Annie desceu do carro e foi para a casa. Como esperava, encontrou Hank na sala, esperando por ela. Havia um fogo crepitando alegremente na lareira, enviando um brilho de amarelo aveludado para a sala escura.

Ela fechou a porta com cuidado.

Hank ergueu os olhos do livro que estava lendo. – Ora, ora – ele disse, ajeitando os óculos bifocais.

Annie tentou alisar o amassado da roupa, consciente da sua aparência, e passou a mão pelo cabelo curto demais, esperando que não houvesse folhas de grama presas ali. – Você não precisava ficar me esperando acordado.

– Mesmo? – ele fechou o livro.

– Não tem por que se preocupar. Já faz muito tempo que passei dos dezesseis.

– Eu não estava preocupado. Não depois de ter ligado para a polícia e para o hospital.

Annie sentou-se na poltrona de couro junto da lareira. – Desculpe, pai. Acho que não estou acostumada a dizer onde estou. Blake nunca ligou... – Ela conteve a confissão amarga e forçou um sorriso. – Fui visitar um velho amigo. Devia ter ligado.

– Sim, devia, sim. Quem você foi ver?

– Nick Delacroix. Lembra dele?

Os dedos calosos de Hank bateram um ritmo na capa do livro, os olhos fixos no rosto dela. – Eu devia ter esperado que você fosse parar lá. Vocês três no colegial eram inseparáveis como cadarços. Ele não está muito bem, pelo que ouvi dizer.

Annie imaginou que Nick seria um ótimo assunto para as fofocas da cidade. – Vou ajudá-lo um pouco. Cuidando da filha enquanto ele trabalha, esse tipo de coisa. Acho que ele precisa de uma folga.

– Vocês dois não tiveram alguma coisa no colegial? – O olhar dele ficou avaliador. – Ou você está planejando se vingar do Blake?

– Claro que não – ela respondeu, depressa demais. – Você me disse que eu precisava de um projeto. Algo para fazer até que o Blake acorde.

– Aquele homem significa problema, Annie Virginia. Ele está se afogando, e pode levar você junto para o fundo.

Annie sorriu gentilmente. – Obrigada por se preocupar comigo, pai. Eu amo você por isso. Mas só vou cuidar da filha dele. É só isso.

– É só isso? – a frase não soou como uma pergunta.

– Você me disse que eu precisava fazer alguma coisa. O que eu ia fazer, descobrir a cura do câncer? Sou esposa e mãe. É tudo o que sei fazer. É tudo o que sou. – Ela se inclinou para a frente, envergonhada por não poder contar a verdade inteira para ele, que não sabia como ser assim solitária. Então, falou a verdade mais próxima disso. – Estou velha demais para mentir para mim mesma, pai, e estou velha demais para mudar, e se não fizer *alguma coisa* eu vou explodir. Isso me pareceu algo bom. Nick e Izzy precisam da minha ajuda.

– Quem você precisa ajudar neste momento é você mesma.

A risada com que ela respondeu foi um som fraco, resignado. – Nunca fui muito boa nisso, não é?

Capítulo 8

Annie afastou as cobertas e saiu lentamente da cama, com os filamentos de um pesadelo enrolados ao seu redor. Era o mesmo sonho que costumava ter fazia anos, e recentemente ele havia voltado. Estava presa em uma mansão imensa, com centenas de quartos vazios por todos os lados, e procurava desesperadamente uma saída.

Seu primeiro pensamento quando acordava era sempre *Blake.* Mas, claro, ele não estava ao seu lado na cama. Era um dos muitos aspectos da nova vida com que teria de se acostumar. Não havia ninguém para abraçá-la depois de um pesadelo.

Estava ficando cada vez mais difícil acreditar que Blake um dia voltaria para ela, e a perda dessa esperança transitória fazia com que se sentisse tão vazia quando um caule de junco tornado oco pelo calor do verão.

Lágrimas surgiram em seus olhos. Na noite anterior tinha quebrado os votos do casamento pela primeira vez na vida; tinha estraçalhado a fé que criara com o único homem que jamais amara. E o pior é que ele não ia se importar.

* * *

Nick estava se preparando para sair para o almoço quando o chamado chegou, um problema doméstico na Old Mill Road.

Os Weaver.

Com um suspiro, passou um rádio para a operadora do despacho e pediu-lhe que ligasse para Lurlene. Não ia poder estar lá para o encontro com Annie e Izzy.

Acionando sirene e luzes, ele correu pela rua de asfalto esburacado que saía da cidade. Seguiu pelas curvas incessantes da Old Mill Road, que contornava a floresta Simpson, passou pela ponte de concreto por cima das corredeiras do Rio Hoh e chegou por fim à entrada. Uma caixa de correio amassada e inclinada, enferrujada até ficar da cor da lama da Geórgia, ficava pendurada de forma precária em um arco feito de madeira marcada pelo tempo. Ele entrou cautelosamente pela trilha estreita e sinuosa aberta a mão na densa floresta. Ali, no interior da floresta, a luz não penetrava entre as árvores; as folhas criavam um ambiente escuro e sinistro mesmo no meio do dia. No final da trilha enlameada, uma clareira com meio acre de área ficava encostada numa colina coberta por uma floresta densa de pinheiros. No fundo da clareira um trailer velho ficava meio afundado na lama. Cachorros latiram e ganiram quando ele entrou.

Nick falou com a despachante pelo rádio mais uma vez, confirmando que havia chegado, então saiu do carro. Com uma das mãos na coronha da arma, caminhou pelas poças de lama que cobriam a passagem e subiu pelos caixotes que serviam de escada da frente. Estava para bater na porta quando ouviu um grito vindo do interior do trailer.

– Polícia! – ele gritou, enquanto empurrava a porta. Ela girou para dentro e bateu na parede. Um tremor reverberou pela sala. – Sally? Chuck?

Lá fora, os cachorros enlouqueceram. Dava para imaginá-los esticando as correntes, mordendo uns aos outros no desespero de atacar o invasor.

Ele olhou para o interior escuro. O carpete velho cor de abacate, coberto por latas de cerveja e cinzeiros, abafava o som das botas quando avançou. – Sally?

Um berro veio em resposta.

Nick correu pela cozinha suja e empurrou a porta entrando no quarto.

Chuck estava segurando a esposa contra o painel de madeira falsa. Ela gritava por baixo dele, tentando proteger o rosto. Nick segurou Chuck pelo colarinho e o empurrou para o lado. O homem bêbado grunhiu com a surpresa e caiu de lado, batendo na beirada da mesa de madeira compensada. Nick girou e o agarrou novamente, colocando as algemas nele.

Chuck ficou piscando depressa, obviamente tentando focalizar a vista. – Mas que droga, Nicky – ele choramingou com a voz baixa e arrastada. – Que porra que você está fazendo aqui? Nós só estávamos discutindo...

Nick conteve o desejo de enfiar o punho no rosto gorducho de Chuck. – Fique aí, mas que droga – ele ordenou, empurrando Chuck com tanta força que ele caiu no chão, levando um abajur barato com ele. A lâmpada quebrou, deixando o quarto minúsculo no escuro.

Nick levou a mão até o cassetete enquanto ia cautelosamente até Sally. Ela estava agora apoiada na parede, o vestido rasgado manchado de sangue. Tinha um corte no lábio inferior e uma mancha rocha já visível no queixo.

Nick não conseguia lembrar quantas vezes estivera ali, quantas vezes tinha impedido Chuck de matar a esposa. Esse casamento era uma situação ruim, e vinha sendo assim bem antes de Chuck ter sido despedido do moinho, mas, depois disso, tornou-se um pesadelo. Chuck passava o dia todo no Zoe's Tavern, tomando cervejas que não podia pagar e ficando bravo. Quando rastejava da banqueta do bar e ia cambaleante até em casa, já estava tão maldoso quanto um cachorro de ferro-velho, e, ao estacionar a picape caindo aos pedaços na entrada, estava pronto para causar danos muito sérios. E a única pessoa por perto era a esposa.

Nick tocou o ombro de Sally.

Ela emitiu um gemido e se encolheu. – Não...

– Sally, sou eu. Nick Delacroix.

A mulher abriu os olhos lentamente e, quando o fez, Nick viu neles o poço sem fundo de desespero e a vergonha. Ela ergueu a mão trêmula até o rosto e tentou afastar o cabelo com sangue da face. Lágrimas surgiram nos olhos machucados e desceram pelo rosto. – Oh, Nick... os Roberts chamaram você novamente? – Ela se afastou dele e se endireitou, tentando parecer normal e sob controle. – Não foi nada, na verdade. Chuckie só teve um dia ruim, é só isso. A empresa de papel não está procurando novos empregados...

Nick suspirou. – Você não pode continuar assim, Sally. Um dia desses ele vai matar você.

Ela tentou sorrir. Foi um fracasso total, e isso atingiu o coração de Nick. Como sempre, Sally o fez lembrar da mãe, e todas as desculpas que ela arrumava para beber ao longo dos anos. – Oh, não, não o meu Chuckie. Ele só fica um pouco frustrado às vezes.

– Eu vou levar o Chuck desta vez, Sally. Quero que você faça uma queixa.

Chuck avançou do canto onde estava, caindo na cama. – Ela não vai fazer isso comigo, vai, meu bem? Ela sabe que eu não queria fazer nada. É só que às vezes ela me deixa tão furioso. Não tinha nada para comer em toda a casa quando cheguei. Um homem *precisa* comer alguma coisa, não é verdade, Nick?

Sally olhou preocupada para o marido. – Desculpe, Chuckie. Eu não esperava que você fosse voltar tão cedo.

A derrota fez os ombros de Nick caírem, percorrendo seu corpo com uma onda fria. – Deixe-me ajudar você, Sally, – ele disse suavemente, inclinando-se para ela.

Ela deu um tapinha no braço dele. – Não preciso de ajuda, Nick. Mas obrigada por vir.

Nick ficou ali, olhando para ela. Sally parecia estar encolhendo diante de seus olhos, perdendo peso. O vestido de algodão era grande demais para ela; ficava pendurado nos ombros estreitos deslizando sem formas pelo corpo. Ele sabia com tanta certeza quando sabia seu próprio nome que um dia ia atender a um desses chamados e Sally estaria morta. – Sally...

– Por favor, Nick – ela disse, a voz trêmula, os olhos se enchendo de lágrimas. – Por favor, não...

Nick desviou os olhos. Não havia nada que pudesse fazer para ajudá-la. Perceber isso causou uma dor dentro dele, e o fez ficar imaginando por que estava nesse emprego. Não havia sucesso, ou era muito pouco. Não podia fazer nada com o Chuck, a menos que ele matasse a esposa, e aí, claro, seria tarde demais.

Ele passou por cima de uma cesta de roupa suja caída e segurou Chuck pelo colarinho. – Vamos, Chuck, você pode ir dormir em uma cela.

Ele ignorou Chuck choramingando e se recusou a olhar novamente para Sally. Ela seguiria atrás deles, murmurando palavras de desculpas para o marido que tinha quebrado seus ossos, prometendo ser "melhor" quando ele voltasse para casa, jurando que teria o jantar na mesa na hora certa.

O comportamento dela não enojou Nick. Infelizmente, ele compreendia Sally. Tinha sido como ela na juventude, seguia a mãe como se fosse um cachorro faminto, implorando por restos de afeição, pegando qualquer afeto que ela jogasse ocasionalmente na direção dele.

Sim, compreendia bem demais porque Sally ficava com Chuck. E sabia, também, que aquilo terminaria mal para os dois. Mas não havia nada que pudesse fazer para ajudá-los. Nada, exceto jogar Chuck na cadeia enquanto estivesse bêbado, e esperar pela próxima chamada de distúrbio doméstico na Old Mill Road.

Izzy Delacroix estava enrolada como uma bolinha na cama do quarto de hóspedes de Lurlene. O travesseiro não cheirava direito, não era mesmo o cheiro certo. Essa era apenas uma das coisas que faziam Izzy chorar quase toda noite. Desde que sua mamãe tinha ido para o céu, nada cheirava direito, nem os lençóis nem os travesseiros nem as roupas dela mesma.

Até mesmo Miss Jemmie não cheirava como devia.

Izzy abraçou mais sua boneca, acariciando o belo cabelo amarelo dela com os dois dedos que restavam em sua mão direita, o polegar e o indicador.

No começo isso a assustou, quando descobriu que estava desaparecendo. Ela estendeu a mão para pegar um lápis de cera e no meio do caminho notou que o dedinho estava meio borrado e cinza. No dia seguinte ele estava invisível. Ela contou para o pai e para Lurlene, e pôde ver pela forma como eles a olharam que isso também assustou os dois. E aquele médico casquento, isso o fez olhar como se ela fosse um inseto.

Izzy olhou para os dois dedos que restavam em sua mão direita. *Está sumindo, mamãe.*

Ela esperou uma resposta, mas não houve nenhuma. Muitas vezes ela imaginava a mamãe dela ali do lado, e podia falar com ela só pensando as palavras.

Izzy queria poder fazer isso agora, mas parece que só funcionava em momentos especiais, naquela hora roxa entre a noite e o dia.

Precisava falar com a mamãe dela sobre o que tinha acontecido no outro dia. Foi tão ruim. Em um minuto estava olhando os desenhos no livro, e então, quando percebeu, tinha um grito dentro dela. Ela sabia que não era bom gritar na escola, e as outras crianças já achavam que ela era burra, e ela tentou, tentou muito ficar com a boca fechada. Tinha fechado as mãos e apertado os olhos com força, com tanta força que começou a ver estrelas na escuridão.

Estava tão assustada e tão sozinha que não conseguia respirar direito. O grito começou como um pequeno gemido que escapou. Ela segurou a boca com a mão, mas não adiantou.

Todas as crianças ficaram olhando para ela, apontando e rindo.

E o grito saiu. Alto, mais alto, altíssimo. Ela cobriu as orelhas com as mãos para não ouvir o grito. Sabia que estava gritando, mas não conseguia parar.

A professora pegou a mão enluvada, apertando em volta do nada. E não conseguir sentir nada fez Izzy gritar ainda mais alto.

– Meu bem, não está invisível – a sra. Brown tinha dito suavemente; então ela segurou gentilmente a outra mão de Izzy e a levou pelo corredor.

E o grito continuou e continuou.

Ela gritou o tempo todo enquanto andavam pelo corredor e entravam na sala do diretor. Tinha visto a forma como os adultos olhavam para ela, como se fosse louca, mas não conseguia evitar. Tudo o que sabia era que estava desaparecendo, um dedo por vez, e parecia que ninguém se importava.

Tão rápido quanto veio, o grito sumiu. Ele a deixou trêmula e se sentindo estranha, parada no meio da sala do diretor, com todo mundo olhando para ela.

Ela foi devagarinho até um canto, enfiando-se entre um sofá verde feio e a janela. As vozes dos adultos não paravam, falando sobre ela, sussurrando...

Todos se preocupavam porque ela não falava mais, era só isso. Aquele dr. Schwaabe, ele só se importou com ela não falar, e Izzy tinha ouvido Lurlene e Buddy. Eles agiam como se ela não conseguisse ouvir porque não falava. Lurlene a chamava de "pobrezinha" o tempo todo, e, sempre que fazia isso, Izzy lembrava da coisa ruim, e desejava que Lurlene parasse.

Então, como um cavaleiro saído de um dos contos de fadas da mamãe, seu papai entrou na sala do diretor. Os adultos todos ficaram quietos na mesma hora e se afastaram.

Ele não teria vindo até a escola se ela não tivesse gritado, e, por um segundo, ela ficou feliz por ter gritado. Mesmo que isso a tornasse uma menina má, estava feliz por seu papai estar ali.

Queria se jogar nos braços dele e dizer *Oi, papai,* com aquela voz que costumava ter, mas ele parecia tão triste que ela não conseguiu se mover.

Ele era tão bonito; mesmo depois de o cabelo mudar de cor depois da coisa ruim, ele ainda era o homem mais lindo do mundo. Ela se lembrava da risada dele, como fazia ela rir junto com ele...

Mas ele não era mais realmente o papai dela. Ele não lia mais histórias de noite, e não a jogava para cima até ela começar a gargalhar. E às vezes de noite o hálito dele cheirava a remédio, e ele andava cambaleando como aqueles brinquedos dela.

– Izzy? – ele chamou seu nome suavemente, indo até ela.

Por um instante, ela pensou que seu papai fosse tocá-la. Ela saiu do canto e deu alguns passinhos na direção dele. Inclinou-se para ele, só um tantinho, mas o bastante para que talvez visse como precisava dele.

Ele suspirou e se virou para os adultos. – O que está acontecendo, Bob?

Izzy quase desejou que o grito voltasse, mas tudo o que sentia era aquele silêncio que ardia, e, quando olhou para baixo, outro dedo tinha sumido. Tudo o que conseguia ver na mão direita era o polegar e o indicador.

Os adultos ficaram falando mais, dizendo coisas que ela não estava escutando. Então papai foi embora, e Izzy foi para casa com Lurlene. De novo.

– Izzy, querida, você está aí?

Ela escutou a voz de Lurlene, vindo pela porta fechada do quarto. – Venha aqui fora, Izzy. Tem alguém que quero que você conheça.

Izzy queria fingir que não tinha ouvido, mas sabia que não adiantaria. Só queria que Lurlene não fosse lhe dar outro banho, ela sempre deixava a água fria demais e fazia sabão entrar nos seus olhos.

Izzy suspirou. *Miss Jemmie, temos de ir.*

Ela segurou a boneca com a mão boa e saltou da cama. Quando passou pela penteadeira, viu a si mesma no espelho. Uma menina pequena e magra com cabelo sujo e um braço só. Os olhos ainda estavam inchados de tanto chorar.

Mamãe nunca deixaria que ela ficasse com essa aparência.

A porta do quarto se abriu. Lurlene ficou ali, os pés grandes dela juntos, o corpo dobrado na cintura. – Bom dia, meu bem. – Ela estendeu a mão e passou um cacho do cabelo por trás da orelha de Izzy.

Izzy ergueu os olhos para ela.

– Venha, meu bem.

Sem dizer nada, Izzy a seguiu pelo corredor.

Annie estava na entrada da casa de Lurlene e Buddy, composta de três trailers, em cima de um tapete cor-de-rosa.

O marido de Lurlene, Buddy, que a cumprimentara gentilmente, falando com muito sotaque, estava espalhado numa poltrona com as pernas elevadas, uma revista *Sports Illustrated* aberta no peito, a mão direita envolvendo uma lata de cerveja Miller. Ele estava olhando cuidadosamente para Annie.

Ela se moveu de uma perna para outra, tentando não pensar no fato de que não era uma psiquiatra, ou que traumas infantis eram poços escuros e sem fundo, ou que ela mesma também estava perdida.

Sabia que o amor era importante, talvez fosse o *mais* importante, mas aprendera nas últimas semanas que não era um elixir mágico. Até mesmo Annie não era ingênua o bastante para acreditar que qualquer problema poderia ser resolvido com amor. Algumas dores não podiam ser mitigadas, alguns traumas não podiam ser superados. Ela sabia disso desde o dia em que a mãe dela tinha morrido.

– Nick não vem. Lurlene contou isso para você?

Annie franziu a testa e olhou para Buddy. – Ah. Não. Eu não sabia.

– Ele nunca aparece quando importa. – Ele tomou um grande gole da cerveja, olhando para Annie por cima da lata. – Você está pegando um trabalho daqueles, sabe? Essa Izzy tem um parafuso faltando.

– Nick me contou que ela não fala faz algum tempo, e sobre... você sabe... os dedos que desaparecem.

– Isso não é nem metade da coisa. Ela tem aquele tipo de dor que suga os inocentes ao redor e os afoga.

Em outras palavras: *você está entrando em águas profundas demais, moça da cidade.* Annie sabia como ele a estava vendo, com o jeans barato que ainda tinha as marcas de dobra do fabricante e os tênis tão brancos quanto neve recém-caída. Ela foi prender o cabelo por trás da orelha, mas não havia cabelo. Embaraçada, forçou um sorriso. – A chuva de ontem apressou a primavera. Na casa do meu pai, os narcisos estão todos florindo. Pensei que talvez...

– Annie?

Era a voz de Lurlene desta vez. Annie virou-se lentamente.

Lurlene apareceu no corredor, usando um suéter verde neon e um legging roxo que imitava pele de cobra. As cores berravam em contraste com tudo o mais na casa.

Havia uma criança do lado dela, uma menininha com grandes olhos castanhos e o cabelo da cor da noite. Ela usava um vestido rosa pequeno demais que havia visto dias melhores. As pernas magras apareciam embaixo como dois varapaus. Meias que não combinavam, uma rosa, outra amarela, abraçavam os tornozelos e sumiam em tênis sujos da Bela e a Fera.

Uma menininha. Não uma reunião de problemas psicológicos ou uma vítima de trauma ou um problema de disciplina. Apenas uma menininha que sentia falta da mãe.

Annie sorriu. Talvez não soubesse nada sobre mudez traumática e como os médicos e livros e especialistas achavam que devia ser tratada. Mas sabia como era sentir medo, e sabia como era quando sua mãe desaparece um dia e nunca mais volta.

Lentamente, estendendo a mão, ela foi até a menina. – Oi, Izzy – ela disse suavemente.

Izzy não respondeu; Annie não esperava que ela respondesse. Calculou que Izzy ia falar quando fosse a hora certa. Até lá, Annie ia agir como se estivesse tudo normal. E talvez, depois do que Izzy tinha passado, o silêncio fosse a coisa mais normal do mundo.

– Eu sou Annalise, mas esse é um nome bem grande, não é? Você pode me chamar de Annie. – Ela se ajoelhou diante da menininha, olhando para os maiores e mais tristes olhos castanhos que já tinha visto. – Eu era amiga da sua mamãe.

Algo apareceu nos olhos de Izzy.

Annie interpretou isso como encorajamento. – Conheci sua mãe no primeiro dia do jardim de infância. – Ela sorriu para Izzy, então se virou e olhou para Lurlene. – Ela está pronta para ir?

Lurlene deu de ombros, então sussurrou. – Quem sabe? Pobrezinha. – Ela se abaixou. – Você lembra do que falamos. A senhorita Annie vai cuidar de você durante um tempo, enquanto seu pai está trabalhando. Você vai ser uma boa menina com ela, não vai?

– Ela certamente *não* precisa ser uma boa menina – Annie disse, piscando para Izzy. – Ela pode ser o que ela quiser.

Os olhos de Izzy se arregalaram.

– Ah. – Lurlene moveu os pés e sorriu para Annie. – Deus a abençoe por estar fazendo isso.

– Acredite, Lurlene, isso é tanto por mim quanto por qualquer outra pessoa. Vejo você depois.

Annie olhou para Izzy. – Bem, Izzy. Vamos pegar a estrada. Estou morrendo de ansiedade para ver o seu quarto. Aposto que tem todo tipo de brinquedo legal. Eu *adoro* brincar com Barbies. – Ela foi na frente até o carro e instalou Izzy no banco da frente, prendendo o cinto de segurança.

Izzy ficou sentada no banco do passageiro, com o cinto bem apertado, a cabeça inclinada para o lado como a de um filhote de passarinho, os olhos fixos na janela.

Annie ligou o carro e deu ré, saindo da entrada da casa, passando cuidadosamente entre a multidão de gnomos de cerâmica. Ela continuou falando enquanto dirigia, o tempo todo até a Reserva Indígena Quinault, passando pelas bancas na beira da estrada que vendiam salmão salgado e caranguejo fresco, por uma dúzia de barracas vazias de fogos de artifício. Ela falava sobre tudo e qualquer coisa, a importância das árvores antigas, a viabilidade da mímica como uma forma de arte, as melhores cores, seus filmes favoritos, o acampamento em que ela e Kathy tinham ido e os marshmallows que tinham assado no fogo, e, durante todo o tempo, Izzy ficou olhando e olhando.

Quando Annie passou pela estrada junto do lago onde havia árvores imensas, ela sentiu como se estivesse voltando no tempo. Essa estrada de cascalho, agora marcada por salpicos de sombra, parecia ser uma rota direta para ontem. Quando chegaram ao final dela, Annie se descobriu incapaz de se mover. Ficou sentada por trás da direção do carro e olhou para a velha casa Beauregard. A casa de Nick, agora.

Eu vou ser dono dessa casa um dia.

Na época tinha parecido um sonho tolo para Annie, todos aqueles anos atrás, um sonho disparatado de um jovem rapaz. Algo a dizer em uma noite estrelada antes que ele encontrasse coragem para se aproximar e beijar a menina ao seu lado.

Agora, claro, ela via a mágica disso, o que causou um minúsculo corte em seu coração. Ela já tivera um sonho naquela idade? Se sim, não lembrava.

Ela acelerou, seguiu pela entrada de cascalho e estacionou ao lado da pilha de lenha. A casa estava ali bem no meio da clareira, a sua frente. A luz do sol, tão pálida e aguada como uma canja antiga, pintava as pontas das folhas verdes de grama e iluminava a tinta das paredes amarelas como narcisos. Ela ainda parecia abandonada e esquecida, essa grande dama que era a casa vitoriana. Em alguns pontos a tinta estava descascando. Algumas das telhas tinham caído do telhado triangular e os rododendros imploravam para serem cortados.

– Aposto que isso era um forte – Annie disse, olhando para as tábuas quebradas de uma casa na árvore em meio aos galhos dormentes de um carvalho. – Sua mãe e eu tínhamos um forte só para meninas que...

O cinto de segurança de Izzy foi aberto com um clique alto. A peça de metal subiu e bateu na janela. Ela abriu a porta e correu para o lago, parando junto da cerca ao lado do tronco imenso de um bordo coberto por musgo.

Annie seguiu Izzy pelo gramado e parou ao lado dela. Dentro da cerca branca velha havia um belo quadrado de terreno que não estava nem um pouco tão malcuidado quanto o resto da propriedade. – Esse era o jardim da sua mãe – ela disse suavemente.

Izzy permaneceu imóvel, com a cabeça abaixada.

– Jardins são lugares muito especiais, não são? Eles não são como pessoas... as raízes deles crescem fortes e profundas no solo e, se você tiver paciência, se importar e continuar trabalhando, eles voltam.

Izzy virou-se lentamente, inclinou a cabeça e olhou para cima, para Annie.

– Podemos salvar esse jardim, Izzy. Você gostaria disso?

Muito lentamente, Izzy estendeu a mão. O polegar e o indicador se fecharam ao redor do caule de uma margarida. Ela puxou com tanta força que arrancou a flor pela raiz.

Então a entregou para Annie.

Aquela plantinha seca com o caule oco e raízes esquálidas era a coisa mais linda que Annie jamais tinha visto.

Capítulo 9

Izzy segurou Miss Jemmie embaixo do braço; era o melhor que podia fazer sem nenhum dedo. Ela ficou para trás, seguindo a moça bonita de cabelo curto.

Sentia-se feliz por estar em casa, mas isso não ia durar muito. A moça bonita ia dar uma olhada na bagunça do papai pela casa toda e pronto. As moças não gostam de lugares sujos.

– Vamos, Izzy – a moça chamou da varanda.

Izzy olhou para a porta da frente. Desejou que o pai aparecesse ali naquela porta e corresse descendo os degraus da varanda que rangiam como costumava fazer, que a pegasse nos braços fortes e a girasse até que começasse a rir, beijando aquele lugar no pescoço onde fazia cócegas.

Não ia acontecer. Izzy sabia disso porque vinha tendo o mesmo sonho fazia meses e meses e ele nunca acontecia.

Lembrava da primeira vez que o pai as levou ali. Foi quando o cabelo dele estava preto e ele nunca vinha para casa cheirando como o lugar ruim.

Aquela primeira vez tinha sido mágica. Ele tinha sorrido e rido e a ergueu nos braços. *Você não consegue ver, Kath? Vamos plantar um pomar ali... e encher a varanda com cadeiras de balanço para as noites de verão... e podemos fazer piqueniques na grama...* Ele tinha beijado o rosto de Izzy nesse momento. *Você gostaria disso, Raio de Sol? Um piquenique com frango e milk--shakes e salada de gelatina?*

Ela tinha dito, *Sim, papai,* mas eles nunca tinham feito um piquenique, nem no gramado nem em lugar algum...

A porta da frente rangeu ao abrir, e Izzy lembrou que a moça estava esperando por ela. Ela subiu relutantemente os degraus da varanda. A moça... Annie; ela tinha de lembrar que o nome da moça era Annie, acendeu o abajur junto do sofá. A luz caiu na bagunça do papai. Garrafas, caixas de pizza, roupas sujas espalhadas por todos os lados.

– Como Betty Davis diria, "que lixeira". Seu pai certamente não vai ganhar o prêmio Felix Unger[17].

Izzy se preparou. Era agora. De volta para a casa da Lurlene para comer carne enlatada com torrada...

Mas Annie não se virou e foi embora. Em vez disso, ela passou pela confusão e abriu as cortinas, erguendo uma nuvem de poeira. A luz do sol entrou pelas duas janelas panorâmicas. – Assim é melhor – ela disse, olhando em volta. – Acho que você não sabe onde estão as vassouras e pás de lixo, não é? E um trator? E que tal um lança-chamas?

O coração de Izzy começou a bater depressa, e ela sentiu algo estranho no peito.

Annie piscou para ela. – Eu já volto. – Saiu da sala e desapareceu na cozinha.

Izzy ficou muito quieta, mal respirando, escutando o bater rápido do seu coração.

Annie retornou carregando um saco de lixo preto, uma vassoura e um balde com água e sabão.

A sensação estranha no peito de Izzy pareceu ficar maior e maior, até ela quase não conseguir respirar. Lentamente, ela foi até Annie, esperando que a moça erguesse as mãos no ar e dissesse *Isso é trabalho demais, Nicky,* como a mamãe dela costumava dizer.

Mas Annie não disse isso. Pelo contrário, ela se curvou e recolheu o lixo, uma peça por vez, colocando-as no saco preto.

---

[17] Felix Unger é um personagem da peça de Neil Simon, de 1965, *The Odd Couple,* na qual Felix se divorcia e acaba dividindo o apartamento com o amigo Oscar Madison. Só que Felix é completamente maníaco por ordem e limpeza, e o amigo é o oposto. Simon também escreveu o roteiro do filme de mesmo nome de 1968 (*Um estranho casal,* no Brasil), com Jack Lemmon (como Unger) e Walter Matthau (como Madison). Foi feita também uma série de televisão de 1970 a 1975 (também com a colaboração do autor), que está sendo relançada em 2014 com Matthew Perry (como Oscar) e Thomas Lennon (como Felix). (N.T.)

Cautelosamente, Izzy se aproximou.

Annie não olhou para ela. – É só lixo, Izzy. Nada permanente. Não tem nada que foi feito aqui que não possa ser desfeito. O quarto da minha filha costumava ficar assim o tempo todo, e ela era uma adolescente adorável. – Ela continuou falando, e, com cada frase que não era respondida, Izzy sentia que relaxava. – Puxa, lembro desta casa quando eu era criança. Sua mãe, seu pai e eu costumávamos vir olhar pelas janelas de noite, e inventávamos histórias sobre as pessoas que tinham morado aqui. Eu sempre achava que era um casal rico e bonito do Leste, que andava de fraque e vestido longo. Seu pai dizia que a casa tinha sido de jogadores que tinham perdido tudo em uma única mão de cartas. E sua mãe, puxa, não lembro o que ela costumava pensar. Devia ser alguma coisa romântica. – Ela parou o suficiente para sorrir para Izzy. – Talvez, quando o tempo ficar mais quente, nós possamos fazer um piquenique no gramado. Você gostaria disso?

Izzy sentiu a vontade mais estranha de gritar. Ela queria perguntar *Podemos tomar milk-shakes com salada de gelatina?*, mas não disse nada. Não poderia, nem mesmo se tentasse de verdade. Além do mais, isso era só mais uma dessas coisas que os adultos prometem mesmo quando não pretendem cumprir.

– Na verdade – Annie disse –, podemos fazer um minipiquenique hoje mesmo. Depois que eu limpar a sala, vamos levar biscoitos e suco lá para fora, biscoitos de uvas-passas congelados, e ponche. Parece bom, não acha? "Sim, Annie, eu acho que vai ser incríííível." Essa é minha imitação do Tigre Tony. Natalie, que é a minha filha, ela é quase adulta agora, ela adorava Frosted Flakes. Aposto que você também gosta.

Izzy conteve um sorriso inesperado. Ela gostava da forma como Annie não esperava que respondesse. Fazia Izzy sentir que não era muito diferente, como se não falar fosse tão bom quanto falar.

Um passinho após o outro, ela foi avançando de lado. Quando chegou ao sofá, ela se sentou, ignorando a poeira que se ergueu ao seu redor. Aos poucos, o lixo foi desaparecendo, e, depois de um tempo, a sala começou a parecer com um lar.

Annie bateu suavemente na porta do quarto de Izzy. Não houve resposta. Por fim, ela abriu a porta e entrou. O quarto era pequeno e escuro, localizado sob uma extensão do telhado. Uma charmosa janela no teto permitia ver lá fora, e por ali entravam os últimos raios rosados do dia, por trás de cortinas de renda claras. As paredes eram decoradas com um belo papel com faixas lilás, e um padrão floral combinando cobria a cama. Um abajur do ursinho Pooh estava colocado sobre um criado-mudo branco.

Nick e Kathy provavelmente tinham planejado esse quarto, e economizado para montá-lo, querendo criar o lugar perfeito para a filha. Annie podia lembrar dos sonhos que vinham com a gravidez, e os intermináveis detalhes de esperança. Muito disso começava com o quarto do bebê.

Annie não sabia muito sobre psicose maníaco-depressiva, nem como ela havia retorcido e transformado Kathy, mas sabia que Kathy amava a filha. Cada item naquele quarto tinha sido escolhido com amor, desde a luz noturna da Pequena Sereia até os seguradores de livro do Pedro Coelho.

Ela passou pelo chão de madeira coberto por roupas e foi até a cama. O perfil de Izzy criava uma bela imagem sobre uma fronha amarela desbotada do Garibaldo. Um cobertor roxo estava bem puxado sobre os ombros e enfiado gentilmente por baixo do queixo. A boneca, Miss Jemmie, pelo que Lurlene tinha dito, estava caída no chão, com os olhos negros de botões olhando para o teto. A pequena mão com a luva preta de Izzy parecia uma mancha sobre o lençol lilás.

Annie odiava ter de acordar a menina que dormia, mas ela acreditava muito em rotina. Crianças precisavam saber onde eram os limites e que regras estavam sendo usadas. Ela colocara Izzy para tirar uma soneca às duas e meia, e ficou surpresa por ela dormir depressa. Agora, quatro da tarde, estava na hora de acordar.

Ela se abaixou e balançou o ombro da menina. – Acorde, dorminhoca.

Izzy emitiu um som baixo e se ajeitou melhor sob as cobertas.

– Ah, não. Não faça isso. Vamos, Izzy.

Um olho castanho abriu. Izzy usou os dois dedos da mão direita para afastar a coberta. Piscando e bocejando, ela se sentou.

– Pensei que você gostaria de tomar banho antes de o seu papai chegar. – Annie sorriu e estendeu um saco de doces que tinha na mão. – Arrumei roupas novas e mais umas surpresas para você. Lurlene me disse qual é o seu tamanho. Vamos. – Ela ajudou Izzy a sair da cama e a conduziu até o banheiro, onde abriu a água da banheira.

Então se ajoelhou diante da menina.

Izzy a olhou desconfiada.

Annie olhou para a mão com luva. – Você não odeia quando partes do seu corpo começam a sumir? Vamos, erga as mãos.

Izzy levantou o braço direito. O esquerdo continuou caído junto do corpo, os dedos enluvados completamente imóveis.

Annie sentou-se nos calcanhares. – Como, exatamente, tiramos a roupa das partes invisíveis? Acho que se eu puxar o pijama... – Lentamente, ela puxou a manga pelo braço "invisível." Daí foi mexer na luva.

Izzy fez um som de engasgar e se afastou dela.

– Ah, desculpe. A luva não sai?

Izzy olhou intensamente para um ponto atrás da orelha esquerda de Annie.

– Eu entendo. Não tem luva nenhuma, não é, Izzy?

Izzy mordeu o lábio inferior. Ela continuou sem olhar para Annie.

Annie se levantou. Segurando Izzy cuidadosamente pelos ombros, ela dirigiu a menina para a banheira e a ajudou a entrar na água morna. Izzy abraçou a beirada da banheira, e o braço esquerdo ficou caído pelo lado de dentro.

– Não está quente demais, está? – Annie perguntou. – Não, Annie, está perfeita. Exatamente na temperatura de que eu gosto.

Izzy olhou para ela.

Annie sorriu. – Eu consigo manter uma conversa sozinha. Quando era criança, eu também era filha única, eu fazia isso o tempo todo.

Annie colocou pó para bolhas na água que caía. Izzy olhou, aparentemente surpresa, enquanto as bolhas se formavam ao seu redor.

Então Annie acendeu as três velas votivas que tinha encontrado na cozinha. O cheiro doce de baunilha subiu no ar. – Às vezes uma garota precisa de um banho romântico, só para ela. Certo. – Ela procurou dentro do saco marrom. – Olhe só. Tenho aqui xampu de bebê, sabonete da Pocahontas, uma toalha do Corcunda de Notre-Dame e um pente da Bela e a Fera. E essa *linda* roupinha lilás com pequenas flores amarelas, exatamente como vai ser o jardim da sua mãe, e um chapéu amarelo combinando.

Ela continuou o diálogo, fazendo perguntas e as respondendo enquanto lavava o cabelo comprido de Izzy e ensaboava e lavava o corpo dela, e por fim a ajudou a sair da banheira. Annie enrolou a menina pequenina em uma toalha imensa e começou a pentear o cabelo dela. – Lembro quando minha filha, Natalie, tinha a sua idade. Ela era muito pequenina. Fazia meu coração doer só de olhar para ela. – Ela fez duas tranças perfeitas com o cabelo de Izzy e completou com dois laços de cetim amarelo.

– Vire-se.

Izzy se virou.

Annie a vestiu com a calcinha branca nova e ajudou com a blusa lilás e o macacão. Quando terminou, conduziu Izzy até o espelho de corpo inteiro no canto.

A menininha olhou para si mesma durante um longo, longo tempo. Então, muito lentamente, ela ergueu a mão direita e tocou as fitas de cetim com o indicador. Os lábios rosados tremiam incertos. Ela mordeu com força o lábio inferior. Uma única lágrima escorreu pela face cor-de-rosa de Izzy. Só uma.

Annie compreendeu. Era o que ela estava torcendo para acontecer, pelo menos em parte. Que Izzy visse a si mesma como costumava ser. – Aposto que você era sempre assim, não é, Izzy?

Ela deu um beijo na testa da menina. Izzy cheirava a xampu de bebê e sabonete novo. Como as menininhas de todos os lugares.

Então, Annie voltou a se sentar nos calcanhares e fitou direto os olhos de Izzy. – Sabe quando você divide seus brinquedos com uma amiga e você se diverte mais do que se estivesse brincando sozinha com eles? Às vezes isso também é verdade com a tristeza. Às vezes, se você divide a tristeza, ela vai embora.

Izzy não respondeu.

Annie sorriu. – Agora, vou precisar de alguma ajuda na cozinha. Quero preparar o jantar, mas não consigo achar os pratos em lugar *nenhum*. Será que você pode me ajudar?

Izzy piscou.

Annie interpretou isso como um sim.

Juntas, elas desceram para a cozinha. Izzy caminhou até a mesa e se sentou. Os pezinhos dela ficavam balançando no ar.

Annie falou o tempo todo enquanto fazia bolinhos, preparando a massa e jogando pedacinhos no cozido de frango borbulhante. – Você sabe colocar a mesa? – ela perguntou, enquanto colocava a tampa na panela grande.

Izzy não respondeu.

– Isso não vai dar certo, sabe, senhorita Izzy – Annie pegou uma colher e entregou para a menina. – Aí está. Isso é para você.

Izzy usou o polegar e o indicador para segurar a colher. Ela olhou para a colher, então franziu a testa ao olhar para Annie.

– Uma balançada da colher é sim. Duas é não. Assim podemos conversar... numa espécie de código, sem ter de dizer nada em voz alta. Agora, você acha que pode me mostrar onde estão os pratos?

Izzy olhou sem piscar para a colher por um longo, longo tempo. Então, muito lentamente, ela a balançou uma vez.

– Ei, Nick, ouvi dizer que a filha do Hank Bourne está de volta à cidade.

Nick ergueu os olhos da bebida. Estava com uma tremenda dor de cabeça bem atrás dos olhos, e não conseguia focalizar direito. Estava assim o dia todo, desde o fiasco na casa dos Weaver. Tinha fichado Chuck e o jogado numa cela, mas Sally já havia ido até lá garantir que o marido não fosse indiciado. E disse ao sargento da recepção que tinha caído da escada.

Nick pensou que, se passasse no Zoe's para uma dose rápida, só uma para acalmar os nervos, ficaria bem para encarar Annie e Izzy em casa. Mas, como sempre, uma bebida levava a outra e outra e outra...

O que tinha visto nos olhos de Sally abriu uma ferida em sua alma, um lugar negro e feio que borbulhava com memórias dolorosas.

Ele fechou os dedos em torno do copo e tomou mais um longo e calmante gole do uísque. – Você deve saber, Zoe.

Joel Dermot chegou mais perto dele. – Lembro de Annie Bourne. Ela e minha filha, Suki, foram escoteiras juntas.

Nick fechou os olhos. Não queria pensar naqueles dias, fazia tempo, quando os três eram amigos. Quando pensava naqueles dias, lembrava do quanto gostava de Annie, e daí acabava pensando na noite anterior, quando ela estava em seus braços, nua e selvagem, realizando todas as fantasias que ele sempre teve com ela. A lembrança invariavelmente o levava por uma estrada longa e perigosa, uma estrada que o fazia questionar as decisões que tomara ao longo do caminho. Como havia escolhido Kathy porque ela precisava dele... e como a deixara saber disso, e como a amar o arruinara. Daí ele se descobria tendo pensamentos negros, perigosos... como de que jeito sua vida teria sido se tivesse escolhido Annie, ou como *poderia* ter sido se ela fosse o tipo de mulher que preferisse ficar em Mystic.

A esposa de outro homem.

Nick ficou em pé subitamente, com pressa de fugir daquele pensamento. Jogando uma nota de vinte dólares no balcão, virou-se e saiu apressado do bar enfumaçado. Entrou na viatura e foi para casa. Quando estacionou, sentia que havia dirigido milhares de quilômetros em uma estrada esburacada. O corpo doía, a cabeça doía, e ele queria tomar mais uma bebida.

O que ia dizer para Annie agora, depois do que tinha acontecido entre eles?

Lentamente, saiu do carro, caminhou pela passagem de cascalho, subiu pelos degraus afundados da varanda e entrou.

Annie estava deitada no sofá. Quando a porta se fechou atrás dele, ela se sentou e sorriu para ele. – Ah – ela disse. – Acho que peguei no sono.

A beleza dela o deixou sem fala por um momento. Ele recuou um passo, mantendo a maior distância possível entre eles. – Desculpe eu estar atrasado. Eu... queria aparecer na Lurlene, mas tivemos um chamado de emergência, e, bem...

Ela afastou o cobertor e se levantou. As roupas estavam amassadas e havia uma rede de pequenas marcas rosadas na face direita dela. – Não tem problema. Izzy e eu tivemos um bom dia hoje. Acho que vamos nos dar muito bem.

Ele queria dizer algo que diminuísse a culpa que sentia e a fizesse pensar algo bom sobre ele. Sentia essa ridícula vontade de contar que estava abalado, que algo havia emergido nele durante o dia, e que não sabia lidar com isso, nem fazer isso afundar de novo e sumir de vista. Mas esse tipo de intimidade era tão estranho para ele que não conseguia imaginar como começar.

Ela pegou a bolsa na mesa de centro. Estava tomando cuidado para não olhar para ele por muito tempo. – Se quiser... posso fazer um bom jantar para você e Izzy amanhã. Acho que ela vai gostar.

– Seria ótimo. Vou estar em casa às seis.

Annie passou por ele mas parou junto da porta, virando-se. – De agora em diante... se você for se atrasar, eu gostaria que avisasse.

– Sim. Desculpe.

Ela sorriu mais uma vez e saiu.

Ele ficou na janela, olhando quando ela se afastava. Quando as luzinhas vermelhas desapareceram na curva da estrada, ele subiu a escada lentamente e foi para o quarto de hóspedes, onde estava dormindo fazia oito meses quando não dormia no sofá da sala. Tirando o uniforme azul, vestiu um moletom velho e caminhou pelo corredor. Do lado de fora do quarto de Izzy, ele parou por um instante, reunindo forças.

Uma luz noturna fraca brilhava na parede junto da cama dela. Era o rosto do ursinho Winnie Pooh em um amarelo vibrante. Ele pegou o livro favorito da filha, *Where the Wild Things Are*[18], e se sentou cuidadosamente na beirada da cama. Quando o colchão afundou com seu peso, ele congelou. Izzy se moveu no sono, mas não acordou.

Ele abriu o livro, olhando para a primeira página. Antigamente, quando lia para ela todas as noites na hora de dormir, Izzy se enrodilhava junto dele e o encarava sorridente. *Papai, o que você vai ler para mim hoje, papai?*

---

[18] *Where the Wild Things Are* (no Brasil, *Onde vivem os monstros),* de Maurice Sendak, é um livro infantil de 1963 com apenas 338 palavras (no original) e conta a história de um menino que, depois de vestir sua fantasia de lobo, causa confusão na casa e vai para o quarto de castigo. Mas seu quarto se transforma em uma selva, e ele veleja para uma ilha onde vivem seres terríveis, os *"Wild Things"* (Coisas Selvagens). Depois de vencer as criaturas, Max torna-se rei delas e brinca com seus súditos. Mas ele decide voltar para casa, para tristeza dos Wild Things. Ao retornar, ele descobre que chegou bem na hora do jantar. (N.T.)

Ele fechou os olhos com força. Fazia muito tempo que lembrava desse hábito dela de começar e terminar as frases com *papai.* Ele se inclinou lentamente, bem lentamente, e beijou a maciez da testa da filha. O cheiro da menina o envolveu, fazendo com que se lembrasse de quando preparava banhos com bolhas para ela...

Nick soltou o ar lentamente. Agora, tudo o que fazia era ler para ela enquanto a filha dormia, só algumas páginas do livro predileto dela. Esperava que as palavras alcançassem sua mente adormecida. Era um jeito pequeno e estúpido de dizer que a amava; sabia disso. Ainda assim, era tudo o que conseguia fazer.

Ele leu o livro em uma voz suave e cantada, e então o colocou cuidadosamente na cabeceira. – Boa noite, Izzy querida – ele sussurrou, dando outro beijo na testa dela.

Novamente lá embaixo, foi até a cozinha e se serviu de uma bebida. Abriu a porta da frente com um chute e se lançou numa das cadeiras da varanda.

Então se lembrou, como sabia que ia acontecer. Sentiu subitamente o cheiro da casa dos Weaver, de bacon com desinfetante, e como uma pequena faixa do linóleo estava descascando no canto da cozinha. Lembrou-se da mancha roxa no rosto de Sally, como já estava se espalhando, da mesma forma que uma mancha de sangue em um pedaço de papel absorvente.

Uma vez, fazia muito tempo, Nick acreditou que podia resgatar pessoas como Sally. Pensava que, quando vestia o uniforme, ficava invencível. Droga, como tinha sido idiota, acreditando nas palavras que significavam tão pouco agora: honra, respeito, justiça. Pensava que podia salvar pessoas que não tinham o desejo de serem salvas.

Mas a vida lhe ensinara muito. Entre seu trabalho e Kathy, seu idealismo tinha sido esmagado, pedaço por pedaço, até que não ficasse nada além de restos esfarrapados. Sem isso, ele não sabia quem era.

Nick tomou um gole da bebida e encostou a cabeça na cadeira, olhando para o céu noturno. Ficou surpreso por um momento ao perceber que lá fora tudo continuava como devia ser. O lago ainda brilhava ao luar. A noite ainda parecia suave no alto das montanhas e florestas. Logo chegaria a madrugada, afastando a escuridão para cantos distantes do globo.

Antigamente, ele observava essas coisas maravilhado. Naqueles dias pensava que suas necessidades eram simples e fáceis de suprir. Queria apenas sua família, o trabalho, sua casa. Imaginava que ficaria velho nessa casa, sentado nessa cadeira na varanda, vendo os filhos crescerem e seguirem em frente. Pensava então que a idade tiraria o negro do seu cabelo, e que levaria anos para isso acontecer. Não tinha ideia de que a tristeza e a culpa podiam fazer um homem envelhecer e deixar seu cabelo branco em alguns meses.

Bebeu até a cabeça começar a girar, até a visão ficar turva. A garrafa vazia escorregou entre os dedos entorpecidos e rolou para longe, fazendo barulho ao cair pelos degraus, um a um, até parar silenciosamente na grama.

* * *

Na manhã seguinte, Izzy acordou com o som da voz de sua mamãe. Ela chutou as cobertas para longe e se sentou, piscando. *Mamãe?*

A princípio, tudo o que podia ouvir era a chuva. Antigamente, antes da coisa ruim, ela adorava esse barulho, o modo como a chuva caía no telhado. Ela olhou pela janela, desapontada por não ver nada ali além da luz do sol rosa e amarela. Não tinha chuva.

Mamãe?

Não teve resposta, apenas os sons da casa. Izzy calçou seus chinelos favoritos de coelhinho e saiu do quarto. Foi silenciosamente até a escada e desceu com cuidado para não acordar o pai. Ele estava dormindo no sofá, com um braço esticado por cima da mesa de centro e os pés descalços aparecendo por baixo do cobertor azul.

Izzy passou por ele nas pontas dos pés, o coração acelerado no peito ao abrir a porta da frente e a fechar cuidadosamente depois de sair. Ficou ali na varanda, olhando para fora. Uma névoa rosada flutuava sobre o lago. *Mamãe?*

Ela caminhou pela grama até a beirada do lago. Fechou os olhos com força e imaginou a mãe. Quando abriu os olhos, sua mamãe estava lá, parada no meio da água, perto o bastante para que a alcançasse com as mãos.

Mamãe não se moveu, mas subitamente estava do lado de Izzy, tão perto que Izzy podia sentir seu perfume.

Está tudo bem agora, Izzy. A voz da mamãe se misturava com a brisa. Em algum lugar um pássaro cantou e voou de um arbusto, batendo as asas e subindo no céu.

Começou a chover de verdade, uma chuva fraca que beijava o cabelo de Izzy e caía em seus lábios. Ela viu que a chuva estava colorida, um milhão de pequenos arco-íris caindo na superfície do lago. Mas, do outro lado da água, não estava chovendo.

Está tudo bem agora, mamãe disse de novo. *Eu tenho de ir.*

Izzy ficou em pânico. Era como se estivesse perdendo a mamãe de novo. *Não vá, mamãe. Eu estou desaparecendo o mais depressa que consigo.*

Mas a mãe dela já tinha sumido. A chuva multicolorida parou de cair e a névoa foi embora.

Izzy esperou e esperou, mas nada aconteceu. Por fim, ela voltou para a casa. Cruzando a sala, foi até a cozinha e começou a preparar seu café da manhã. Pegou sozinha os Frosted Flakes e o leite.

Escutou o pai acordando na outra sala. Já tinha visto isso muitas vezes, e era sempre pior quando ele dormia na sala. Primeiro ele se sentava no sofá, daí segurava a cabeça e gemia baixinho. Quando levantava, sempre batia a canela na mesa de centro e gritava um palavrão. E hoje não foi diferente.

– Merda!

Izzy correu para colocar a toalha cor-de-rosa na mesa, aquela que a mãe sempre usava para o café da manhã. Queria que o pai notasse como ela era esperta, como estava crescida. Talvez quando ele finalmente olhasse para ela, a tocasse... talvez ele dissesse, *Ei, Raio de Sol, você dormiu bem?* Era o que ele costumava dizer toda manhã, e, se ele falasse com ela, talvez ela encontrasse a própria voz e responderia *Dormi, bem, papai,* e ele ia rir de novo. Sentia falta de ouvi-lo rindo.

Era tudo o que ela queria. Tinha desistido de muitas outras coisas que antes importavam. Não ligava se ele não dissesse mais que a amava. Não ligava se ele não a beijasse na testa antes de dormir, ou que não a levasse em piqueniques, ou não a girasse nos braços fortes dele até ela gritar.

Só queria que ele a olhasse como antes, como se ela fosse a pessoa mais importante do mundo.

Agora, ele mal a olhava. Às vezes, desviava os olhos tão depressa que ela ficava com medo e pensava que tinha finalmente desaparecido completamente. Mas nunca era verdade; estava sempre ali, ou pelo menos a maior parte dela estava, exceto pela mão e por alguns dedos. Ele só não olhava mais para ela.

Ele entrou cambaleando na cozinha e parou, instável. – Izzy. O que você está fazendo?

Ela piscou surpresa, olhando para ele. *Você consegue,* ela pensou. *Responda para ele. Estou preparando o café da manhã, papai.* Mas as palavras ficaram presas em sua garganta e desapareceram.

– Frosted Flakes – ele disse com um sorriso fino. – Annie vai adorar isso. – Ele foi até a geladeira e se serviu de um copo de suco de laranja.

Então foi na direção dela. Por um instante ela pensou que ele ia dar um tapinha em seu ombro e dizer que a mesa estava linda. Ou que *ela* estava linda. Exatamente como era antes, com o cabelo todo trançado. Ela até se inclinou um pouco na direção dele.

Mas ele passou direto, e ela teve de conter as lágrimas.

Ele olhou para a mesa novamente. Não para ela. – Não tenho tempo para o café da manhã, Izzy querida. – Ele tocou a testa com um dedo e fechou os olhos.

Ela percebeu que ele estava novamente com dor de cabeça, a mesma que tinha sempre desde que mamãe tinha ido para o céu. Isso a assustava, pensar nisso. Sempre ficava assustada ao ver o pai todas as manhãs. Ela queria dizer para ele que ia tentar com mais força ser uma boa menina, que ia parar de desaparecer e recomeçar a falar, e comer os legumes e tudo.

O pai sorriu, só que não era o sorriso de verdade dele. Era o sorriso cansado e trêmulo do papai de cabelo prateado, aquele que nunca olhava para ela. – Você se divertiu com a Annie ontem?

Izzy tentou e tentou mas não conseguiu responder. Ela viu como o pai estava olhando para ela, como se fosse chorar, e isso a fez ficar envergonhada.

Por fim ele suspirou. – Vou tomar um banho. Annie já deve chegar.

Ele esperou um segundo, como se ela fosse responder, mas Izzy não disse nada. Não conseguia. Em vez disso, ela ficou ali, segurando duas tigelas, vendo-o ir embora.

Mais tarde, bem depois de ele ir embora para o trabalho, Izzy sentou--se no sofá, com os joelhos juntos e Miss Jemmie dormindo no seu colo. Annie chegou animada bem cedo e começou a limpar a casa de novo. Todo o tempo em que trabalhava, Annie ficou falando com Izzy. Ela falava tanto que às vezes Izzy não conseguia escutar tudo.

Izzy gostava de como a casa estava agora, depois que Annie terminou de limpar.

Fazia com que se sentisse segura.

Ela fechou os olhos, escutando o som calmante da vassoura. Isso a fez pensar na mamãe, e todas as vezes em que ficou ali sentada, olhando um livro enquanto a mamãe limpava a casa.

Antes que percebesse, um som havia saído por sua boca. Foi um som fraquinho de *xic-xic,* o mesmo som que a vassoura fazia no chão.

Os olhos dela se arregalaram. Ficou chocada por ouvir sua própria voz depois de tanto tempo. Mesmo que não fossem palavras, era *Izzy.*

Ela pensou que uma parte sua, a parte que falava, tinha secado e desaparecido, assim como a mão e o braço. Não queria parar de falar, mas um dia, depois de ir ao médico, ela abriu a boca para falar e não saiu nada. Nada.

Isso a deixara aterrorizada, especialmente quando percebeu que não tinha como mudar isso. Depois, todo mundo a tratava como bebê e fingia que ela não conseguia escutar também. Isso a fazia chorar, o modo como todos a olhavam, mas até mesmo seu choro tinha sido silencioso.

Annie era diferente. Annie não olhava para Izzy como se ela fosse uma boneca quebrada que devia ser jogada fora.

Annie olhava para ela da forma como sua mamãe e seu papai costumavam olhar.

Izzy sorriu, e o som continuou saindo, suave, só um pouquinho mais alto do que a respiração dela. *Xic-xic-xic.*

Capítulo 10

A CORTE DE JUSTIÇA DO CONDADO fora construída cem anos atrás, quando Mystic estava crescendo como uma cidade de madeireiras, quando os depósitos estavam cheios de troncos esperando para serem embarcados nos trens e sempre havia empregos. Era um prédio imponente feito de pedras cinza cortadas a mão, tendo na frente dúzias de janelas duplas e colocado no meio de um gramado verde e plano. Rododendros e azaleias bem cortados contornavam as paredes de tijolo. Uma bandeira do Estado de Washington ondulava na brisa.

Nick estava parado nos degraus da corte, encostado em um dos pilares de pedra que flanqueavam as imensas portas de carvalho. Ele folheava um bloco de notas, recordando os fatos de uma prisão realizada havia mais de um mês. Testemunhar fazia parte do seu trabalho, mas não era algo que ele gostasse de fazer, especialmente na corte de família, onde tudo costumava se resumir a famílias desfeitas e falecimentos.

Hoje era Gina Piccolo. Ele conhecia Gina desde que era uma menininha. Lembrava dela há apenas alguns anos, quando foi a atriz principal na montagem do colegial de *Oklahoma!* Era uma menina brilhante e bem-humorada, de cabelo negro e olhos faiscantes. Mas no ano passado ela ficou mais que um pouco selvagem. Com catorze anos, fez amizade com o grupo errado e deixou de ser uma menina de olhos faiscantes. Tornou-se uma jovem emburrada, desagradável, de roupas largas com boca de lenhador e inclinação para problemas. Os pais ficaram desesperados, e não ajudou nada ela começar a namorar um rapaz de dezessete anos. Nada que os pais diziam parecia fazer diferença.

E assim ali estava Nick, preparando-se para testemunhar diante do juiz sobre Gina. Ele olhou para o relógio. A sessão recomeçaria em dez minutos. Ele repassou as notas outra vez, mas estava difícil se concentrar.

Esse era um problema que o acompanhava nos últimos quatro dias, de fato, desde que Annie Bourne entrara outra vez em sua vida.

Izzy já estava melhorando. Não voltara a falar, claro, e ainda achava que estava desaparecendo, mas Nick podia ver as mudanças. Ela interagia, escutava, sorria... e o motivo era óbvio.

Annie era alguém tão *fácil* de conviver. Esse era o problema, pelo menos para Nick. Lembranças de quando fizeram amor estavam por todos os lados, e Annie o fascinava, o modo como franzia os olhos quando sorria, a forma como ficava passando o cabelo que não existia por trás da orelha, o jeito de encolher os ombros quando fazia algo errado.

Na maior parte do tempo ele não conseguia olhar para ela; ficava com medo de que o desejo ficasse claro em seus olhos.

Com um suspiro, Nick fechou o bloco de notas e entrou no prédio, indo para a corte número seis.

Gina estava esperando na porta, com um jeans preto largo e uma blusa preta grande demais que ficava pendurada, indo quase até os joelhos. O cabelo antes negro tinha faixas rosa e roxo, e havia um anel prateado no nariz dela.

Ela o viu e estreitou os olhos. – Foda-se, Delacroix – ela disse. – Você está aqui para dizer para eles me prenderem.

De onde ela tirara aquela raiva toda? Ele suspirou. – Estou aqui para dizer para a juíza McKinley o que aconteceu no dia 26 de fevereiro.

– Como se você soubesse disso. Ou me conhecesse. Alguém armou para mim. Aquela coca não era minha.

– Alguém colocou no seu bolso?

– Exato.

– Se é assim que você quer jogar, Gina, tudo bem. Mas a honestidade seria um caminho melhor.

Ela deu um tapa na coxa, nervosa. – Sim, como se você soubesse alguma coisa sobre ser honesto. Vocês policiais me deixam enojada.

– Você é jovem, Gina...

– Vá se foder.

– E, como todos os jovens, acha que é uma pioneira, a primeira pessoa a descobrir o grande país desconhecido. Mas eu conheço você. Eu estive onde você está e, acredite, não é nada bom.

– Você não sabe de nada sobre o mundo real. Você é um policial... em Mystic. — Ela pegou um cigarro e o acendeu. Os olhos dela pararam na placa de Proibido Fumar e ela sorriu, desafiando Nick a fazer alguma coisa.

Ele viu o desafio nos olhos dela quando soltou a fumaça. Inclinou a cabeça na direção das portas abertas. – Siga-me.

Sem olhar para trás, ele cruzou o saguão e saiu. Ficou levemente surpreso ao ver que Gina o acompanhou. Ele se sentou no degrau de cima.

Ela se sentou de pernas cruzadas a alguma distância. – Sim? E agora?

– Quando eu tinha sua idade, eu vivia nas ruas.

Ela fez um muxoxo. – Claro. E eu sou uma das Spice Girls.

– Minha mãe era uma alcoólatra que se prostituía para conseguir dinheiro para a bebida. Era uma vida adorável... normal para uma viciada sem educação formal e sem nenhuma profissão. Ela largou a escola com dezesseis anos, quando ficou grávida de mim. Meu pai a deixou bem depressa, e ela não tinha para onde ir depois disso.

Gina ficou muito quieta. O cigarro estava pendurado entre os lábios pintados de preto. – Mesmo? – ela disse, e desta vez não havia muita convicção na voz.

– Não tínhamos como pagar aluguel, essa é outra consequência do vício. Ele pega todo o seu dinheiro depressa, e depois sua vontade e seu orgulho. Logo você não se importa que esteja vivendo em um Chevy Impala velho e que seu filho não tenha nenhum casaco de inverno. Tudo o que quer é beber. Você dorme sob folhas de jornal em um banco de parque e nem percebe que está congelando ou que em algum momento da noite vomitou sobre si mesma.

– Você está tentando me assustar.

– Pode apostar. A estrada que você está seguindo leva a três lugares, Gina: um banco de parque, uma cela de cadeia ou um caixão. Pense nisso.

Ela ergueu lentamente os olhos para ele. Nick viu que ela estava assustada. Por um segundo, pensou que ela ia pedir ajuda.

Vamos lá, Gina, ele pensou. *Você pode fazer isso.* Ele tirou um cartão do bolso e o entregou para ela. – Ligue para mim. A qualquer hora.

– Eu...

– Ei, Gino, que que 'cê tá fazendo aí falano co' esse idiota de azul?

Gina recuou como se tivesse sido ferida e saltou em pé. O cartão caiu nos degraus de pedra cinzenta aos pés dela. Ela se virou e acenou para o rapaz de cabelo verde que estava subindo a escadaria da corte. Ele tinha correntes penduradas nas orelhas e bolsos, e um anel prateado na sobrancelha. Passou um braço pelos ombros de Gina e a puxou para perto. Tirando o cigarro dos lábios dela, ele deu uma longa tragada e exalou lentamente. – Cê tá aqui pra prender Gino, né?

Nick olhou feio para o rapaz, Drew Doro. Uma semente ruim que entrou em contato com a lei pela primeira vez aos dez anos, quando pôs fogo na garagem da família. Dois anos atrás, os pais tinham silenciosamente, e com o coração partido, desistido dele. Era só uma questão de tempo até o rapaz estar preso em Monroe. Ele era o primeiro namorado de Gina.

– Estou aqui para dar minha opinião na corte de família, Drew. É só isso. Não é um julgamento. – Ele olhou para Gina. – Pelo menos ainda não.

Gina deu um passo na direção de Nick. A incerteza nos olhos dela fez Nick se lembrar de que, por baixo de toda aquela maquiagem e atitude, ela ainda era apenas uma menina, assustada e tentando encontrar o caminho em um mundo confuso. – O que você vai dizer para o juiz?

Ele queria poder mentir para ela naquele momento, dizer o que ela queria escutar. – Eu vou dizer que você é uma ameaça para si mesma e para os outros. Você não me deixa opção.

A incerteza foi substituída por um brilho de ódio puro. – Vá se foder, Delacroix. A coca não era minha.

Lentamente, Nick se levantou. – Se precisar de ajuda, Gina... você sabe onde me achar.

– Purque que ela ia querê a *sua* ajuda? – Drew deu risada. – Ela tem toneladas de amigo, amigo que gostam dela de verdade. Cê é só um tira alugado que ganha pouco nessa merda de cidade. Só sabe fazê é tirar gato das árvore. Vamo, Gino.

Nick ficou olhando os dois se afastarem. Não esperava que Gina o ouvisse. Tinha esperança, talvez, era sempre aquele desejo incontrolável de esperança que aparecia o tempo todo durante sua vida. Ele não podia se afastar completamente disso.

Tinha tido a mesma conversa com uma dúzia de adolescentes durante anos e nenhum deles jamais havia escutado. Nenhum deles jamais mudara. A maioria morreu jovem e violentamente e longe das famílias que os amavam.

Apenas uma vez, ele pensou, desanimado. Seria bom poder proteger e servir. Só uma vez.

Ele viu Gina, parada na porta, terminando o cigarro.

– Lembre-se do banco do parque – ele gritou.

A resposta de Gina foi um gesto muito familiar com a mão.

Quando Nick finalmente voltou para casa do trabalho, atrasado, como sempre, Annie estava exausta. Ela dirigiu para casa e desabou na cama. Caiu em um sono pesado quase imediatamente, mas em algum momento no meio da noite ela acordou e estendeu o braço, procurando Blake.

Depois de ter acordado, não conseguiu mais dormir. Sentir-se cansada o tempo todo era um sintoma desagradável da depressão, mas raramente dormia bem.

Como sempre, passou o tempo até o nascer do sol tentando não pensar na grande casa vazia junto do Pacífico, e no homem que havia sido parte de sua vida durante tanto tempo. O homem que tinha dito *Eu te amo, Annie.*

Annie foi até a cozinha e comeu uma tigela de cereais, depois pegou o telefone e ligou para Natalie. Uma ligação não planejada. Escutou as histórias da filha sobre Londres por vários minutos, depois contou sobre sua mudança para Mystic. *Para ver Hank e ajudar um velho amigo,* foi o que ela disse.

Natalie respondeu com apenas uma pergunta: – O que o papai disse sobre isso?

Annie se forçou a rir, uma risada que soou falsa. – Você conhece seu pai, ele só quer que eu seja feliz.

– Mesmo?

Essa simples palavra fez Annie se sentir incrivelmente velha, aquela perguntinha que parecia ter tanto significado. Depois disso, elas conversaram por quase uma hora, até Annie sentir suas partes e peças voltando ao normal. Conversar com a filha a ancorava, a fazia lembrar de que não tinha falhado em tudo na vida.

No final da conversa, lembrou Natalie de que ela tinha o telefone de Hank para o caso de alguma emergência, e então desligaram.

Durante a hora seguinte, Annie ficou sentada na cama de solteiro, olhando pela janela, vendo a escuridão, até que, por fim, o sol começou a afastar a noite.

Foi pensar em Izzy que fez Annie conseguir forças para se levantar, se vestir e comer alguma coisa. A menina tinha se tornado seu motivo para viver. Izzy tocava alguma coisa profunda e básica em Annie, e não era preciso um psiquiatra que cobrasse duzentos dólares a hora para entender o porquê disso. Quando Annie olhava nos olhos castanhos assustados de Izzy, via um reflexo de si mesma.

Conhecia as cartas que Izzy tinha recebido. Não havia nada mais difícil do que perder a mãe, não importa a idade que se tivesse, mas, para uma criança, especialmente uma menina, isso mudava tudo. Nos anos a seguir da morte de sua mãe, Annie tinha aprendido a falar sobre a perda dela quase de forma natural, da forma como se fala sobre o tempo. *Minha mãe morreu quando eu era jovem... faleceu... faleceu... foi morta... um acidente... eu realmente não lembro dela...* Às vezes não machucava dizer essas coisas, e às vezes a dor a entorpecia. Às vezes sentia o cheiro do perfume de alguém, ou o cheiro de baunilha em uma padaria, ou ouvia o final de uma música dos Beatles no rádio, e se via no meio da sala, uma mulher adulta, chorando como uma criancinha.

Sem mãe.

Duas palavras pequenas, mas dentro delas havia um poço sem fundo de dor e perda, um luto incessante de toques que nunca foram recebidos e palavras de sabedoria que nunca foram ditas. Nenhuma palavra era grande o bastante para descrever de forma adequada a perda da mãe. Não no vocabulário de Annie, e certamente não no de Izzy. Não era de admirar que a menina tivesse escolhido o silêncio.

Annie queria dizer isso tudo para Nick, fazer com que ele entendesse tudo o que Izzy devia estar sentindo, mas, cada vez que começava a falar, tinha a imensa sensação de estar sendo presunçosa. Quando fitava os olhos azuis-claros de Nick, ou os cabelos embranquecidos pela dor, ela sabia que ele compreendia aquilo bem demais.

Ainda estavam se sentindo desconfortáveis perto um do outro. Incertos. Para Annie, ao menos, a lembrança da paixão marcava cada olhar, cada movimento, e, se ela falasse com ele de forma íntima demais, descobria que ficava difícil respirar normalmente. Ele parecia igualmente tenso perto dela; e assim circulavam um perto do outro, geralmente sorrindo demais com sorrisos falsos e conversas desnecessárias.

Mas lentamente as coisas começaram a melhorar. Ontem eles passaram dez minutos juntos, parados junto do balcão da cozinha, bebericando café enquanto Izzy tomava o café da manhã. A conversa passou perto do perímetro da velha amizade deles, mergulhando de vez em quando no poço compartilhado das lembranças dos dois. No fim, ambos sorriram.

Isso deu nova força a Annie, aquele momento único de amizade reforçada, e assim, hoje, ela chegou à casa de Nick meia hora mais cedo. Pegando o pacote de croissants que tinha comprado na padaria e o saco de surpresas que comprara para Izzy, ela desceu do carro e foi até a porta da frente, batendo com força.

Levou um longo tempo, mas por fim Nick atendeu, vestindo uma calça de abrigo bem velha. Levemente desequilibrado, ele a fitou com olhos injetados.

Annie ergueu o saco de papel da padaria. – Pensei que você gostaria de um café da manhã.

Ele recuou para deixá-la entrar, e ela notou que ele se moveu de forma instável. – Eu não tomo café da manhã, mas obrigado.

Ela o seguiu para dentro. Nick foi para o banheiro e voltou alguns minutos mais tarde, vestindo o uniforme de policial. Parecia doente e trêmulo, com o cabelo grisalho penteado para trás. As rugas dos olhos estavam bem acentuadas, como se tivessem sido pintadas.

Sem pensar, Annie foi até ele e encostou a mão na testa. – Talvez fosse melhor você ficar em casa...

Nick ficou imóvel, e ela percebeu que ele ficou assustado com a intimidade do gesto. Puxou a mão de volta, sentindo o calor do embaraço nas faces. – Desculpe. Eu não devia...

– Não – ele disse suavemente. – Eu tive problemas para dormir, foi só isso.

Ela quase procurou por ele, quase começou uma conversa que não era algo que devia iniciar. Mas, em vez disso, mudou de assunto. Era sempre a escolha mais segura falar exclusivamente sobre Izzy. – Você vem para casa jantar?

Ele se virou, e ela sabia que estava pensando sobre as últimas duas noites. Nick chegara atrasado para jantar nas duas vezes. – Meu horário...

– Seria muito importante para a Izzy.

– Você acha que não sei disso? – ele se virou para ela, e nos olhos dele havia um profundo desespero que envolveu o coração dela. – Desculpe...

Ele balançou a cabeça, ergueu a mão, como que para afastá-la. – Vou estar em casa – ele disse, então passou por ela e saiu.

Os dias deles juntos seguiam uma rotina confortável. Annie chegava cedo e passava o dia com Izzy, brincando, lendo, andando pela floresta. No fim da tarde, ela fazia o jantar para as duas e depois brincavam com algum jogo de tabuleiro ou assistiam a vídeos até a hora de dormir.

Toda noite, Annie colocava Izzy na cama e dava nela um beijo de boa-noite.

Nick perdia constantemente o jantar, esquecia de ligar e aparecia por volta das nove horas, cheirando a cigarro e bebida. Mesmo quando prometia que ia estar em casa, como ocorria quase todo dia, ele não aparecia.

Ela ficou cansada de arrumar desculpas para ele. Mais uma vez, estava na hora de dormir e aquela menina linda ia ter de ir para a cama sem um beijo do pai.

Ela olhou para Izzy, que estava agora numa das grandes janelas panorâmicas, olhando para a noite que caía. Estava ali fazia quase meia hora, sem dúvida esperando ouvir o barulho do carro do pai se aproximando.

Annie foi até Izzy e se ajoelhou ao lado dela no assoalho de madeira. Escolheu as palavras com cuidado. – Quando eu era menina, minha mãe morreu. Isso fez eu e meu pai ficarmos muito quietos por muito tempo. Quando meu pai me via, ele só conseguia pensar na minha mãe, e a dor fez com que ele parasse de olhar para mim.

Os olhos castanhos de Izzy se encheram de lágrimas. O lábio inferior tremeu e ela o mordeu.

Annie ergueu a mão e pegou uma única lágrima na ponta do dedo. – Mas meu pai veio até mim. Demorou, mas ele veio porque me amava. Assim como seu pai ama você.

Annie esperou Izzy responder, por tanto tempo que a espera ficou evidente. Então ela sorriu e se levantou. Os joelhos estalaram e rangeram com o movimento súbito. – Vamos, meu bem. Vamos pôr você na cama. – Ela começou a andar para a escada.

Izzy veio andando junto com ela. Annie diminuiu o passo para acompanhar a velocidade da menina ao subirem a escada. No meio do caminho, Izzy se aproximou e segurou a mão de Annie. Era a primeira vez que Izzy a tocava.

Annie segurou os dedos pequeninos, apertando gentilmente. *Isso, Izzy... continue se abrindo. Não vou deixar você cair.*

Lá em cima, depois de Izzy escovar os dentes, elas se ajoelharam juntas do lado da cama. Annie recitou a oração e depois colocou Izzy na cama, beijando a testa dela. Depois de um momento, ela foi até a cadeira de balanço junto da janela e se sentou.

A cadeira fazia um barulho suave no chão de madeira. Os olhos dela foram de Izzy para a janela. Ela olhou para o lago refletindo o luar, escutou o suave ressonar da menina ficando mais lento e regular.

E, como acontecia com frequência, o ritual noturno fez Annie se lembrar. Quando a mãe dela morreu, Annie era nova demais para lidar com a dor. Tudo o que sabia era que um dia seu mundo era brilhante e feliz e cheio de amor, e no outro tudo desmontou em uma paisagem triste, desolada, cheia de lágrimas. Ainda se lembrava de como ficou assustada vendo o pai chorar.

Foi ali que a base da sua vida foi construída. Ela tinha se tornado uma boa menininha que nunca chorava, nunca reclamava, nunca fazia perguntas desconfortáveis.

Levou anos para reconhecer a dor. Seu primeiro ano longe de casa tinha sido incrivelmente solitário. Stanford não era lugar para a filha de um trabalhador de moinho. Isso mostrou a ela, pela primeira vez, que era pobre e que sua família não tinha educação.

Seu amor por Hank foi o único motivo de ela permanecer naquela escola grande e nada hospitaleira. Sabia quanto significava para ele que fosse a primeira dos Bourne a ir para a faculdade. E por isso Annie manteve a cabeça baixa e os ombros curvados e fez o possível para se enquadrar. Mas a solidão costumava ser avassaladora.

Um dia ela ligou o carro, e o som do motor iniciou alguma coisa. A lembrança foi tão inesperada quanto uma tempestade de neve em julho. De repente, sentiu a mãe ao seu lado no carro, e o Fusca de Annie tornou-se a velha perua que tinham, aquela com a faixa de madeira do lado. Ela não sabia para onde estavam indo, ela e a mãe, ou do que falaram, e percebeu com uma dor súbita e aguda que não conseguia se lembrar do som da voz da mãe. Quanto mais tentava entrar no momento, imergir na lembrança, mais plana e sem dimensão ela ficava.

Até aquele momento ela pensava, ingenuamente, que tinha superado a morte da mãe, mas um dia, mais de dez anos depois de colocarem o caixão da mãe no chão frio e escuro, Annie desmontou. Ela chorou por todos os momentos perdidos, os beijos da hora de dormir, os abraços espontâneos, a alegria que nunca seria completa novamente. Ela lamentou mais que tudo a perda da inocência da infância, que foi levada em um dia de chuva sem aviso, deixando para trás uma adulta em corpo de criança, uma menina que sabia que a vida era injusta e que o amor podia partir seu coração e, mais que tudo, que nada era pior do que ser deixada para trás por alguém a quem se amava.

Levou muitos dias para superar a dor, e mesmo assim o controle era frágil, uma camada de gelo fino sobre água fria e escura. Não era surpreendente que se apaixonasse quase que imediatamente depois disso. Ela era uma ferida de solidão ambulante, e cuidar dos outros era a única forma que conhecia de preencher o vazio em sua alma. Quando conheceu Blake, ela o cobriu com todo o amor que estava armazenado dentro dela.

Annie se levantou lentamente da cadeira de balanço e foi na ponta dos pés até a cama. Izzy estava dormindo pacificamente. Annie imaginou se a menina era abençoada por sonhos em que Kathy aparecia; Annie raramente tivera essa sorte.

Estava no meio da escada quando o telefone tocou. Ela saltou os últimos degraus e atendeu o telefone no terceiro toque. – Nick?

Houve um momento de silêncio, então uma voz feminina disse – *Nick?*

– Oi, Terri.

– Ah, não, não ouse agir comigo como se essa fosse uma conversa normal. Quem é esse Nick e onde você está? Liguei para Hank e ele me passou esse número.

Annie afundou no sofá e puxou as pernas por baixo do corpo. – Não é nada demais, na verdade. Estou cuidando da filha de um velho amigo e ele está atrasado para voltar para casa.

– Eu tinha *esperança* de que você tivesse mudado. Pelo menos um pouco.

– Como assim?

– Você acaba de passar vinte anos esperando que um homem voltasse para casa, agora está esperando outro homem voltar para casa? Isso é loucura.

Era *mesmo* loucura. Por que Annie não tinha percebido isso sozinha? Subitamente isso a deixou brava, tanto porque ela tivesse perdido a habilidade de ficar realmente brava quanto por ter se permitido tirar de Nick algo que passara a vida toda recebendo de Blake. Desculpas e mentiras. – Sim – ela murmurou mais para si mesma do que para Terri. – Eu só preciso aceitar esse tipo de merda de homens que eu amo.

– Bem, isso responde à minha pergunta seguinte. Mas o que...

– Tenho de ir, Terri. Ligo para você depois. – Annie escutou a voz de Terri enquanto desligava o telefone. Então discou outro número.

– Lurlene? É Annie...

– Está tudo bem?

– Sim, mas Nick ainda não voltou para casa.

– Ele deve estar no Zoe's, tomando uma bebida. Ou dez.

Annie assentiu. Era o que desconfiava. – Você pode vir ficar com a Izzy por um tempo? Eu quero ir falar com ele.

– Ele não vai gostar disso.

– Seja como for, eu vou até lá.

– Me dê dez minutos.

Depois de desligar, Annie subiu e deu uma olhada em Izzy, depois correu para baixo e ficou andando pela sala. Como tinha prometido, Lurlene chegou em dez minutos, usando um robe de cetim cor-de-rosa e tamancos plásticos verdes.

– Oi, meu bem – ela disse calmamente, entrando na casa.

– Obrigada por vir – Annie disse, pegando a bolsa na mesa de centro. – Isso não vai demorar.

Capítulo 11

Annie chegou à calçada embaixo de um letreiro de neon meio caído que dizia: Zoe's Hot Spot Tavern. O letreiro acendia e apagava e zumbia baixinho.

Agarrando a bolsa, ela entrou. A taverna era maior do que esperava, uma grande sala retangular, com um bar de madeira ao longo da parede da direita. Uma luz azul pálida vinha dos tubos acima do espelho longo. Dúzias de letreiros de neon imitando logotipos de cervejas piscavam nas sombras de azul, vermelho e dourado. Homens e mulheres estavam sentados nas banquetas do bar, bebendo, conversando e fumando. De vez em quando, ouvia-se o barulho de um copo batendo no tampo do bar.

Lá no fundo havia duas mesas de sinuca, embaixo de pirâmides de luzes fluorescentes, com pessoas curvadas sobre elas, e outras paradas dos lados, assistindo. Alguém iniciou um jogo com o barulho característico das várias bolas colidindo, um som alto na escuridão.

Mantendo as costas para a parede lateral, ela penetrou mais no local, até ver Nick. Ele estava em uma mesa no canto dos fundos. Ela foi até lá.

– Nick?

Quando a viu, ele se levantou depressa. – A Izzy...

– Ela está bem.

– Graças a Deus.

Ele não conseguia se equilibrar direito ao se afastar dela. Nick tropeçou e caiu sentado na cadeira. Então pegou o copo e tomou tudo de uma vez. Daí disse suavemente – Vá embora, Annie. Eu não...

Ela se abaixou junto dele. – Você não o quê?

Ele falou tão baixo que ela teve de fazer força para entender. – Eu não quero que você me veja aqui... assim.

– Você sabia que ela fica esperando você chegar todas as noites, Nick? Ela fica sentada do lado da porta até os olhos não conseguirem mais ficar abertos, esperando ouvir seus passos na varanda.

– Não faça isso comigo...

O coração dela o entendia muito bem, mas Annie não ousou parar, não agora, quando finalmente tinha tomado coragem para começar. – Vá para casa ficar com ela, Nick. Cuide da sua menininha. Esse tempo que pode ter com ela... passa tão depressa, sabe? Você não sabe que em um instante vai estar fazendo as malas dela e a vendo embarcar em um avião para bem longe de você?

O olhar dele foi de tristeza e desesperança. – Não posso cuidar dela, Annie. Você ainda não percebeu? Droga, não consigo cuidar de ninguém. – Em um movimento esquisito, forte demais, ele se levantou. – Mas eu vou para casa e vou fingir. É o que venho fazendo há oito meses. – Sem olhar para ela, ele jogou uma nota de vinte dólares na mesa e caminhou para fora do bar.

Ela correu atrás dele, tentando o tempo todo em que contornava as pessoas dentro do bar imaginar o que diria. Na calçada lá fora, ele por fim parou e olhou para ela. – Você me faria mais um favor?

– Qualquer coisa.

Uma rápida contração da testa apareceu e sumiu no rosto dele, o que fez Annie imaginar que estaria esperando que ela dissesse não. Por que era tão difícil ele acreditar que desejava ajudá-lo?

– Você me leva para casa?

Ela sorriu. – Claro.

Na manhã seguinte, Annie chegou à casa de Nick uma hora mais cedo. Entrou cuidadosamente pela porta que deixou destrancada e subiu as escadas sem barulho. Foi dar uma olhada em Izzy, encontrou-a dormindo, e então foi até o quarto de Nick. Estava vazio. Foi até o quarto de hóspedes no final do corredor e abriu a porta.

As cortinas estavam fechadas, e nenhuma luz do sol penetrava pelo tecido pesado com desenhos Navajo. Junto de uma parede havia uma cama em estilo antigo com quatro colunas. Mal dava para ver o contorno de Nick sob o monte de cobertores vermelhos de lã.

Ela devia ter imaginado que Nick não estava mais dormindo no quarto de casal.

Annie sabia que era perigoso entrar no quarto dele, um lugar que não era o seu, mas não conseguiu se conter. Foi até a cama e ficou ali olhando para ele. Dormindo, ele ficava jovem e inocente; mais parecido como o garoto que conhecera no passado do que com o homem que encontrara recentemente.

Ela se lembrou suavemente, um sussurro em meio ao som constante da respiração dele, do quanto o amara antes...

Até a noite em que o viu beijando Kathy.

Ela precisa de mim, Annie, você não vê isso? Ele disse depois. *Nós combinamos.*

Eu posso combinar com você, Nicky, ela implorara suavemente.

Não. Ele tocara o rosto dela, e a gentileza do contato a fez chorar. *Você não precisa de alguém como eu, Annie Bourne. Você vai para Stanford no outono. Você vai incendiar o mundo.*

– O que você está fazendo aqui assim tão cedo?

Surpresa, Annie percebeu que ele estava acordado, e olhando para ela. – Eu... eu pensei que você poderia precisar de mim.

Franzindo a testa, ele se sentou. As cobertas deslizaram do corpo dele, revelando o peito coberto de pelos negros.

Ela esperou que ele dissesse alguma coisa, mas Nick apenas ficou ali sentado, de olhos fechados. A pele dele tinha um tom amarelado, de cera, que ficava mais evidente por causa do cabelo grisalho e dos cílios negros. Havia um pouco de suor na testa e no lábio superior.

Ela puxou uma cadeira e se sentou junto da cama. – Nick, temos de conversar.

– Agora não.

– Você tem de se esforçar mais com a Izzy.

Ele por fim olhou para ela. – Não sei como ajudá-la, Annie. Ela me assusta. – As palavras foram ditas suavemente, e estavam cheias de dor. – Eu pretendia tomar um drinque com os rapazes depois do trabalho, mas daí começo a pensar em vir para casa... para meu quarto vazio e minha filha que está desaparecendo, e um drinque vira dois...

– Você ficaria melhor se parasse de beber.

– Não. Eu sempre fui terrível cuidando das mulheres que amo. Pergunte para a Kathy.

Annie combateu a vontade inesperada de afastar o cabelo do rosto dele, qualquer coisa para fazê-lo ver que não estava tão sozinho quanto imaginava. – Você não podia curá-la, Nick.

Ele pareceu desinflar. Um suspiro baixo e cansado passou pelos lábios dele. – É melhor não falar disso agora. Não estou me sentindo bem. Preciso...

– Izzy ama você, Nick. Entendo seu coração partido... pelo menos até onde alguém pode entender essas coisas, mas cuidar dela não é um luxo. Você é o pai dela. Você simplesmente não tem o direito de desmontar. Ela precisa que você seja forte. Acima de tudo, ela precisa que você esteja *aqui*.

– Eu sei disso – ele disse suavemente, e ela ouviu a dor na voz dele, a admissão do próprio fracasso. – Vou estar em casa para um jantar de família na sexta à noite. Vai ser um começo. Certo? É isso o que você quer de mim?

Annie sabia que era outra mentira, uma promessa que seria quebrada. Nick tinha perdido a fé em si mesmo e, sem ela, estava em um mar turbulento sem nenhum sentido de direção, esperando ser carregado para baixo pelas correntes novamente.

– Não é o que eu quero de você que importa, Nick – ela disse suavemente, e, na tristeza profunda que havia nos olhos dele, ela percebeu que ele compreendia.

Se Izzy ficasse muito, muito parada, podia sentir o papai dela pela casa. Tinha o cheirinho bem fraco dele, o cheiro enfumaçado que sempre fazia Izzy querer chorar.

Ela abraçou Miss Jemmie e saiu devagar do banheiro. Escutou vozes vindo do quarto novo do papai dela e, por um segundo, pareceu como era antes, antes da coisa ruim.

Mas não era mamãe quem estava falando com ele.

Mamãe estava lá em cima com os anjos, e no fundo do chão, e, quando alguém ia para esses dois lugares, não dava mais para voltar. Papai tinha dito isso para ela.

Ela avançou lentamente pelo corredor escuro e desceu a escada. Tudo parecia tão bonito; tinha flores frescas em um vaso na mesa, e as janelas estavam abertas. A mamãe dela teria gostado de como a casa estava agora.

Ela abriu a grande porta de madeira da frente e saiu para a varanda.

O sol cor-de-rosa estava ali acima das árvores, e ela sabia que logo subiria para um céu azul. Mas ainda era muito cedo, e uma camada de névoa fina se agarrava nas beiradas do lago e olhava por entre as árvores. O coração dela começou a bater mais depressa e ficou difícil respirar.

Ela olhou rápido para dentro para ter certeza de que ninguém estava olhando, então passou pela porta de tela. Pássaros cantavam nos galhos mais altos da grande árvore velha quando ela atravessou o gramado úmido.

Abaixando-se em seu lugar de se esconder na floresta, ela olhou fixo para a neblina. *Mamãe?*

Ela escutou, escutou com muita atenção. Depois de alguns momentos, ela ouviu, a resposta sussurrada bem suave da voz da mãe.

Oi, Izzy, o que foi?

Os olhos dela se abriram. Na neblina cinzenta, ela viu o contorno de uma mulher, com cabelo dourado e tudo.

Estou desaparecendo, mamãe, igualzinho a você.

A voz da mamãe dela era um suspiro que se parecia com a brisa. Ela sentiu o contato, um leve movimento do cabelo. *Ah, Izzy querida...*

Pela primeira vez, a mamãe dela parecia triste, não estava feliz por vê-la. Ela procurou na neblina, viu os olhos azuis, bem azuis através do cinza. Lágrimas vermelhas caíram dos olhos da mamãe, como pequenas gotas de sangue. *Está ficando mais difícil para mim, Izzy, vir ver você.*

Izzy sentiu um súbito pânico. *Mas eu estou indo o mais depressa que posso!*

Ela sentiu novamente a suavidade da mão da mãe dela no frescor da brisa. *Não vai dar certo, Izzy querida. Você não pode me seguir.*

Lágrimas fizeram os olhos de Izzy arderem, embaçando tudo, até que não conseguiu ver mais nada. Ela piscou depressa para afastar as lágrimas.

A neblina estava se afastando dela.

Ela correu atrás, seguindo a nuvem pálida até a beirada do lago. *Mamãe, não vá, mamãe. Eu vou ser boazinha desta vez... juro que vou ser boa. Vou limpar meu quarto e escovar os dentes e ir para a cama sem reclamar... Mamãe, por favor...*

Mas o sol atingiu a superfície da água e a névoa foi se desfazendo até não restar nada.

Ela se ajoelhou na margem fria de pedrisco e chorou.

Nick arrastou os pés saindo do quarto. Levou um tempo imenso para vestir o uniforme, e abotoar o colarinho foi completamente impossível. Com uma das mãos na parede de madeira para se apoiar, ele caminhou pelo corredor. Agarrando o corrimão de madeira, desceu a escada, um doloroso degrau por vez.

O corpo todo dele parecia quebradiço como uma folha no inverno. O suor surgia na testa e na nuca e escorria frio pelas costas.

Era um milagre que tivesse conseguido chegar embaixo sem cair ou vomitar. Ainda agarrado ao corrimão com toda a força, ele parou, sugando o ar, tentando impedir que a bile subisse até a garganta. Lágrimas surgiam nos olhos por causa do esforço.

Ele piscou e forçou a náusea a se afastar.

Quando reabriu os olhos, notou as mudanças que Annie havia feito em sua casa. Havia um fogo saltando e dançando na lareira de pedra do rio. As duas poltronas de couro tinham sido esfregadas e estavam agora de frente para o sofá, e entre elas se via a mesinha de centro de madeira brilhando com seu belo tom de marrom avermelhado. Na mesa havia uma jarra de água prateada bem polida com folhas pequenas de samambaia e flores brancas.

Ele sempre sonhara com uma casa exatamente assim, cheia com o som de risadas... em vez dos silêncios e explosões súbitas que eram como Kathy agia.

Com um suspiro pesado, ele se afastou da escada.

Foi quando viu sua Izzy. Ela estava parada junto das grandes janelas que davam para o lago; a luz dourada do sol criava um halo ao redor do rosto dela. O tempo recuou em um instante e desapareceu, deixando Izzy como era antes, uma boneca de porcelana com roupas lindas e fitas de cetim no cabelo trançado.

Ela olhou para ele do outro lado da sala, os olhos muito abertos.

– Ei, Izzy – ele disse, tentando sorrir. – Você está maravilhosa.

Ela piscou e não se moveu.

Ele molhou os lábios secos. Uma gota de suor escorreu pela têmpora.

Bem nesse momento, Annie entrou apressada vinda da cozinha, carregando uma cafeteira fumegante. Quando o viu, ela parou subitamente. – Nick! Que ótimo, você pode se juntar a nós para o café da manhã.

O pensamento de um café da manhã fez o estômago dele se revoltar.

– Izzy, vá ajudar seu pai a ir até o solário. Eu servi o café da manhã lá. É melhor eu colocar outro lugar na mesa.

Ela aparentemente não tinha ideia de que ele estava a ponto de vomitar. Ela só continuava falando, sobre o quê ele não tinha ideia, e andando entre a cozinha e o solário. O falatório dela parecia mosquitos revoando em volta da sua cabeça.

– Annie, eu não...

– Izzy – ela disse novamente. – Vá ajudar seu pai. Ele não está se sentindo bem. – E lá foi ela novamente, apressada, para o solário.

Izzy olhou para ele quando ficaram sozinhos na sala. Os olhos castanhos dela estavam arregalados com a incerteza.

– Não preciso de ajuda, Izzy – ele disse. – Estou bem, de verdade.

Ela olhou para ele por mais um momento, então se moveu lentamente até ele. Nick pensou que ia passar direto, mas no último segundo ela parou e ergueu o rosto para ele.

Ver o medo nos olhos dela o fez querer morrer, e aquela maldita luva preta. Annie estava certa. Ele *tinha* de ser um pai melhor. Parar de beber para apagar as lembranças e adoçar os seus fracassos. Tinha de cuidar do seu bebê. Sentindo-se desconfortável e inseguro, ele sorriu para ela. – Vamos, Izzy querida. Vamos.

Lentamente, ele segurou a mãozinha dela com a sua grande e calosa mão. Juntos, eles andaram até o solário. Os passos dele combinavam exatamente com os dela. Mas havia um silêncio triste entre eles, a filha que não falava mais e o pai que não tinha ideia do que dizer.

Annie estava radiante quando eles entraram. O solário parecia uma foto de uma dessas revistas femininas. Havia uma toalha azul na mesa de madeira e palhinha, com uma peça central que consistia em um ramo de flores e outro de folhagens em um vaso de louça. Havia pratos de ovos mexidos e panquecas. Junto dos três pratos vazios, copos de leite e suco de laranja.

– Sentem-se – ela disse para os dois. Annie foi ajudar Izzy a subir na cadeira e a empurrou para perto da mesa.

Nick sentou-se lentamente, tentando ignorar os tambores batendo dentro da cabeça.

– Só café para mim – ele resmungou. – Estou me sentindo como mer... – Ele olhou para Izzy. – Estou me sentindo mal. Dor de cabeça, é só isso.

Os olhos de Izzy disseram para ele tudo o que sabia sobre as *dores de cabeça* do papai. A culpa o atingiu, cavalgando por cima da vergonha.

Ele foi pegar a jarra de suco de laranja, mas a mira foi ruim e bateu com o punho na jarra, fazendo-a cair. Voou suco para todos os lados. Os galhos caíram sobre os ovos. O vaso atingiu o chão com um barulho alto de porcelana quebrando.

Nick fechou os olhos com força. – Merda – ele gemeu, enterrando o rosto nas mãos.

– Não se preocupe com isso. Todo mundo sofre acidentes, não é, Izzy? – Annie se levantou e usou o guardanapo para secar as poças de suco.

Ele se virou para Annie, pronto para dizer que tinha de ir embora, mas o sorriso dela o deteve. Ela parecia tão... esperançosa. Não dava para desapontá-la. Ele engoliu em seco e passou a mão instável pela testa para tirar o suor.

Annie sorriu para ele e começou a servir a comida. Serviu-se de uma porção grande de ovos e uma pilha de panquecas que um lenhador não conseguiria terminar.

Ele tentou se concentrar nisso, na comida dela, qualquer coisa além da dor de cabeça e dos tremores em seus membros. – Você vai comer isso tudo?

Ela riu. – Eu sou da Califórnia. Não como um ovo faz quinze anos, e recentemente tenho comido como um porco. Estou com fome o tempo todo. – Ainda sorrindo, ela colocou calda por cima de tudo e começou a comer enquanto falava, comendo e falando.

Nick envolveu as duas mãos trêmulas ao redor de uma caneca de porcelana com café. Quando achou que estava firme o suficiente, levou a caneca aos lábios e tomou um gole lento e agradecido. O café quente acalmou os nervos agitados e diminuiu a dor de cabeça. Lentamente, lentamente, ele se encostou na cadeira e se deixou levar pelo som reconfortante da voz de Annie. Depois de alguns momentos, ele conseguiu comer um pouco. Durante o tempo todo Annie falou e riu e seguiu adiante como se fossem uma família que tomava café da manhã todas as manhãs, e não uma criança silenciosa que estava desaparecendo e um pai de ressaca. Ela agia como se fosse absolutamente normal aquilo que Nick e Izzy tinham se tornado.

Nick não conseguia tirar os olhos de Annie. Cada vez que ela ria, o som passava pelo seu corpo como uma onda de desejo, até ele começar a imaginar quanto tempo fazia desde que *ele* havia rido pela última vez, e desde que Izzy rira pela última vez... quanto tempo fazia desde que tiveram alguma coisa do que rir ou um momento juntos em que encontraram alegria...

– Pensei que poderíamos ir à Feed Store comprar material de jardinagem – Annie disse, animada. – Está um dia bonito para preparar um jardim de flores. Se nós três trabalharmos nisso, podemos cuidar de tudo bem depressa.

Jardinagem. Nick lembrava como adorava trabalhar no terreno, plantar bulbos, recolher folhas, podar as rosas mortas dos arbustos espinhosos. Adorava o triunfo de ver crescer algo que plantara, regara e cuidara. Sempre adorara os primeiros brotos da primavera, mas neste ano eles tinham surgido sem que notasse. Tudo o que viu foi a cerejeira nua que tinha plantado depois do enterro de Kathy.

– O que você acha, Izzy? – Annie disse em meio ao silêncio pesado. – Vamos deixar seu pai ajudar?

Izzy pegou a colher, segurando-a com dois dedos, os dois únicos que a menina achava que ainda tinha, e a sacudiu com tanta força que ela bateu na mesa.

Annie olhou para ele. – Isso quer dizer que sua filha adoraria cuidar do jardim com você, Nick Delacroix. Ela pode contar com você?

Nick queria fingir que era assim fácil, algumas palavras na mesa do café da manhã e tudo ficaria certo novamente. Mas fazia um longo tempo que deixara de ser assim ingênuo. Apesar de assentir, ele sabia que acabaria sendo uma mentira. Outra promessa feita por um homem que cumpria muito poucas do que prometia.

Capítulo 12

Nick estava sentado na viatura no limite do centro de Mystic. Além dos seis quarteirões, erguia-se o Monte Olympus como algo tirado de um conto de fadas, o pico coberto de neve como que pintado contra o tecido pesado do céu cinzento. Folhas deslizavam pela calçada de concreto irregular, empurradas por uma brisa fria. Como sempre, a cidade parecia triste e abatida, gasta nas beiradas. Um fluxo constante de fumaça branca subia da chaminé distante do moinho, deixando para trás um cheiro acre e pastoso de madeira.

Ele adorava andar por essas ruas. Sabia de tudo sobre as pessoas que jurara proteger: quando as filhas estavam casando e os filhos se preparando para os bar mitzvah, quando os pais eram levados para as casas de repouso e quando os filhos delas começavam na creche. Sempre se orgulhara de como fazia bem o seu trabalho; sabia que, dando uma olhada nessas pessoas todos os dias, contribuía para a sensação de bem-estar delas.

Sabia que estava deixando de fazer tudo o que importava para si mesmo, mas estava aterrorizado com a ideia de voltar a cuidar dos outros. E se falhasse mais uma vez com Izzy? Ela precisava tanto dele, sua menininha de olhos castanhos, e Nick tinha o hábito horrível de falhar com aqueles que amava. Mesmo quando dava seu máximo. Era *sua* culpa Izzy estar desaparecendo, *sua* culpa ela não estar se sentindo segura ou amada; ele sabia disso. Se fosse um homem mais forte, um homem melhor, poderia ajudar a filha a passar pelo período de tristeza, mas não conseguia fazer coisa nenhuma. Droga, não conseguia nem ajudar a si mesmo, e com certeza não tinha ajudado Kathy.

Seria difícil achar o caminho de volta, mas Annie estava certa. Estava na hora. Pela primeira vez em meses, ele sentiu um pouquinho de esperança.

Saiu do carro e deu um primeiro passo cauteloso para entrar em sua vida antiga. Misturou-se silenciosamente com a multidão que fazia compras durante a tarde. Por todos os lados, as pessoas estavam se movendo, entrando nas lojas, saindo com sacolas de papel e caixas. Ele notou os sons da vida diária. Portas de carro batendo, buzinas tocando, moedas passando dentro dos parquímetros.

Cada pessoa que via acenava para ele, dizia "alô, Nick" quando ele passava, e com cada cumprimento ele sentia que voltava mais um pouquinho à vida. Era quase como nos velhos tempos, antes da morte de Kathy. Quando seu uniforme estava sempre limpo e bem passado e as mãos nunca tremiam.

Ele passou pelas lojas, acenando para os lojistas. Diante da loja de roupas para crianças, ele viu um belo vestidinho cor-de-rosa na vitrine. Era exatamente do que Izzy precisava. Quando abriu a porta, um sininho no alto tocou.

Susan Frame soltou um gritinho em seu posto por trás da registradora e veio até Nick como um touro atacando, as mãos gorduchas e rosadas acenando no ar. – Meu Deus, não posso acreditar que é você.

Ele sorriu. – Oi, Susan. Faz tempo.

Ela deu um soquinho no ombro dele e riu, o queixo triplo balançando. – Você não aparece aqui faz uma eternidade.

– Sim, bem...

– Como está indo?

– Melhor. Vi aquele vestidinho na vitrine...

Ela bateu as mãos gorduchas. – Ah, é muito bonito. Perfeito para a Senhorita Isabella. Com que idade ela está agora?

– Seis.

– Aposto que ela está crescendo como mato. Eu não a vejo desde que a mamãe dela... – ela parou abruptamente e o pegou pelo braço, puxando-o pela loja. Ele se deixou levar pela força constante e reconfortadora de palavras. Não estava escutando o que ela dizia; ela sabia disso e não se importava. Parecia sentir que era um evento especial para ele estar ali.

Ela tirou o vestido da vitrine. Era rosa quadriculado com branco com uma saia interna rendada e pala azul com minúsculas flores bordadas em rosa e branco. O que o fez lembrar do jardim de Kathy...

Vamos lá fora, Nicky, as tulipas estão desabrochando...

A lembrança o atingiu como um soco. Ele se encolheu e fechou os olhos com força. *Não pense nas flores... não pense nela...*

– Nick? Você está se sentindo bem?

Um pouco instável, ele pegou uma nota de vinte dólares do bolso da calça e a colocou no balcão. – O vestido é perfeito, Susan. Você pode embrulhar?

Ela respondeu, mas ele não escutou. Tudo em que conseguia pensar era no Zoe's. Uma única bebida, só uma, acalmaria suas mãos trêmulas.

– Aqui está, Nick.

Parecia ter passado apenas um segundo antes de ela estar novamente do seu lado, agitando um grande pacote de papel lilás diante do seu rosto. Ele molhou os lábios secos e tentou sorrir.

Susan tocou seu ombro. – Nick, você está bem?

Ele assentiu, apesar de mesmo esse movimento simples parecer levar muito tempo. – Estou bem. Bem. Obrigado. – Pegando o pacote, ele passou pela porta de vidro e saiu.

Estava chovendo, grandes gotas que molhavam seu rosto. Ela olhou para o Zoe's com vontade.

Não. Não iria até lá. Ia terminar a ronda e voltar para casa. Izzy e Annie estavam esperando, e não queria desapontá-las. Respirando fundo, ele endireitou os ombros e continuou andando pela rua, a mão apoiada levemente no cassetete. A cada passo, sentia-se melhor, mais forte.

Voltou para a viatura e entrou, correndo por causa da chuva. Estendeu a mão para o rádio mas, antes que pudesse dizer qualquer coisa, veio um chamado.

Distúrbio doméstico na Old Mill Road.

– Merda. – Ele atendeu ao chamado, acionou a sirene e saiu da cidade.

Quando chegou à entrada dos Weaver, já sabia que era ruim. Através da chuva que caía e da cortina de árvores, conseguiu ver o brilho vermelho e amarelo das luzes distantes. Correu pela estrada esburacada, o coração tão rápido que não conseguia nem respirar.

O trailer estava rodeado de carros, dois carros de patrulha e uma ambulância.

Nick estacionou e saltou. A primeira pessoa que viu foi o capitão Joe Nation, o homem que dera a Nick um lugar para viver todos aqueles anos atrás.

Joe estava saindo do trailer, balançando a cabeça com ar desanimado. As longas tranças grisalhas que ele usava moviam-se levemente com o movimento. Ele viu Nick do outro lado da clareira e parou.

– Joe? – Nick disse, já sem fôlego.

Joe pousou a mão grossa e com veias salientes no braço de Nick. – Não vá lá, Nicholas.

– Não...

– Não há nada a fazer agora. Não há nada que ninguém possa fazer.

Nick passou por Joe e correu pela passagem enlameada, sem se importar com as poças d'água. A porta se afastou com o empurrão e bateu na parede.

Lá dentro, várias pessoas trabalhavam, procurando pistas no tapete verde velho. Nick passou por eles e entrou no quarto, onde Sally estava na cama, o vestido erguido acima das pernas muito magras, o rosto ensanguentado quase impossível de reconhecer. Uma mancha vermelho-escura de sangue no peito escorria, formando uma poça nos lençóis cinza amassados.

Nick parou subitamente. Era como se pedaços seus estivessem caindo. Ele sabia que estava balançando como uma velha figueira sob vento pesado, mas não podia parar. Foi lançado subitamente para outra época, outro lugar, quando teve de identificar um corpo igualmente ferido...

– Mas que droga, Sally – ele sussurrou com a voz rouca.

Nick foi até lá, ajoelhou-se junto da cama e tirou o cabelo ensanguentado do rosto dela. A pele ainda estava quente, e ele quase conseguia acreditar que Sally ia acordar, sorrir e dizer que aquilo não era nada.

– Não a toque, senhor – alguém disse. – As provas...

Nick retirou a mão e se levantou desajeitado. Queria baixar o vestido dela, dar-lhe alguma dignidade no final, mas não podia. Ninguém mais podia fazer qualquer coisa por Sally. Agora era hora dos detetives, fotógrafos e patologistas.

Ele se virou sem ver mais nada e saiu do trailer, emergindo no dia chuvoso; tudo parecia exatamente igual a dez minutos atrás, mas a sensação era bem diferente.

Joe veio até ele, puxando-o para longe do trailer. Pareceu estranhamente como se fosse anos e anos atrás, quando Joe tinha encontrado um menino franzino e gelado de quinze anos na parada de ônibus de Port Angeles. – Não havia nada que você pudesse ter feito, Nicholas – ele disse. – Ela não queria nossa ajuda.

Nick sentiu a vida escorrendo, saindo de forma inexorável de seu corpo. Imagens enterradas de outra noite, não muito tempo atrás, estavam vazando para a parte frontal da mente, imagens que também foram gravadas com sangue, violência e tragédia. Havia passado oito meses fugindo das imagens daquela noite, enterrando-as bem fundo no subconsciente, mas agora elas estavam de volta, matando-o. – É terrível demais – ele disse, balançando a cabeça. – Demais.

Joe deu tapinhas nas costas dele. – Vá para casa, Nicholas. Vá para sua bela casa no lago e para a menininha que o ama e esqueça disso.

Incapaz de se mover, Nick ficou ali, segurando a coronha da arma, parado na chuva, sabendo que só tinha uma coisa que o ajudaria agora.

Nick não apareceu para jantar novamente.

Annie tentou fingir que isso não importava. Fez um grande teatro de alegria para Izzy, mas sabia que a menina não estava sendo enganada. Não havia quantidade de massa para biscoito ou piadas de *toc toc* que fizessem Izzy parar de olhar pela janela...

Annie ficou com a menina no colo, balançando suavemente para a frente e para trás em uma cadeira de balanço na varanda. Ela cantou baixinho uma música tranquila e acariciou o cabelo sedoso de Izzy.

Conseguia sentir um minúsculo tremor no corpo da menina e, se ouvisse com muito, muito cuidado, dava para perceber as perguntas sem resposta na respiração de Izzy.

– Seu pai já vai chegar, Izzy – ela disse suavemente, torcendo para que fosse verdade. – Ele ama muito você.

Izzy não se moveu, não respondeu.

– Às vezes os adultos ficam confusos... assim como acontece com as crianças. E seu pai está confuso agora. Ele acha que não se encaixa em lugar nenhum, mas, se formos pacientes, e dermos tempo para ele, acho que ele vai perceber. É duro ter paciência, não é? Especialmente quando esperar causa dor.

A voz de Annie sumiu. Ela fechou os olhos e se encostou na cadeira, escutando o som da madeira sobre madeira e o eco da chuva no telhado da varanda.

– Ele ama você, Izzy – ela disse por fim, talvez mais para si mesma do que para a criança silenciosa. – Eu *sei* que ele ama você.

Levou um momento, mas Annie percebeu que havia um som vindo da criança, um sussurro que parecia com *png-png-png*.

Ela estava imitando o som da chuva atingindo o telhado de metal.

Annie sorriu.

Izzy estava tentando encontrar o caminho de volta.

Izzy sentiu o grito começando de novo. Ele estava bem lá no fundo dela, naquele lugar escuro onde viviam os pesadelos. Cada vez que fechava os olhos, via sua mamãe, e se lembrava do que havia ouvido. *Você não pode me seguir... não pode me seguir... não pode me seguir...*

E se isso fosse verdade? E se ela desaparecesse na neblina e não conseguisse encontrar a mamãe? Um gritinho escapou por entre seus lábios.

Ela estava assustada. Era uma daquela noites quando nada de bom acontecia durante o sono e acordou com lágrimas nas faces. Ficava sonhando com aquele médico, aquele com o nariz pontudo e os óculos grossos que disse que ela tinha de falar senão não conseguiria esquecer a mamãe. Aquilo a assustara muito, aquelas palavras de adulto que mal compreendeu. A última coisa que disse foi para ele. *Eu não quero esquecer minha mamãe...*

O corpo todo dela estava tremendo.

Não queria gritar novamente.

Jogando as cobertas para o lado, ela deslizou para fora da cama, andando descalça até a porta. Ali ela parou. Olhou para a própria mão, todo aquele nada ao redor do polegar e do indicador. Desejou subitamente não estar desaparecendo, conseguir estender a mão e segurar a velha maçaneta e a girar com força.

Com um suspiro, usou os dois dedos para virar a maçaneta. Levou algum tempo, mas por fim conseguiu abrir a porta.

A porta do quarto do pai ficava à esquerda, três portas adiante, mas ela sabia que ele não estaria lá. Tinha ouvido Annie falando com Lurlene. Elas achavam que Izzy tinha se afastado, mas não tinha. Ela estava escondida no cantinho, escutando.

Seu papai estava no lugar ruim, o lugar que fazia ele cheirar a cigarro apesar de ele não fumar, o lugar que fazia ele vir para casa com aquela aparência assustadora e bater a porta do quarto. O lugar que fazia ele andar engraçado.

Ela cruzou o corredor e olhou por cima do corrimão, e viu Annie dormindo no sofá.

Annie, que tinha segurado a mão de Izzy e escovado seu cabelo e agido como se não importasse que ela não falasse. Annie, que ia fazer o jardim da sua mamãe crescer novamente.

Muito lentamente, ela desceu a escada. Os degraus estavam frios sob seus pés descalços e a fizeram tremer, mas ela não se importou. Quando começou a andar, sentiu-se melhor. O grito deslizou de novo para o lugar escuro.

Ela quase quis dizer alguma coisa, chamar o nome de Annie, talvez, mas fazia tanto tempo que tivera vontade de falar que agora parecia algo estranho. Nem se lembrava mais do som da própria voz.

Foi na ponta dos pés até o sofá. Annie estava dormindo, com a boca aberta. O cabelo curto estava todo amassado de um lado da cabeça e espevitado do outro.

Izzy não sabia o que fazer. Quando era pequena, costumava subir na cama da mamãe e do papai sempre que ficava com medo, e era tão bom, tão quentinho. Mamãe abraçava Izzy e passava o cobertor em torno delas duas, e Izzy dormia.

Annie fez um som de ronco e se esticou, deixando um grande espaço na beirada do sofá. Bem o espaço onde Izzy caberia.

Izzy ergueu cuidadosamente o cobertor azul que arranhava e subiu no sofá. Ficou deitada de lado, sem se mexer, mal respirando. Estava com medo de Annie acordar e a mandar voltar para o quarto. Mas não queria ficar sozinha no quarto. Estava com medo do escuro.

Annie fez outro som e se virou na direção de Izzy.

Izzy ficou completamente imóvel.

Annie passou o braço em torno de Izzy e a puxou para mais perto.

Izzy sentiu como se estivesse derretendo. Pela primeira vez em meses, sentia que conseguia respirar novamente. Ela se moveu para trás, aconchegando o corpo contra o de Annie.

Com um suspiro suave, ela fechou os olhos.

No meio da madrugada, Annie acordou com o cheiro de xampu de bebê e a sensação de um corpinho quente junto do seu. Isso trouxe de volta uma série de lembranças, dias bem distantes e uma criança que agora estava longe e não era mais um bebê fazia muitos anos. Ela acariciou gentilmente o cabelo suado de Izzy e beijou a orelhinha cor-de-rosa. – Durma bem, princesa.

Izzy se aconchegou. Um som baixo respondeu para Annie, tão baixo que ela não teria ouvido se estivessem lá fora ou se estivesse chovendo ou se ela estivesse falando.

Dormindo, Izzy estava rindo.

Annie olhou para o relógio na lareira. Cinco e meia da manhã. Muito gentilmente, ela ergueu o cobertor e passou por cima de Izzy. Abraçando a si mesma por causa do ar frio da manhã, ela foi até a janela e olhou para o lago. A madrugada era uma pincelada rosa por trás do contorno irregular do topo das árvores.

– Maldito – ela sussurrou.

Desta vez, Nick tinha ficado fora a noite inteira.

Capítulo 13

O TELEFONE TOCOU ÀS CINCO e quarenta e cinco da manhã. Annie estendeu o braço por cima de Izzy para atender. – Alô?

– Alô. Annie Bourne, por favor.

Ela franziu a testa, tentando reconhecer a voz masculina. – É ela.

– Aqui é o capitão Joseph Nation, da força policial de Mystic.

O estômago de Annie deu uma volta. Ela se afastou da menina adormecida e se sentou no chão frio. – Nick está...

– Ele sofreu um acidente ontem à noite.

– Ah, meu Deus. Ele está...

– Bem. Fora algumas manchas roxas e... uma ressaca terrível, ele está bem. Ele está no Mystic Memorial Hospital.

– Ele estava dirigindo?

– Não. Ele foi esperto o bastante para pegar uma carona com alguém. Mas não foi esperto o suficiente para escolher um motorista sóbrio.

– Alguém se machucou?

O capitão Nation suspirou. – Não. Eles acertaram uma árvore na Old Mill Road. O motorista saiu sem ferimentos, e Nick apenas bateu a cabeça com força. Ele teve uma pequena concussão. Ele teve sorte... desta vez. Estou ligando porque ele vai precisar de uma carona do hospital para casa.

Annie olhou para Izzy, dormindo tranquilamente no sofá. Não podia deixar de lembrar que Izzy ficara esperando e esperando pelo papai dela que não chegava... porque ele estava bebendo de novo.

Isso passava dos limites. Lentamente, ela respondeu. – Eu vou buscá-lo, pode deixar.

Nick gemeu e tentou se virar, mas as cobertas estavam entrelaçadas tão apertadas nas suas pernas que não conseguia se mover. Lentamente, para não afetar a cabeça, que já pulsava, ele se ergueu no cotovelo e olhou ao redor. Luzes piscavam com força no cérebro, e em algum lugar havia um rádio muito alto.

Estava deitado em uma cama de metal bem estreita. Tubos fluorescentes iam de um lado ao outro do teto, enviando pirâmides de luz para o quarto de paredes brancas. Uma cortina contornava a cama, indo do teto ao chão.

Ele fechou os olhos e se deitou novamente, passando um braço sobre o rosto. Sentia-se muito mal. A cabeça doía, os olhos doíam, a boca estava seca e o estômago parecia ter sido esvaziado por meio de uma raspagem com um bisturi enferrujado. O corpo todo tremia e estava fraco.

– Então, Nicholas, de volta ao mundo dos vivos?

Geralmente não era um bom sinal acordar em uma cama de hospital com o chefe parado ao seu lado. E era pior quando esse chefe se tratava da pessoa mais perto de ser um pai que você conhecera.

Joe dera a Nick o primeiro lar de verdade em sua vida. Nick era jovem e assustado e estava pronto para fugir; a mãe o ensinara ainda bem pequeno que policiais eram os inimigos. Mas ele não tinha para onde ir. A morte da mãe e o Serviço Social não lhe davam opção.

Você deve ser Nicholas, Joe dissera naquele dia. *Eu tenho um quarto sobrando... talvez você não se importe de ficar comigo por um tempo. Minhas filhas todas se casaram, e Louise e eu estamos meio solitários.* Com essas poucas palavras de boas-vindas, Joe mostrara para Nick os primeiros arremedos de uma nova vida.

Nick ergueu-se no cotovelo outra vez. Se mexer doía; droga, até respirar doía. – Oi, Joe.

Joe estava parado ao lado da cama, olhando para Nick com um ar triste, desapontado. Rugas profundas marcavam a testa e cortavam a face redonda de pele escura. O cabelo longo e grisalho descia em duas tranças finas que se enrolavam contra o poliéster de xadrez azul da camisa dele. – Você se envolveu em um acidente de carro. Você se lembra do que houve? Joel estava guiando.

Nick ficou gelado. – Cristo. Nós machucamos alguém?

–- Só você... desta vez.

Nick afundou, aliviado. Passou a mão trêmula pelo rosto, desejando poder tomar um banho. Estava cheirando a bebida, fumaça e vômito. A última coisa que lembrava era de estar tomando uma dose no Zoe's, a quarta, talvez. Não se lembrava de ter entrado no carro de Joel.

Com um som de metal raspando no linóleo que quase ensurdeceu Nick, Joe puxou uma cadeira e se sentou perto da cama. – Você se lembra do dia em que nos conhecemos?

– Puxa vida, Joe. Agora não...

– *Agora sim.* Eu ofereci a você tudo o que tinha para dar. Minha casa, minha família, minha amizade. E é isso que você me dá em retorno? Eu vou ficar assistindo a você virar um bêbado? Se Louise, que Deus tenha a alma dela, estivesse viva, isso a mataria. Você teve um blecaute, você sabe.

Nick se encolheu. Isso era ruim. – Onde? – Era uma pergunta idiota, mas parecia importante.

– No Zoe's.

Nick caiu deitado na cama. Em público. Ele tinha desmaiado em público. – Jesus – ele gemeu. Poderia ter acontecido na frente da Izzy.

Não queria pensar nisso. Afastando as cobertas, ele se levantou, ficando sentado na cama. Com o movimento, seu estômago revirou e a cabeça explodiu. Ele segurou a cabeça com as mãos e se inclinou para a frente, olhando para o chão através de olhos que ardiam até conseguir respirar novamente.

– Nicholas, você está bem?

Lentamente, ele ergueu o rosto. Tudo foi voltando aos poucos: Sally Weaver... todo aquele sangue... a voz de Chuck, aguda, bradando, *não foi minha culpa...* – Lembra quando você me convenceu a ir para a academia, Joe? Você disse que eu poderia ajudar gente como minha mãe...

Joe suspirou. – Não podemos salvar todo mundo, Nicholas.

– Não posso mais fazer isso, Joe. Nós não ajudamos pessoas. Tudo o que fazemos é limpar o sangue. Eu não posso... não mais...

– Você é um bom policial, mas tem de aprender que não pode salvar todo mundo...

– Você está esquecendo o que encontrei em casa no ano passado? Droga, Joe, eu não posso salvar ninguém. Estou doente de tanto tentar. – Ele saltou da cama. Ficou ali parado como um idiota, balançando no esforço frágil de permanecer equilibrado. O estômago se enrolou, apenas esperando uma desculpa para fazê-lo vomitar. Ele segurou a beirada da cama com os dedos suados que pareciam não ter ossos. – Você vai receber meu pedido de demissão amanhã.

Joe se levantou. Gentilmente, colocou a mão no ombro de Nick. – Eu não vou aceitar.

– Isso está me matando, Joe – ele disse suavemente.

– Eu concordo com umas férias, o tempo de que você precisar. Sei o que você está passando, e você não tem de enfrentar isso sozinho. Mas você precisa parar de beber.

Nick suspirou. Todo mundo dizia isso. *Eu sei o que você está passando.* Mas eles não sabiam; como poderiam? Nenhum deles chegara em casa e encontrara o quarto cheio de sangue. Até mesmo Joe, que tinha sido um alcoólatra completo antes do aniversário de dezoito anos, e que crescera sob a sombra escura de um pai bêbado. Até mesmo Joe não entendia completamente. – Você está errado, Joe. No final, estamos sempre sós.

– Foi esse tipo de pensamento que o deixou nessa situação. Acredite, eu conheço o código de honra dos jovens alcoólatras: não conte, não confie. Mas você tem de confiar em *alguém,* Nicholas. Tem uma cidade inteira aqui que se importa com você, e você tem uma menininha que acha você o máximo. Pare de pensar no que perdeu e pense no que restou. Você quer terminar como a sua mãe, meio faminto em um banco de praça, esperando ser morto? Ou talvez prefira ser como eu, um homem com duas belas filhas que se mudaram para a Costa Leste para se afastar do pai bêbado. – Ele tirou um cartão de visitas de bolso e o entregou para Nick. – Quando você estiver pronto para parar de beber, aqui está o número para onde deve ligar.

Eu vou ajudar, todos nós vamos ajudar, mas você tem de dar o primeiro passo sozinho.

– Você está parecendo uma sopa de merda reaquecida.

Nick nem olhou para Annie. – Bela linguagem. Ensinaram em Stanford?

– Não, mas me ensinaram a não beber e dirigir.

Ele olhou ao redor, passou a mão trêmula pelo cabelo sujo e embaraçado. – Onde está a Izzy?

– Ah, então você lembra dela.

– Mas que droga, Annie...

– Nós, sua *filha* e eu, ficamos preocupadas com você ontem à noite. Mas você não se importa com isso, não é?

Subitamente ele estava cansado, tão cansado que achava que não ia aguentar muito mais. Ele passou por ela e saiu cambaleando do prédio. O Mustang estava estacionado na área de carga e descarga diante das portas de vidro eletrônicas. Meio caindo, ele agarrou a maçaneta de metal da porta e ficou ali, os olhos fechados, se concentrando em cada inspiração.

Ele a ouviu passar. Os tênis dela faziam um som suave no cimento. Ela abriu a porta do carro, entrou e a bateu. Ele ficou imaginando se ela tinha alguma ideia de como esses sons pareciam altos para um homem cuja cabeça tiquetaqueava como uma bomba pronta para explodir.

Annie buzinou, e o som penetrou dolorosamente pelos tímpanos dele. Nick avançou, abriu a porta e desabou no vinil vermelho do carro com um suspiro.

O carro avançou pela rua irregular. Ela acelerava antes de passar em cada elevação e buraco da rua. Nick tinha certeza disso. Agarrou-se ao puxador da porta com toda a força, os nós dos dedos brancos e suados.

– Falei com seu capitão, o senhor Nation, enquanto você estava se vestindo. Ele me disse que você vai tirar alguns dias de férias. E ele mencionou seu desmaio.

– Que bom.

Ela assobiou baixinho. – E o que é isso na sua camisa? Vômito? Sim, sim, que diversão você deve ter tido. Certamente foi melhor do que estar em casa com sua filha.

Ele se encolheu e fechou os olhos, sentindo a vergonha afundar lá no fundo do seu ser. As palavras de Joe voltaram a sua mente. *Você quer terminar como a sua mãe? Ou talvez prefira ser como eu?* Ele pensou em Izzy, e em como ela ia lembrar dele, e para onde ela iria assim que tivesse uma chance... pensou sobre como seria se ela o deixasse.

Arriscou um olhar para Annie. Ela estava sentada perfeitamente ereta, as mãos colocadas precisamente na posição de dez para as duas na direção, o olhar concentrado na estrada vazia adiante deles. – Você me faz um favor, Annie?

– Claro.

– Me leve até o Hideway Motel, na Route Seven – ele disse em tom baixo. – E cuide de Izzy por alguns dias.

Ela franziu a testa. – O Hideway? Aquilo é um lixo, e por que...

Ele sentiu como se estivesse avançando para a parte mais funda de uma piscina de água escura e lodosa. Não podia enfrentar uma discussão; não agora. – Por favor não discuta comigo, eu preciso de algum... tempo.

Ela lançou um olhar rápido de preocupação para ele, então voltou a olhar para a estrada. – Mas a Izzy...

– Por favor? – As palavras saíram macias e inchadas, estranhas, mas ele não teve como evitar. – Você pode ficar com ela enquanto me ajeito? Sei que é pedir muito...

Ela não respondeu, e pela primeira vez o silêncio foi desconfortável. Em minutos, ela parava no estacionamento do Hideway Motel. Um letreiro de neon piscava numa janela. Ele dizia DESCULPE. TEMOS VAGAS. Isso definia bem o lugar.

– Aqui estamos, Nick. Eu não sei...

– Lar, doce lar – ele disse, sorrindo sem entusiasmo.

Ela se virou para ele, e havia uma suavidade na sua expressão que Nick não esperava. Ela se inclinou e, com gentileza, tirou o cabelo da frente dos olhos dele. – Eu vou ajudar. Mas é melhor você não estragar tudo desta vez, Nick. Aquela menina linda não precisa perder o pai também.

– Puxa vida, Annie – ele sussurrou em agonia.

– Eu sei que você a ama, Nick. – Ela se aproximou. – Apenas me encontre na metade do caminho. Confie em mim. Ou, melhor ainda, confie em si mesmo.

Apesar de dizer para si mesmo que ia falhar novamente, ele não se importou. Queria a segunda chance que ela estava dando. Estava cansado, tão cansado, de ficar sozinho e com medo. As palavras *eu quero tentar* ficaram pesadas em sua língua, mas ele não teve força suficiente para dizê-las. Podia lembrar as muitas vezes em que quisera outra chance... e as vezes em que sua mãe tinha dito *acredite em mim, Nicky, estou falando sério desta vez.* Fazia muito tempo que tinha perdido o hábito de confiar nos outros.

Nick desceu do carro e ficou parado ali, vendo-a ir embora. Quando o carro sumiu de vista, enfiou as mãos nos bolsos e se virou para o motel. Pegando o cartão de crédito no bolso da frente, ele assinou o livro de registro e conseguiu um quarto para passar a noite.

O quarto era pequeno e escuro e cheirava a urina. Paredes marrons sujas formavam um quadrado perfeito ao redor da cama de casal afundada no meio. Uma colcha cinza cobria o colchão empelotado. Uma janela sem cortinas dava vista para a parede de cimento do prédio vizinho. Um carpete felpudo dourado, gasto tão completamente em alguns locais a ponto de revelar a espuma azul que havia por baixo, fora colocado no chão de cimento sem ser fixado de forma nenhuma.

Ele podia ver o banheiro do tamanho de um armário por trás de uma porta de plástico que imitava madeira pendurada de forma estranha nas dobradiças quebradas. Não precisou entrar para saber que havia um chuveiro de plástico branco e uma privada bege, e que a ferrugem formava anéis em torno do ralo da pia.

Sentou-se na cama com um suspiro cansado. Estava vivendo menos que meia vida durante tanto tempo, e agora mesmo essa meia vida à qual se agarrava estava deslizando por entre seus dedos trêmulos e dormentes, como folhas de inverno esmigalhadas. Sabia que cometia um erro ao beber, que havia seguido pela estrada errada quando pegou a garrafa pela primeira vez. A bebida estava acabando com ele, e quando terminasse não restaria nada além de um velho magro congelando em um banco de parque...

Na outra parede, uma barata correu ao longo da moldura de plástico e desapareceu por trás de um quadro do Monte Olympus.

Por fim, depois de oito meses afundando, ele tinha chegado ao fundo do poço. Havia apenas uma coisa que poderia fazer a diferença. Nick enfiou a mão no bolso e pegou o cartão que Joe tinha lhe dado.

Annie manteve Izzy ocupada durante o dia todo, mas, quando a noite começou a cair, não podia mais fingir. Leu uma história para Izzy depois do jantar, então a pegou nos braços. – Preciso contar uma coisa para você, Izzy – ela começou devagar, tentando encontrar as palavras certas. – Seu papai vai ficar... longe por alguns dias. Ele está doente. Mas ele vai voltar. Ele ama você mais do que o mundo, e vai voltar.

Izzy não respondeu. Annie não sabia o que dizer, que palavras poderiam amenizar a situação. Ficou com Izzy no colo por um longo, longo tempo, cantarolando canções e acariciando o cabelo dela, e, por fim, suspirou. – Bem, está na hora de dormir. – Ela colocou Izzy no chão e se levantou. Começou a andar para a escada, mas Izzy segurou sua mão.

Annie procurou os olhos castanhos tristes e assustados, e vê-la assim partiu seu coração novamente. – Eu não vou a lugar nenhum, meu bem. Estou bem aqui.

Izzy segurou a mão dela o tempo todo subindo a escada e caminhando pelo corredor, e entrando no banheiro. No quarto, ela não quis soltar a mão de Annie.

Annie olhou para a menina. – Quer que eu durma com você?

Um sorriso rápido passou pelo rosto dela. Ela apertou depressa a mão e assentiu.

Annie se deitou na pequena cama de Izzy, mesmo sem escovar os dentes ou trocar de roupa. Deixou a luz noturna da Pequena Sereia acesa ao lado da cama e Izzy se aconchegou junto dela.

Annie acariciou o rosto macio de Izzy, lembrando subitamente quanto sentia falta de falar sobre a mãe quando era pequena. Depois do acidente, ninguém nunca falava nela: era como se nunca tivesse existido. Por isso, Annie começou, dia a dia, a esquecer. Ficou imaginando se a pobre e quieta Izzy estaria encarando os mesmos medos.

Ela procurou uma lembrança de Kathy, concentrando-se até conseguir *ver* Kathy, sentada naquela velha cadeira de balanço na varanda da casa dela. – Sua mãe tinha o cabelo loiro mais lindo que eu jamais vi; era da cor de uma espiga de milho madura. E tão macio. Quando éramos pequenas, costumávamos trançar o cabelo uma da outra durante horas. Os olhos dela eram quase negros, da cor do céu à meia-noite de uma noite sem lua, e, quando sorria, formava uma ruga nos cantos igual a um gato. Você lembra disso?

Annie sorriu. Era gozado as coisas que podia lembrar depois de tanto tempo. – A cor predileta dela era amarelo. Ela usava amarelo para a foto da escola todos os anos. E para o primeiro baile dela, na oitava série, ela usou um vestido de algodão amarelo com detalhes em cetim azul profundo que ela mesma fez. Ela era a garota mais bonita da escola.

Izzy virou-se para olhar para Annie. Havia lágrimas nos olhos, mas ela estava sorrindo.

– Você nunca vai esquecer dela, Izzy. Lembra da risada dela? O modo como subia no final, logo antes de ela roncar? E o perfume que ela gostava de usar? E como era o toque das mãos dela? Você lembra como era sentar no colo dela e ouvir ela contar uma história para você antes de dormir? Tudo isso é a sua mãe. Minha mãe foi embora faz muito, muito tempo, e eu ainda penso nela toda vez que sinto cheiro de baunilha. Ainda falo com ela toda noite, e acredito que ela me ouve. – Ela tirou um cacho de cabelo negro do rostinho de Izzy. – Ela ouve você, meu bem. Ela só não pode responder, é só isso. Mas não importa. Você se ajeita por baixo das cobertas com a Miss Jemmie e fecha seus olhos e lembra de uma coisa, só uma, sobre sua mãe e no instante seguinte ela vai estar na cama do seu lado. Você vai sentir que fica mais quente, ou vai ver o luar ficar mais brilhante, ou o vento vai gemer um pouco mais alto, e você vai saber. Da forma dela, ela vai estar respondendo. – Annie segurou as faces de Izzy nas mãos e sorriu. – Ela está sempre com você.

Ela puxou Izzy para perto e falou e falou e falou, rindo de vez em quando, e ocasionalmente enxugando uma lágrima dos olhos. Falou sobre as peças que pregavam e os amores perdidos e encontrados, e dos dias de casamento; falou sobre bebês nascendo e crescendo, e sobre Natalie. Falou sobre Nick, e como ele era forte e bonito e como ele amava tanto Kathy, e como às vezes a tristeza fazia uma pessoa entrar em uma escuridão profunda e fria da qual parecia não haver saída.

Ela ainda estava falando quando a noite caiu e envolveu o quarto em escuridão, quando a respiração de Izzy ficou regular com o sono profundo e pacífico.

A primavera afastou os últimos vestígios do inverno, lançando suas cores brilhantes pela floresta. Açafrões deliciosos, jacintos e narcisos brotavam nos canteiros, junto do passeio e em bolsões de luz do sol no chão úmido e cheio de agulhas da floresta. Os pássaros voltaram, pousados juntos nos postes de telefone, e mergulhavam para pegar pedacinhos de fio na rua. Corvos negros saltitavam no gramado, cantando alto uns para os outros, e usavam a entrada de carros como pista de pouso.

Indo totalmente contra o conselho do pai, Annie tinha feito uma mala pequena e se mudado para a casa de Nick. E no fim foi uma bênção, porque, apesar de as noites continuarem a ser longas e solitárias, ela descobriu que agora tinha alguém para ajudá-la. Não estava mais sozinha. Quando acordava no meio da noite, com o coração batendo forte por causa de pesadelos familiares, ela ia para a cama de Izzy e a abraçava com força.

Elas passavam o tempo todo juntas, ela e Izzy. Iam à cidade, assavam biscoitos e faziam caixas de joias com caixas de ovos. Prepararam pacotes elaborados para Natalie e os enviavam a cada poucos dias. Trabalhavam com base em livros para o jardim de infância e primeiro ano, para garantir que Izzy estivesse aprendendo o mesmo que aprenderia na escola. E toda tarde Nick ligava para dizer boa-noite.

Hoje, Annie tinha planos especiais. Estava na hora de reviver o jardim de Kathy.

Ela parou junto da cerca branca instável que contornava o jardim, com Izzy do seu lado. A terra era de um marrom rico, empapada por causa da chuva da noite anterior. Aqui e ali, poças piscavam com uma luz estranha, prateada.

Annie colocou a grande caixa de papelão no chão e começou a retirar as ferramentas: pás, ancinho, enxadinha e tesoura.

– Eu queria ter prestado mais atenção nos jardineiros em casa – ela disse, olhando para um grande amontoado de gavinhas marrons que pareciam promissoras. – Isso pode ser algo bom, ou então é o maior monte de ervas daninhas que já vi. E veja como elas crescem em grupos; isso deve ser um bom sinal. Acho que podar vai ajudar; pelo menos foi o que disse o Hector da Feed Store. Vamos lá, Izzy. – Ela foi na frente pelo colar de pedras que formavam uma trilha atravessando o grande jardim. Passaram junto do grupo de plantas mortas.

Annie se ajoelhou. Conseguiu sentir a umidade subindo do solo através da calça, chegando fria e grudenta a sua pele. Calçando as luvas, ela atacou as plantas mortas e arrancou algumas pelas raízes. – Bulbos – ela disse com um sorriso triunfante. – Eu sabia.

Ela se virou para Izzy, com uma expressão satisfeita. – Eu sabia que era uma flor. Nunca questione, não, senhor.

Annie separou os bulbos e os plantou novamente, daí atacou com a tesoura os ramos mortos das plantas perenes, cortando tudo até o chão. – Você sabe o que mais adoro na jardinagem? Pagar alguém para fazer isso por mim. – Ela riu da própria piada e continuou a trabalhar. Arrancou tudo o que parecia erva daninha e dividiu e replantou os bulbos. Por fim, foi até as rosas, podando com cuidado os ramos espinhosos. Enquanto trabalhava, ela cantarolava. Tentou pensar em uma música que Izzy conhecesse, mas tudo o que conseguiu lembrar foi a música do alfabeto, então começou a cantá-la com sua voz instável e desafinada.

– A-B-C-D-E-F-G... H-I-J-K... L-M-N-O-P.

Ela franziu a testa subitamente e olhou para Izzy, mantendo o olhar afastado da luvinha negra. – Puxa vida, eu esqueci o alfabeto. Não que faça diferença, claro. É só uma música e certamente vou lembrar mais tarde. – L-M-N-O-P... Bem, aí está, não consigo passar do P.

Izzy estendeu a mão lentamente para uma pá. Levou um tempo para conseguir pegá-la com apenas dois dedos, e, depois das primeiras tentativas fracassadas, Annie não conseguiu mais ficar olhando.

Ela continuou cantando. – H-I-J-K... L-M-N-O-P... droga. Aí está o bloqueio de novo. Ah, bem, acho que já está bom por hoje. Estou faminta. O que você acha se...

– Q.

A pá caiu da mão de Annie e fez um som abafado ao bater na terra. Ela olhou para Izzy, que ainda estava ajoelhada no chão, arrancando as ervas daninhas completamente sem jeito com seus dois dedos "visíveis" como se nada tivesse acontecido. O momento floresceu, cheio de beleza e possibilidades.

Izzy tinha falado.

Annie soltou o ar em um suspiro lento. *Fique calma, Annie.* Ela decidiu agir como se falar fosse tão normal quanto não falar. – Puxa, acho que você tem razão. L-M-N-O-P... Q-R-S...

– T-U-V.

– W-X-Y... e Z. – Annie sentia como se fosse explodir de orgulho e amor. Ela se forçou a continuar cavando ervas daninhas por mais alguns minutos. Queria gritar de alegria e abraçar Izzy, mas não ousou. Não queria assustar a menina e a deixar silenciosa novamente.

– Pronto – ela disse por fim. – Chega de trabalhar. Parece que meus braços vão cair. Jean-Claude, que era o meu personal trainer lá na Califórnia, ele ficaria tão orgulhoso de mim agora. Ele sempre dizia que eu não suo. Eu dizia que, se quisesse suar, não ia usar roupas com cores combinando que custavam uma fortuna. – Ela passou a mão suja pela testa suada. – Temos limonada na geladeira, e sobrou frango de ontem. O que você acha se fizermos um piquenique aqui fora? Posso fazer milk-shake...

Quando Izzy olhou para ela, tinha lágrimas nos olhos.

Por fim, Annie se aproximou e abraçou a menina.

Capítulo 14

FUMAÇA DE CIGARRO SUBIA EM UMA grossa névoa azul sob o teto de tijolos acústicos manchados.

Nick estava parado diante da porta de uma longa e estreita sala no porão sem janelas da igreja luterana. Duas mesas de compensado e fórmica cobriam a parede dos fundos inteira, as superfícies cobertas por máquinas de café, copinhos de isopor e caixas cheias de pacotes de biscoitos doces e salgados. Havia um grupo de pessoas junto da máquina de Coca-Cola, e outro grupo ainda maior junto da cafeteira. O cheio do café torrado misturava-se com o odor amargo dos cigarros.

Pessoas ocupavam as cadeiras de metal, algumas em poses confortáveis, outras nervosas, sentadas na beirada do assento. Quase todos estavam fumando.

Ele não sabia se iria adiante com isso, se ia entrar nessa sala enfumaçada, jogar sua vulnerabilidade numa daquelas mesas baratas e deixar que estranhos a dissecassem...

– É realmente difícil da primeira vez. Toda a tensão da primeira vez fazendo sexo, e nada da diversão.

Nick se virou e viu Joe do seu lado.

O rosto marrom como couro de sapato do homem estava enrugado formando um sorriso. – Eu estava torcendo para você aparecer. Foi uma espécie de choque no meu sistema depois de todos esses anos torcendo para que você *nunca* aparecesse.

– Desculpe por desapontar você, Joe.

Joe colocou a mão no ombro de Nick e o apertou com gentileza. – Estou *orgulhoso* de você, Nicholas. Não estou desapontado. A vida lançou muitas bolas curvas na sua direção, mais do que o suficiente para esmagar um homem mais fraco. Eu não poderia sentir mais orgulho de você se fosse meu próprio filho. Se Louise estivesse aqui, ela diria: "Dê um abraço no garoto, Joseph". E acho que vou fazer isso mesmo.

Foi a primeira vez que Joe o abraçou, e Nick não sabia direito como reagir. Durante muito tempo, desde que podia lembrar, sentia que havia algo de errado com ele, que algo essencial estava falando em seu ser, que passara a vida inteira esperando ser desmascarado. Tinha se protegido das pessoas que amava, Kathy, Izzy, Louise e Joe, com medo de que elas vissem o Nick de verdade e, ao verem, se afastassem. Mas Joe tinha visto a verdade, tinha visto todas as fraquezas e os fracassos dele, e ainda assim continuava ali, declarando que Nick era seu filho.

Quando Joe se afastou, os olhos negros dele estavam cheios de lágrimas. – Vai ficar mais difícil antes de ficar mais fácil. Você está saltando do lado mais fundo, e vai pensar que está se afogando. Mas estou aqui para manter sua cabeça fora da água.

– Obrigado, Joe. – Ele não disse *por tudo,* mas viu que Joe entendeu.

– Vamos – Joe chamou. – Vamos sentar.

Eles avançaram pela sala. Nos minutos seguintes, mais gente chegou, alguns conversando, outros claramente silenciosos.

Nick se agitou na cadeira. Os pés ficavam batendo nervosos no chão. O som repetitivo servia apenas para aumentar sua ansiedade.

– Está tudo bem, Nick – Joe disse calmamente. – Por que você não vai pegar um café?

– Certo. – Ele se levantou e atravessou a sala. Procurando moedas no bolso, ele pegou uma Classic Coke e abriu a lata, bebendo um grande gole.

Sentindo-se um pouco melhor, ele voltou para seu lugar e a reunião começou.

Um homem se apresentou – Olá, eu sou o Jim. Sou alcoólatra. – O grupo reunido respondeu a ele como bons católicos no domingo. – Olá, Jim.

Jim foi até a frente da sala e começou a falar. Primeiro fizeram uma prece, depois ele falou sobre as reuniões e os doze passos a mais para a serenidade.

Uma jovem levantou-se subitamente. Ela era alta e muito magra, com o cabelo amarelo quase branco e a pele da cor de cera de vela. Obviamente tremendo, ela passou pelas fileiras de cadeiras e ficou diante de todo mundo.

Parecia que ela não comia fazia um ano, e Nick era policial havia tempo suficiente para reconhecer os sinais de uso prolongado de drogas. Sem dúvida havia marcas de agulha no interior dos braços pálidos. Ela deu uma longa tragada no cigarro e soltou uma grande nuvem de fumaça. – Eu sou Rhonda – ela disse, olhando nervosa para o grupo –, e sou uma alcoólatra e viciada.

– Oi, Rhonda – respondeu o grupo.

Ela deu outra tragada. – Hoje é meu sétimo dia sóbria.

Todos aplaudiram; várias pessoas gritaram – É isso aí, Rhonda!

Rhonda sorriu brevemente e apagou o cigarro no cinzeiro a sua frente. – Tentei isso antes, várias vezes. Mas desta vez vai ser diferente. O juiz disse que, se eu conseguir ficar limpa por um ano, vou poder ver meu filho novamente. – Ela parou e enxugou os olhos, deixando uma marca de rímel em uma das faces brancas. – Eu era uma garota normal, estava na faculdade, trabalhava meio período como garçonete em um restaurante pomposo. Daí conheci o Chet, e, antes que percebesse, estava entornando tequila e cheirando montanhas de coca.

Ela suspirou, olhando sem ver para a porta aberta. – Fiquei grávida e continuei bebendo. Meu Sammy nasceu pequeno e viciado, mas sobreviveu. Eu devia cuidar dele, mas tudo o que queria era beber e me drogar. Meu filho não foi o bastante para me fazer parar de beber e cheirar. – O lábio inferior dela começou a tremer, e ela o mordeu. – Nããão, eu tinha de dirigir bêbada. Eu tinha de machucar alguém. – Ela fungou com força e recuperou parte do controle. – Então, aqui estou, e desta vez estou falando sério. Vou fazer de tudo para ver meu filho novamente. Desta vez vou me limpar e permanecer limpa.

Quando Rhonda terminou, alguma outra pessoa começou a falar, depois outra, e outra. Todas usaram palavras diferentes, mas as histórias eram as mesmas, histórias de perdas, dor e raiva. Histórias de azares e dificuldades de pessoas que tinham passado pelo inferno na terra.

Nick era uma delas, ele sabia quando a reunião terminou, e havia um conforto estranho em admitir isso, em saber que não era o único no mundo tendo de lutar contra uma garrafa de bebida.

Izzy não conseguia dormir. Ela foi até a janela e olhou lá para fora. Tudo estava escuro e assustador. A única luz eram pequenos reflexos brancos no lago negro. Annie tinha dito que eram estrelas que caíram do céu.

Ela se afastou da janela. Durante toda a semana, desde que Annie tinha contado que seu papai não viria para casa, a menina estava assustada. Ontem ficara na janela por um longo tempo, esperando. Tanto tempo que Annie foi ficar lá com ela.

Não sei quando ele vai vir para casa, Izzy. Foi o que Annie disse para ela. *Você lembra que eu disse que seu papai está doente? Os médicos disseram que ele precisa de algum tempo...*

Mas Izzy sabia a verdade sobre os médicos. Sua mamãe tinha ido em muitos deles e nenhum jamais tinha feito sua mamãe se sentir melhor.

Eles também não iam ajudar seu papai.

Izzy não conseguia parar de chorar. *Sinto falta dele,* foi tudo o que conseguiu dizer para Annie, mas havia muito mais que não disse. Ela não disse que estava sentindo falta dele fazia muito, muito tempo, e não disse que o homem de cabelo prateado não era seu papai, porque seu papai nunca ficava doente e ria o tempo todo. Ela não disse que seu papai de verdade tinha morrido quando mamãe morreu, e que ele nunca ia voltar.

Izzy desceu a escada e saiu silenciosamente. Estava garoando, e uma névoa flutuava sobre a grama, tão grossa que ela não conseguia ver seus pés.

– Mamãe? – ela sussurrou, abraçando a si mesma. Fechou os olhos e se concentrou com muita, muita intensidade. Quando abriu os olhos, viu sua mamãe, parada junto do lago. A visão tremia e estava fora de foco. Mamãe tinha os ombros arredondados e a cabeça inclinada em um ângulo estranho, como se estivesse escutando passos, ou o som de um pássaro no meio da noite. A chuva assumiu todo tipo de cor, vermelho, amarelo, rosa e azul.

Você devia estar dormindo, mocinha.

– Papai está doente de novo.

Sua mãe emitiu um som baixinho, ou talvez fosse a brisa, passando sobre a água. *Ele vai ficar bem. Eu prometo.*

– Sinto sua falta, mamãe. – Izzy estendeu a mão para ela. Teve um sussurro de algo que não era bem sólido passando por seus dedos, um raspar de calor. Ela fechou a mão em torno de... nada.

Eu não posso mais tocar, meu bem.

– Mamãe, eu amo você, mamãe.

Eu lamento, Izzy querida. Puxa, como lamento...

Izzy estendeu a mão, mas já era tarde demais. Sua mãe tinha sumido.

Uma onda incomum de calor passou pelo condado de Jefferson. Flores desabrochavam e subiam para o sol em busca da preciosa luz. Pássaros bebês piavam nos ninhos em árvores cheias de brotos verdes. Ainda chovia toda noite, mas na madrugada o mundo era uma joia brilhante, resplandecente.

Annie cuidou de manter Izzy ocupada o tempo todo. Elas pintaram ovos de Páscoa, assaram biscoitos e fizeram desenhos para Nick, presentes para o dia em que ele voltasse. Fizeram compras na rua principal e compraram presentes de brincadeira da floresta para Natalie: canetas com balsas dentro, livros de receitas com lesmas, cartões-postais do Lago Mystic. Elas redobraram os esforços de leitura, até Annie estar certa de que Izzy estava pronta para voltar para a escola. Mas, quando falou sobre isso com Izzy, ela ficou assustada. *Não quero voltar. Eles ficam me gozando.* Annie não mencionou mais o assunto, sabendo que de qualquer forma a decisão não era dela. Esperava que, quando Nick voltasse para casa, conseguissem convencer Izzy a voltar para a escola.

Por agora, as rotinas delas eram reconfortantes. Izzy falava normalmente; não parecia mais difícil para ela se lembrar das palavras. Elas estavam conseguindo forças uma com a outra.

Annie finalmente havia aprendido a dormir sozinha. Sabia que não era uma grande conquista, mas para ela era algo memorável. Às vezes, quando deixava Izzy e rastejava para sua cama vazia, nem pensava no homem que costumava dormir com ela; às vezes passava dias inteiros sem pensar nele.

Ah, a dor ainda estava lá, e também a solidão, mas dia a dia ia aprendendo que podia sobreviver sem ele. Ainda não queria, mas sabia que devia.

Cada segunda-feira, como um relógio, ela ligava para Londres e ficava sabendo sobre a semana de Natalie. Na voz da filha, ouvia um crescimento de maturidade que a enchia de orgulho. Natalie não era mais criança e, quando ficasse sabendo sobre o divórcio, ia conseguir lidar com isso.

E Annie por fim entendeu que podia lidar com isso também. Na última noite, quando Terri ligou (depois de passar dez minutos interrogando Annie sobre quem era esse tal de Nick e por que Annie estava ficando na casa dele), ela finalmente parou e escutou Annie, e, quando a conversa terminou, Terri disse calmamente: *Claro que você pode lidar com isso, Annie. Você é a única que acha que não pode.*

O domingo de Páscoa chegou envolto em nuvens e molhado pela chuva, mas Annie se recusou a deixar o tempo que não cooperava arruinar seus planos. Vestiu Izzy com roupas quentes e a levou à casa de Hank, onde os três comeram um almoço-café da manhã gigante e participaram de uma maravilhosa caça ao ovo. Depois foram até a igreja na cidade. Annie e Izzy voltaram para casa, e Annie deu para ela um presentinho pequeno bem embrulhado. – Feliz Páscoa, Izzy.

Izzy tentou abrir o presente com seus dois dedos bons, e não conseguir machucou o coração de Annie. – Aqui, deixe que eu faço isso, meu bem. É difícil porque os seus dedos sumiram.

Annie tirou o papel brilhante e colocou a caixinha na mesa de centro.

Contendo um sorriso, Izzy abriu a caixinha. Lá dentro, em uma cama de papel branco macio, havia um medalhão de bronze do tamanho de uma moeda, com uma corrente fina de prata. Izzy franziu a testa, e Annie tirou a bússola da caixa e a colocou na mão de Izzy.

– Quando eu era menina, achava o tempo todo que estava perdida. Então me pai me deu essa bússola, e me disse que, se a usasse, eu sempre saberia como voltar para casa. – Annie suspirou suavemente. Ela não continuou usando a bússola. Em vez disso, tinha ido lá para a Califórnia e perdera o sentido de direção novamente. Se pelo menos houvesse um sentido interno que apontasse sempre o verdadeiro norte de nós mesmos. Era tão fácil se perder na vida. – Então – ela disse por fim –, você quer saber como ela funciona?

Izzy fez que sim.

– Eu sabia que você ia querer. Certo, pegue suas botas e a capa de chuva, e eu mostro para você.

Com um sorriso rápido, Izzy correu para o armário de casacos e pegou a capa e o chapéu, que ainda estavam molhados. Em um momento as duas estavam preparadas, com botas de borracha e grandes chapéus moles. Annie explicou rapidamente como a bússola funcionava, e, quando se convenceu de que Izzy compreendera, ela passou a correntinha pelo pescoço da menina. – Vamos explorar.

Lá fora, o tempo estava horrível. Rajadas de vento passavam pelo lago, lançando ondas prateadas contra a praia de seixos. Gotas de diamante tremiam na ponta dos narcisos e tulipas alinhados junto da passagem e cresciam em grupos nas floreiras das janelas.

Elas se afastaram do lago, leram a posição e começaram a andar pela trilha larga, coberta de agulhas de pinheiro, que levava para o interior da floresta. Dos dois lados, as imensas sentinelas de madeira mantinham guarda, capturando a maioria das gotas da chuva em seus ombros largos e cheios de folhas. Uma névoa fria cobria o chão da floresta, tão densa que em alguns lugares Annie não conseguia ver os pés. A cada curva da trilha, Izzy parava e verificava a bússola.

No meio da tarde, a menina já tinha uma boa ideia de para onde ficava o norte, e conquistara a calma confiança que vinha com esse conhecimento.

Elas percorreram uma trilha e depois outra e outra. Subitamente, as árvores se abriram e se viram em uma clareira na parte mais antiga da floresta. Em um canto havia um velho posto da Guarda Florestal, obviamente abandonado fazia anos. O telhado estava coberto por musgo, e fungos cinzentos apareciam nas rachaduras da parede. Marcas de garras de urso podiam ser vistas na porta.

Izzy olhou para ela. – Podemos entrar?

Annie olhou desconfiada para a cabana. Infelizmente, havia muito mais de mãe do que de exploradora em sua alma. Mas, quando ela viu a excitação na expressão de Izzy, não conseguiu dizer não. – Certo, mas vamos devagar... e não toque em nada.

Com um gritinho, Izzy correu para a cabana. Annie se apressou atrás dela. Juntas, elas passaram pela porta quebrada.

Lá dentro, enterradas sob uma grande rede de teias de aranha e poeira, havia duas camas, completas com seus cobertores embolorados; uma pequena mesa instável e duas cadeiras feitas a mão; e um fogão de ferro negro havia muito esquecido.

Annie sentiu-se como Daniel Boone[19]. Foi até o velho fogão, pegou uma cafeteira empoeirada, e a virou de cabeça para baixo.

Izzy soltou um gritinho e pegou algo embaixo da cama. – Olhe! – ela mostrou a mão para Annie.

Era uma moeda de prata, datada de 1899.

– Puxa vida – Annie disse, tocando a moeda. – Isso é mesmo um tesouro. É bom você a colocar em um lugar seguro.

Izzy franziu a testa, então olhou com ar solene para Annie. Sem dizer nada, ela tentou entregar a moeda para Annie.

– A moeda é sua, Izzy. Não a dê para mim.

– Annie? Você vai sempre estar aqui, não vai, Annie? Isso faz você ser meu lugar seguro.

Annie sabia que devia forçar a menina a ficar com a moeda. Devia dar a ela o sentido da honestidade. *Eu não sou segura, Izzy. Não de verdade. Essa não é minha vida...*

Mas, diante dos olhos castanhos da menina, ela percebeu que estava perdida. – Sempre é muito mais do que você vai precisar de mim, Izzy, mas vou ficar com a moeda até você estar pronta para dá-la ao seu pai, está bem?

– Sim. Não vá perder. – Izzy sorriu e começou a correr para a porta. No meio do caminho ela parou derrapando e se virou. Ela estava olhando para a mão direita.

---

[19] Nascido em 1734, foi um pioneiro e explorador cujas aventuras fizeram com que se tornasse um dos primeiros heróis populares dos Estados Unidos. (N.T.)

– Izzy, o que foi?

Lentamente, Izzy franziu a testa e ergueu a mão direita no ar. – Eu posso ver todos os meus dedos desta mão de novo.

– Ah, Izzy... – Annie foi até a garotinha e se ajoelhou do lado dela, abraçando-a. Mas Izzy estava dura e estranha, e não conseguia parar de olhar para a própria mão.

Izzy começou a chorar. – Ela disse que eu não podia ir atrás dela.

Annie acariciou o rosto macio da criança e sorriu. – Quem disse isso?

– Mamãe. Eu... – Ela mordeu o lábio inferior, que estava tremendo, e desviou os olhos.

– Conte para mim, Izzy – Annie disse suavemente. – Eu sei guardar segredo.

– Promete?

– Prometo.

Izzy olhou para Annie por um longo momento de silêncio, daí disse calmamente: – Eu... eu a vejo às vezes... na névoa. Eu estava desaparecendo para ir com ela... mas da última vez... – Grandes lágrimas surgiram nos olhos de Izzy e transbordaram, escorrendo pelas faces rosadas. – Da última vez ela disse que eu não posso ir com ela.

O coração de Annie se apertou muito. Ela pegou a mão de Izzy e a levou para fora. Lado a lado, elas se sentaram na varanda cheia de musgo da cabana.

– Você não pode seguir sua mãe, Izzy, sabe por quê?

Izzy olhou para ela. – Por quê?

– Porque isso ia partir o coração da sua mamãe. Ela está no céu agora, e ela quer ver você crescer. Ela quer que você se divirta e faça amigos e vá para a escola, que faça todas as coisas que ela fez quando era pequena. Ela quer ver você com um lindo vestido branco no seu casamento e segurando seu bebê no colo. – Annie suspirou. – Ela quer tanta coisa para você, Izzy.

– Como você sabe que ela está me olhando?

Annie sorriu para ela. – *Você* sabe. No seu coração. É por isso que você a vê na névoa. Você sabe que ela está cuidando de você, e, quando chove... é quando ela sente saudade de você. A chuva são as lágrimas dela, e o sol é o sorriso dela.

Izzy olhou para as árvores por um longo tempo. – Eu sinto falta dela.

Annie passou o braço pelos ombros estreitos da menina e a puxou para perto. – Eu sei, meu bem.

Elas ficaram sentadas assim por um longo tempo. A chuva suavizava o mundo em tons pálidos de azul e verde de uma pintura de Monet. Então, por fim, Annie sorriu de forma brilhante e deu tapinhas na mão direita de Izzy. – Puxa, acho que você tem razão, Miss Izzy. Eu posso ver perfeitamente bem esses dedos. Acho que devemos fazer um brinde.

– Eu quero fazer meu brinde com geleia.

Annie riu. – Não temos geleia, só limonada. E, se não comermos logo, eu vou acabar mastigando sua moeda. Acho que está na hora de irmos para casa.

Izzy riu, e foi uma risada tão alta, clara e bela que Annie se deixou esquecer da preocupação.

Pelo menos ela havia feito Izzy recuperar a voz e o sorriso... e agora uma das mãos estava visível novamente. Talvez amanhã a luva saia da mão esquerda.

Mas por agora estava muito bom.

Capítulo 15

Estava chovendo no dia em que Nick voltou para casa.

Ele pagou ao motorista do táxi e desceu do carro, ficando parado ao ver o único táxi da cidade ir embora.

Ergueu o colarinho da jaqueta Levi's e curvou os ombros por causa da chuva. Embaixo do braço carregava as roupas e o material de higiene que comprara para passar o período em que ficou fora de casa. A chuva molhava as roupas, mas não tinha jeito. O dia estava acabando em uma tarde lilás e havia um friozinho no ar. A estradinha de cascalho que levava até a casa seguia direto por quase quatrocentos metros, daí virava subitamente ao redor de um grupo de abetos do Oregon. Depois disso, desaparecia nas sombras malvas da névoa que vinha do lago.

Ele poderia ter pedido ao motorista do táxi para levá-lo até a porta de casa, mas precisava do tempo para chegar devagar.

Piscando depressa por causa da chuva, ele começou a longa caminhada até em casa. À esquerda, o lago refletia o céu do fim do dia. Folhas verdes brilhantes, rododendros, azaleias, *trillium* e outros arbustos acompanhavam a estrada dos dois lados, criando um túnel sombreado que o levava para mais perto de casa.

Por fim, ele contornou a curva. Uma luz suave e dourada saía das janelas. A chaminé lançava fumaça branca no céu roxo. Era assim que sempre a imaginara...

Essa casa havia tomado sua imaginação desde o começo. Ainda se lembrava da noite em que Annie o levou até ali. Kathy estava gripada, então

Nick e Annie tinham ido sozinhos até o parque de diversões, e depois ela o trouxe até aqui, na casa "assombrada" junto do lago.

Ele viu primeiro a casa através dos olhos de sonhadora dela. Annie havia acendido um fogo na alma dele naquela noite, e essa casa velha tornou-se a realização física desse sonho. Perfeito para um garoto que tinha vivido em um carro por dois anos e comido alimentos encontrados em lixeiras.

Havia levado anos, mas ele por fim economizou o bastante para comprar a casa. Tinha sido em um verão, em agosto, que assinou os papéis e preencheu o cheque da entrada. Mesmo nos dias mais quentes do ano, essa estrada continuava fresca e sombreada, e uma brisa soprava nas margens do lago. Ele tinha olhado para longe, para o Monte Olympus, que era como um imenso triângulo de granito subindo alto, muito alto, no céu azul como um ovo de pintarroxo, com apenas um pequeno indício de neve no topo serrilhado.

A lembrança era cortante como vidro quebrado. Ele correra para levar Izzy e Kathy até ali, mas já era de noite e as sombras estavam grossas e escuras ao longo dos corrimãos da varanda.

Ele pegou a mão de Kathy e a arrastou pelo interior escuro e embolorado.

Está entendendo, Kathy? Aqui vai ser o solário... onde vamos tomar café da manhã... e aqui é a cozinha. Não fazem mais fogões como este... e veja a lareira, aposto que tem cem anos de idade...

Ele sentia cheiro de esperança, lar e possibilidades.

Ela sentia cheiro de mofo, sujeira e trabalho.

Como ele não conseguira perceber? E por que não parou de falar para perguntar a opinião dela? Por que apenas pensou *ela está tendo um dos dias ruins,* e parou por aí?

Com um suspiro cansado, Nick endireitou os ombros, atravessou o gramado, subiu os degraus da varanda e bateu na porta da frente. A sacola molhada com suas coisas novas e inúteis caiu no chão, esquecida, ao lado dos seus pés.

Ouviu-se um bater de pés atrás da porta, e um "um minuto" abafado, daí a porta se abriu e Annie estava ali diante dele.

O silêncio entre eles foi ensurdecedor; cada som parecia amplificado, o bater rítmico da chuva nas folhas grandes, o quieto lamber das ondas no pedrisco.

Ele queria poder sorrir, mas estava com medo. Desviou os olhos, antes que ela pudesse perceber o súbito desejo neles.

– Nick. – Foi só um sussurro de som; ele imaginou que podia sentir o calor úmido da respiração dela em seu pescoço. Lentamente, lentamente, ele olhou para ela.

Annie estava parada ali tão perto que dava para ver as sardas junto da linha do cabelo, e uma pequena cicatriz branca que cortava uma das sobrancelhas. – Tenho ido às reuniões dos AA duas vezes por dia – ele disse depressa, sem nem começar com um "alô" balbuciado. – Eu não bebo desde que você me deixou naquele motel.

– Nick, isso é maravilhoso. Eu...

Foi como se ela tivesse percebido subitamente como estavam próximos um do outro. No brilho pálido da luz da varanda, ele viu um doce rubor colorir as faces dela.

Annie rompeu o contato visual e limpou a garganta, afastando-se para uma distância respeitosa. – Izzy está na outra sala. Estamos pintando. Venha.

– Pintando. Parece divertido. Eu não quero...

– Você pode, Nick. – Ela pegou a mão dele e o contato foi forte e reconfortante, mas ele não teve oportunidade de ver realmente as mudanças que ela havia feito. Annie o puxou pelo braço até o corredor.

A "outra sala" era aquela que Nick denominava a "sala da bagunça". Anos atrás, provavelmente nos anos cinquenta, alguém tinha tentado remodelar essa sala com um orçamento mínimo. Painéis de madeira compensada formavam as paredes com troncos por baixo, e um carpete cor de mostarda cobria o assoalho de madeira. A única coisa boa ali era uma grande lareira de tijolos, que Annie tinha acendido.

As portas francesas que levavam para a varanda de trás estavam abertas. Uma brisa fresca da noite fazia as cortinas de gaze ondularem, e a chuva era um véu prateado entre a casa e a noite que caía. Jarros multicoloridos e pincéis cobriam a mesa dobrável atulhada de coisas. Tinta espirrada em gotas coloridas manchava as folhas de jornal colocadas para proteger o carpete.

Izzy estava de costas para eles, a mão com a luva caída sem movimento do lado do corpo. Havia um grande cavalete diante dela, com um papel branco fixado nele. Dava para ver manchas coloridas no papel, mas o corpo dela impedia de ver a pintura.

Nick percebeu subitamente que Annie não estava mais ali. A mão dele parecia fria e vazia. Virando-se um pouco, ele a viu no corredor. Ela fez um sinal de positivo e desapareceu.

Ele suspirou. Olhando novamente para a sala, Nick deu um passo para dentro com cautela. Esperava que Izzy se virasse e olhasse para ele, mas o carpete abafou o som do passo, e ela continuou pintando.

– Izzy. – Ele disse o nome dela suavemente, como se a voz baixa pudesse de alguma forma suavizar a surpresa.

Ela deixou cair um pote de comida para bebê cheio de tinta azul. O líquido colorido se espalhou sobre o jornal. Lentamente, ainda segurando o pincel, ela se virou.

Izzy parecia um anjo. Estava usando um macacão amarelo coberto de tinta, mas não havia nenhuma mancha de cor no cabelo ou rosto. O cabelo negro fora dividido em duas tranças, amarradas na ponta com fitas amarelas.

Ela estava como costumava ser.

Foi esse pensamento, mais que tudo, que o fez entrar completamente na sala. Os joelhos pareciam fracos, e o medo era um nó gelado no estômago, mas ele seguiu em frente, indo para a menininha, que ficou parada em silêncio junto do cavalete, os grandes olhos castanhos fixos nele.

Ao lado dela, ele se ajoelhou. Os joelhos amassaram a tinta azul no chão.

Ela olhou para ele, sem piscar, os lábios cor-de-rosa formando uma linha séria.

Há apenas alguns meses ela teria pulado em seus braços e o coberto com beijos. Mesmo quando estava de ressaca, ou depois de uma briga com Kathy, Izzy sempre o adorara. Ela nunca olhava para ele como estava fazendo agora, com uma expressão cautelosa, preocupada, de um animal que está pronto para fugir ao primeiro sinal de perigo.

Ele percebeu com um súbito aperto no peito quanto sentia falta dos beijos dela... a suavidade gentil da mão dela ao deslizar para a dele.

– Ei, Raio de Sol – ele disse, os olhos evitando a luvinha negra que evidenciava sua falha e o coração partido dela.

Era como ele sempre a chamava, um apelido que tinha dado na primeira vez que ela sorriu e ele comentara que parecia um raio de sol depois da chuva. Fazia muito tempo que não a chamava de Raio de Sol. Desde a morte de Kathy, e provavelmente antes disso.

Ela se lembrava. Um pequeno sorriso surgiu em um canto dos lábios dela.

Eram tantas coisas que podia dizer para ela naquele momento, promessas que podia fazer, mas, no fim, ele sabia que seriam apenas palavras. Promessas feitas por um homem que havia deixado de cumprir promessas demais para merecer confiança.

Um dia por vez; isso era algo que os AA definitivamente sabiam o que diziam.

Foi assim que havia perdido a filha, um momento por vez, e era essa a forma de conquistá-la de novo. Não podia pedir a confiança dela; apesar de provavelmente ela a dar de graça, ele tinha de *merecer*. Um dia por vez.

No fim, Nick não fez nenhuma promessa. Em vez disso, perguntou apenas – O que é que você está pintando?

Ela virou o rosto para o papel e deu um passo para trás. Era uma mistura colorida de linhas e manchas de tinta que escorria. Como já tinha visto as pinturas de Izzy antes, ele conseguiu reconhecer um autorretrato dela: ela era a pequena figura feita de traços e com a cabeça grande no canto com cabelo preto que ia até o chão. Alguém, provavelmente Annie, a julgar pelo cabelo castanho espetado, estava ao lado dela, com um enorme sorriso feito com uma linha só. Acima das duas figuras havia um imenso sol amarelo rodeado de raios vermelhos.

Nick pegou um pincel limpo na mesa e o molhou na tinta marrom. Tentando não deixar pingar, apesar de não ter ideia de por que isso parecia importante, ele foi com o pincel cuidadosamente até o papel. – Posso colocar mais uma coisa?

Ela olhou para ele. Então assentiu lentamente.

Ele desenhou um círculo impreciso ao lado de Annie. Mais quatro linhas e ali estava um corpo. – Esse é o papai – ele disse, sem olhar para ela. Então acrescentou olhos, um nariz e uma linha reta como boca. – Não preciso pintar o cabelo, ele é quase da cor do papel. Vamos só imaginar meu cabelo. – Colocando o pincel na mesa, ele olhou para ela.

O olhar dela era firme. Dois dentes da frente grandes demais, os únicos dentes de adulto dela, morderam nervosos o lábio inferior.

– Tudo bem se eu voltar para casa, Izzy? – Ele esperou uma vida inteira pela resposta, um movimento de cabeça, uma piscada, qualquer coisa, mas ela só ficou ali, olhando para ele com aqueles olhos tristes de adulto no rostinho de menina.

Ele tocou a face dela, suave como veludo. – Eu entendo, Raio de Sol.

Ele começou a se levantar.

Ela segurou a mão dele.

Lentamente, ele voltou a se ajoelhar. Ficou olhando para ela, perdendo-se nos olhos castanhos como chocolate que uma vez tinham sido seu mundo. Nesse instante, lembrou-se de tudo, de andar pelas docas com ela, de olhar os barcos, sonhando sobre um dia velejar pelo mundo... Lembrava como era segurar a mão dela e rir com ela e a balançar nos braços em um dia bonito e ensolarado de primavera.

– Eu amo você, Izzy – ele disse, lembrando como costumava ser simples.

Nick estava na varanda, as pernas separadas, os braços cruzados. Estava cumprindo sua palavra, mas bem no limite. O jantar tinha sido tenso, com a conversa alegre de Annie pontuada por silêncios desconfortáveis. Ele notou que Izzy estava usando a mão direita de novo, e não apenas daquela forma patética, com apenas dois dedos.

Cada vez que olhava para a filha, sentia um súbito jorro quente de vergonha, e precisou de todo o controle para não desviar os olhos. Mas não havia pegado o caminho da covardia nesta noite, e isso era um triunfo. Ele olhou para Izzy direto nos olhos, e, se recuou diante da cautela na expressão dela, fez isso por dentro, para ela não poder ver.

Levou um segundo para encontrar coragem para mover os olhos. Quando o fez, Annie estava parada ali, junto da velha cadeira de balanço que tinha sido presente de Nick para Kathy quando Izzy nasceu.

Os dedos de Annie percorriam suavemente o corrimão, e a aliança brilhava na luz laranja do poste externo. O tamanho do diamante fez Nick lembrar mais uma vez como o mundo dela era diferente do seu. Como se precisasse ser lembrado disso.

Ela segurava uma pequena pasta cheia de estilo.

– Izzy já escovou os dentes. Ela está esperando você para colocá-la na cama. – A voz dela era suave e fresca como uma chuva de primavera, e suavizava a ansiedade dele.

Annie estava perto dele, os braços dos lados do corpo. Mesmo com esse cabelo curto ela era linda. Uma blusa cinza da UW por cima de um jeans grande demais, mas sem camuflar seu corpo. Subitamente ele se lembrou dela nua, lembrou vividamente como ergueu os braços para tirar a blusa... o luar beijando os seios dela...

– Nick? – Ela deu um passo para mais perto. – Você está bem?

Ele forçou uma risadinha. – Tão bem quanto um bêbado que parou de beber pode estar, eu acho.

– Você vai conseguir. – Ela estendeu a mão na direção dele, e ele se inclinou um pouquinho na direção dela, precisando daquele contato mais que de ar, mas, no último instante, ela recuou. – Não é fácil começar de novo. Eu sei...

Ele viu a expressão assombrada nos olhos de Annie e imaginou o que tinham feito com ela, aquele homem que colocara um diamante do tamanho de um ovo na mão esquerda dela. Queria perguntar, mas não parecia correto, não devia forçar assuntos dolorosos para ela. – Você salvou minha vida, Annie. Não sei como agradecer.

Ela sorriu. – Eu sabia o tempo todo que você ia voltar para ela. Não foi um risco muito grande. Eu conseguia ver quanto você ama a Izzy.

– Tanto otimismo. – Ele olhou para o lago escuro. – Eu amava Kathy também, e veja o que aconteceu. – Ele suspirou e se encostou num dos pilares da varanda, olhando para o jardim. – Sabe o que me assombra? Eu nunca compreendi de verdade a minha esposa. O mais triste é que compreendo agora. Sei como é sentir desesperança; antes eu achava que sabia, mas estava só nadando na superfície. Ela costumava me dizer que não conseguia mais sentir o sol, nem quando estava parada bem embaixo dele, nem quando estava bem quente no rosto. – Nick estava surpreso por conseguir falar tão facilmente sobre a esposa. Pela primeira vez se lembrava *dela,* não da doença ou do desmoronamento do casamento nos últimos anos, lembrava-se de Kathy, sua Kathy, a garota de olhos brilhantes e coração grande por quem havia se apaixonado. – Ela não queria mais viver na escuridão...

Quando olhou novamente para Annie, ela estava chorando. Nick sentiu-se sem jeito e egoísta pesando na tristeza dela. – Desculpe... eu não queria perturbar você.

Ela ergueu o rosto para ele. – Você tem tanta sorte.

– O quê?

– Não importa o que você sentiu pela Kathy no final, ou desde o final. Você obviamente a amava. Não importa o que ela tenha feito, ou por que o fez, ela devia saber disso. – A voz dela tornou-se um suspiro rouco. – A maioria das pessoas nunca amou assim nem uma vez em toda a vida.

Ele sabia que ia fazer a pergunta, apesar de não dever. Ele andou na direção dela, parando um pouquinho além da distância segura. – E quanto a você? Você conheceu esse tipo de amor?

– Não. Eu amei dessa forma... mas ser amada... eu acho que não.

– Você merece mais que isso.

Ela assentiu e enxugou os olhos. – Nós todos não merecemos?

O silêncio caiu entre eles, estranho e desconfortável. – Annie...

Ela parou e olhou para ele. – Sim?

– Talvez você queira vir amanhã. Passar o dia conosco.

– Eu gostaria – ela respondeu rapidamente, então desviou os olhos.

– Obrigado. – A voz dele foi suave, e chegou tão perto de um beijo quanto ele ousava.

– Não tem de quê, Nicky. – Houve outro momento estranho quando ela ergueu os olhos para ele. – Você deve saber que Izzy começou a falar quando você estava fora.

Nick juntou as sobrancelhas. – Ela não falou comigo.

Annie tocou o braço dele em uma carícia breve. – Vai falar. Dê tempo a ela.

Ele não conseguia olhar para Annie. Então olhou para o lago.

Ela se moveu nervosa de um pé para o outro, então disse – Bem, é melhor eu ir para casa...

– Vejo você amanhã.

Ela assentiu e passou depressa por ele. Com um aceno rápido, ela entrou no Mustang e foi embora.

Nick ficou olhando as luzes vermelhas, dois pontos na escuridão da floresta, até ela virar na curva e sumir. Relutante, voltou para dentro e subiu a escada. Do lado de fora do quarto de Izzy, ele parou e bateu.

Responda, meu bem... você consegue.

Mas não houve resposta. Lentamente, ele virou a maçaneta e abriu a porta.

Ela estava sentada na cama, o braço direito em volta de Miss Jemmie. A luva negra na mão esquerda era uma pequena mancha sobre a colcha branca e lilás.

Ele foi até a cama e se sentou ao lado dela.

O silêncio cresceu entre eles, e cada batida do coração tirava um pouco da confiança de Nick. – Pensei em ler uma história para você.

Ela largou Miss Jemmie e tirou um livro de baixo das cobertas, entregando-o para ele.

– Ah, *Onde Estão os Monstros.* Como será que Max está? Ele provavelmente virou um javali.

Izzy emitiu um som pequeno, de soluço, como uma risada abafada.

Passando um braço pelos ombros dela, Nick a puxou para mais perto. Com o livro aberto no colo, ele começou a ler. Usou sua melhor voz de contador de histórias, aquela de que Izzy sempre gostou.

E, quando mergulhou na história familiar, ele sentiu pela primeira vez que talvez tivesse uma chance.

Mas não era tão fácil. Na primeira semana, Nick estava trêmulo e mal-humorado e com medo de que se fizesse um movimento errado terminaria em uma banqueta do Zoe's. Cada momento do dia era um teste agoniante de sua força de vontade.

Ele acordava cedo, precisando de uma bebida, e ia para fora cortar lenha, ainda precisando de uma bebida, e ficava lá por horas, cortando, suando, imaginando se aquele seria o dia em que ia falhar.

Annie chegava todos os dias com um sorriso no rosto e uma atividade planejada. Por pura força de vontade, ela estava transformando os três em um arremedo de família, e era essa conexão que fazia Nick continuar indo às reuniões dos AA todos os dias. Ele fazia tudo para não desapontar Annie e Izzy.

Agora, ele estava dirigindo para a reunião das quatro da tarde. Diminuiu a velocidade na rua principal, as mãos agarrando a direção com força. Fazia cinco minutos que começara a chover, e a força da tempestade tinha feito os pedestres procurarem abrigo, deixando a cidade silenciosa. Apenas alguns poucos carros estavam estacionados por ali.

Exceto diante do Zoe's. Diante da taverna havia uma boa quantidade de carros. Ele sabia por experiência que todas as banquetas do bar estavam ocupadas. Olhou para as janelas sujas da taverna, ouvindo dentro da cabeça o som de copos batendo e o uísque derramando sobre pedras de gelo.

Lambeu os lábios molhados e engoliu depressa, tentando não imaginar como seria delicioso o sabor de uma bebida. Ainda não conseguia imaginar o resto da vida sem beber, mas conseguia lidar com aquele dia.

Nick pisou no acelerador. Sentiu cada detalhe da rua ao passar pelo Zoe's, e, quando chegou à igreja luterana, o tremor tinha diminuído um pouco e o suor era uma trilha fria secando em sua pele.

Parou no estacionamento pavimentado atrás da igreja, sob um outdoor da cerveja Rainier. Esperou um segundo para se recompor, então colocou as chaves no bolso e entrou.

A essa altura, a sala estava cheia de rostos familiares, e era estranhamente reconfortante passar pela porta aberta.

Joe sorriu, chamando-o para sentar com ele.

Assentindo, Nick foi pegar uma lata de Coca, então se sentou na cadeira ao lado da de Joe.

– Nicholas, você está bem? Está parecendo pálido.

– Não sei – ele respondeu, um tantinho agradecido pelo fato de os AA lhe darem isso, a habilidade de ser honesto pela primeira vez na vida. Essa sala, entre essas pessoas estranhas mas conhecidas, era o único lugar onde podia tirar sua vulnerabilidade e defeitos do bolso da alma e os jogar sob a luz forte para serem examinados. Havia algum conforto nisso, ele sabia agora. A honestidade ajudava. Admitir que o vício era mais forte que ele ajudava ainda mais.

Em casa, sentia-se pressionado o tempo todo. Aonde quer que fosse, o que quer que dissesse, sentia os olhos de Izzy sobre ele. Ela estava esperando pelo inevitável fracasso.

Izzy não tinha dito nem uma palavra para ele ainda, e dessa vez os silêncios eram piores do que antes, porque ela estava falando com Annie. Apesar de ele nunca ter ouvido. Nem uma vez havia escutado a doçura da voz de sua menininha.

As refeições também eram ruins. Às vezes, quando ia pegar o garfo, a mão tremia tanto que tinha de dizer que estava com dor de cabeça e correr para o isolamento escuro do seu quarto.

Ele olhou para Joe com um sorriso fraco. – Tentar é muito mais difícil do que não tentar, sabe?

– Sempre é assim, Nicholas. Você sabe que estou aqui com você. Nós todos estamos.

Nick ficou grato por isso. – Eu sei.

A reunião começou. Uma por uma, as pessoas ao redor dele falaram, aquelas que queriam compartilhar seus problemas, revelando o tempo em que estavam sóbrias e os fracassos e outras esperanças e sonhos. Como sempre, acabavam todas olhando para Nick.

Ele pensou em dizer alguma coisa. *Oi. Eu sou Nick. Eu sou alcoólatra. Não bebo faz vinte e três dias.*

Mas, no final, como em todas as outras vezes, ele não conseguiu falar.

Capítulo 16

Os dias deles seguiam um padrão familiar. De segunda a sexta, Annie chegava à casa de Nick cedo e animada. Ele fazia panquecas e ovos para o café da manhã, e então os três passavam o dia juntos. Com sol ou chuva, iam para fora, para pescar nos barrancos do rio, andar de bicicleta nas trilhas ao redor do lago ou olhar as vitrines na rua principal. Hoje eles tinham caminhado no vale encantado e agora, várias horas e muitos quilômetros depois, todos os três estavam exaustos. A pobre Izzy tinha caído no sono quase antes de se deitar.

Annie inclinou-se e beijou a testa da menina, murmurando baixinho um boa-noite.

– 'Noite, Annie – Izzy balbuciou de volta, com os olhos fechados.

Annie ergueu-se. Aquele era o momento da semana que mais odiava. Sexta-feira de noite. Não ia ver Nick e Izzy novamente até a segunda, e, apesar de gostar do período que passava com Hank, mal podia esperar pela manhã de segunda. Ela não costumava se deixar ficar pensando muito sobre quanto gostava de Nick e Izzy, ou como parecia *certo* estar com eles. Esses pensamentos a levavam por uma estrada escura e tortuosa que a assustava, então ela os afastava para longe, para um canto escuro que sempre abrigara suas incertezas. Tinha chegado à triste conclusão de que Blake não ia mudar de ideia, que não ia receber o telefonema com pedidos de desculpas sobre o qual fantasiara por semanas. Sem nem mesmo uma pequena fantasia na qual se agarrar, ela ficou à deriva. Às vezes, no meio de um lindo dia de primavera, tropeçava em seu medo e a força dele a chocava e assustava.

Era nesses momentos que se voltava para Hank, mas as palavras de conforto dele, *ele vai voltar, meu bem, não se preocupe, ele vai voltar,* não serviam mais para acalmar Annie. Não acreditava nelas e, de alguma forma, esse não acreditar machucava mais do que a dor de acreditar. Terri era a única que compreendia, e um telefonema para sua melhor amiga, geralmente tarde da noite, era a única coisa que ajudava.

Ela começou a se virar quando notou algo pela janela, um movimento. Annie afastou a cortina.

Nick estava parado junto do lago, a sombra dele era uma longa faixa sobre as ondas prateadas. Como sempre, ele tinha ajudado com a louça do jantar, depois lera uma história para Izzy e então foi para fora ficar sozinho.

Ele era tão solitário quanto ela. Annie via isso nos olhos dele o tempo todo, uma tristeza que permanecia mesmo quando sorria.

Ele estava fazendo tanta força. Ontem, tinha passado quase duas horas jogando *Candy Land* com Izzy, o corpo grande curvado de forma desconfortável sobre o tabuleiro colorido. Cada vez que Izzy sorria, Nick parecia que ia chorar.

Annie nunca tinha sentido tanto orgulho de alguém como o que sentia agora por ele. Nick estava tentando fazer tudo direito, sem beber, sem xingar, sem quebrar promessas. Nada além de sorrisos suaves e tristes e passar o tempo com a menininha que ainda o estudava cautelosa e não falava com ele.

Era comum, durante o dia, que Annie se lembrasse de Blake, e o tipo de pai que ele fora. Nunca presente, física ou emocionalmente, para a filha. Isso era parcialmente culpa de Annie; ela via isso agora. Ela era parte do que o casamento deles havia se tornado. Tinha feito cegamente tudo o que ele pedira. Tudo. Havia dado tanto, a si mesma por inteiro e também todos os seus sonhos; tinha entregado tudo sem um murmúrio de protesto... e isso porque o amava tanto.

Sua vida, sua alma, tinham desbotado nas dele, um dia, uma decisão por vez. Coisas pequenas... que não eram nada em si mesmas...

Um corte de cabelo que ela não fez porque Blake gostava do seu cabelo comprido, um vestido que não comprou porque ele achava que só vadias usavam vermelho.

Ela fazia o que eles "concordavam" que devia fazer. Ficava em casa e se tornara a perfeita esposa suburbana e mãe, e, em sua busca pela perfeição silenciosa, tinha deixado Blake se tornar um mau marido e um mau pai. O tempo todo ela pensava que estava sendo a esposa perfeita. Só agora conseguia ver como estava errada: tinha feito todos esses sacrifícios com sua força e amor, mas também por causa da fraqueza. Porque era mais seguro e mais fácil ser uma seguidora. Tinha se tornado o que planejara ser, e agora se envergonhava de suas escolhas. Mesmo assim, não compreendia direito para onde iria a partir de onde estava agora.

Sozinha. Era só isso que sabia. Para onde quer que fosse, seria como uma mulher de meia-idade sozinha.

Desejava ter a força de Nick, a determinação de empurrar o medo para o lado e *tentar.*

Annie tocou o copo suavemente, sentindo a suavidade gelada nas pontas dos dedos. – Você vai conseguir, Nick.

E ela acreditava nisso.

Fechando a porta do quarto, Annie desceu. Pegou a bolsa no sofá e foi até a porta. Lá fora, o ar fresco da noite passou pelo seu rosto.

Olhou para o gramado, que parecia negro, e para Nick. Era em momentos como esse, no silêncio do final do dia, que as lembranças de quando tinham feito amor flutuavam para a superfície da mente.

Ela fechou os olhos por um momento e se lembrou da sensação das mãos dele em sua pele nua... a suavidade dos lábios dele...

– Annie?

Os olhos dela se abriram subitamente. Nick estava na sua frente, e, quando olhou para ele, ficou certa de que estava tudo ali em seus olhos: o desejo nu e desesperado por carinho e companhia. Tinha medo de que, se falasse com ele, se dissesse qualquer coisa, e ouvisse aquela voz suave de tenor responder, ela se perderia. Estava vulnerável agora, ansiando por ser abraçada e tocada por um homem... mesmo que fosse o homem errado... mesmo que ela não fosse realmente a mulher que ele queria.

Annie forçou um sorriso rápido e nervoso. – Oi, Nick... tchau, Nick. Tenho de correr.

Antes que ele respondesse, ela correu para o carro.

Mas um quilômetro adiante, sozinha no carro, escutando a voz rascante de Rod Stewart cantando sobre coração e alma, e uma atração que era puramente física, ela ainda estava lembrando...

* * *

Na manhã de sábado, Izzy estava na varanda com seu novo macacão brilhante e botas de chuva, olhando seu papai. Ele estava ajoelhado no jardim, do lado da árvore que tinha plantado no dia do funeral da mamãe dela. A cerejeira fininha não ficava verde, nem agora, quando tudo ao redor dela estava brotando. Estava morta, igual à mamãe dela.

Seu papai estava curvado, como um personagem dos seus livros, com luvas sujas que faziam as mãos parecerem patas de urso. Ele arrancava ervas daninhas de perto da arvorezinha, e estava cantarolando uma música, uma que Izzy não ouvia fazia muito tempo.

De repente, o papai dela ergueu os olhos e a viu. Deu um grande sorriso e afastou o cabelo prateado do rosto. A luva deixou uma grande mancha marrom de lama na testa dele. – Ei, Izzy – ele disse. – Quer me ajudar a tirar as ervas daninhas?

Lentamente, ela foi até ele, passando pelas prímulas que Annie tinha plantado naquela semana. Ele ainda estava sorrindo quando Izzy chegou lá.

Tudo o que ela podia pensar era que seu papai estava de volta e que queria um abraço mais que tudo no mundo, mas estava com medo. E se ele não ficasse novamente? Ela quase disse uma coisa para ele, quase abriu a boca e tentou.

– O que foi, Izzy?

As palavras não saíram. Elas ficaram presas na garganta dela em uma velha bola grande. *Vamos lá, Izzy,* ela disse para si mesma, *apenas diga "Oi, papai. Senti sua falta"*.

Mas não conseguia. Em vez disso, ela estendeu a mão e apontou para o rastelo caído no chão. Ele se curvou e pegou o grande garfo, entregando-o lentamente para ela. – Está tudo bem, Raio de Sol – ele disse suavemente. – Eu entendo.

Eu amo você, papai. Lágrimas surgiram nos olhos dela; Izzy estava triste e embaraçada por não conseguir se forçar a falar as palavras. Ela fechou os olhos com força antes que ele visse as lágrimas estúpidas de bebê. Então pegou o rastelo e se ajoelhou do lado dele.

Ele começou a falar, sobre o tempo e flores e o dia bonito. Falou tanto que ela esqueceu que estava embaraçada e triste e que era uma menininha estúpida que não conseguia mais falar com seu papai.

Domingo foi o tipo de dia que enganava as pessoas e as fazia mudar para esse canto do mundo úmido e encharcado. O tipo de dia em que turistas desavisados que tropeçavam na floresta tendiam a descrever com deslumbre e depois se descobriam passando com seus carros alugados lentamente diante das imobiliárias. Quase sem pensar, eles pegavam panfletos sobre cabanas para vender, e ligavam para suas famílias distantes contando histórias sobre a terra mais maravilhosa que jamais tinham visto.

Quando Nick abriu as cortinas da sala e olhou para fora, ficou tão deslumbrado quanto qualquer pessoa de fora dali. Um sol amarelo brilhante acabava de sair de trás das árvores; os raios de luz iluminavam a floresta por trás, dando-lhe um brilho translúcido, quase de outro mundo. O Lago Mystic engolia as imagens dos arredores e as segurava na sua superfície azul espelhada. Na margem de lá, uma única garça cinza estava parada em uma perna só, examinando orgulhosamente seus domínios.

Era um dia perfeito para um passeio de pai e filha lá fora. Ele correu escada acima e acordou a menina. Ele a ajudou a escovar os dentes e a se vestir com roupas quentes de lã. Enquanto ela estava arrumando a cama, ainda sonolenta, ele desceu e preparou uma cesta de piquenique. Salmão defumado comprado fresco da tribo Quinault na barraca da estrada, queijo cremoso e bolachas de água e sal para ele, sanduíches de manteiga de amendoim e geleia para Izzy. Annie tinha deixado uma jarra de limonada, que ele colocou numa garrafa térmica e depois ajeitou tudo na cesta de piquenique.

Uma hora mais tarde, estavam percorrendo a estrada costal que parecia dividir o mundo em dois. De um lado ficava a floresta mais escura e densa dos Estados Unidos, e, do outro, a área selvagem junto do Oceano Pacífico.

Do lado da costa, os pinheiros tinham sido esculpidos por centenas de anos de ventos fortes; os galhos eram curvados para trás, em arcos que não pareciam naturais.

Nick estacionou em uma das áreas feitas para os turistas pararem para contemplar a paisagem. Segurando a mão de Izzy, ele a levou pela trilha que ia até a praia.

Abaixo deles, imensas ondas com espuma branca quebravam contra as pedras. Quando finalmente chegaram à areia dura, Izzy sorriu para ele.

O oceano azul prateado estendia-se por quilômetros além da terra. Às vezes, o vento nessa área do Pacífico uivava com tanta força que ninguém conseguia respirar, mas hoje estava tudo imensamente calmo. O ar era fresco e delicioso como uma maçã amadurecida ao sol. Cormorões, alciões e gaivotas voavam, grasnavam e giravam lentamente no alto, pousando de vez em quando numa das árvores esculpidas pelo vento que cresciam sobre as rochas do tamanho de casas onde as ondas quebravam.

Nick colocou a cesta de piquenique em uma pedra cinza perto do final da terra. – Vamos, Izzy.

Eles correram pela areia, rindo, criando as únicas pegadas em quilômetros, procurando tesouros escondidos: estrelas redondas, pedras de quartzo translúcido e pequenos siris negros. Em uma curva da costa, eles depararam com uma massa de minúsculas águas-vivas azuis que alcançava os joelhos, soprada para a praia pelo vento, um sinal claro para os mais velhos de que atuns apareceriam na costa neste verão.

Quando o sol ficou a pino no céu e enviou seu calor através das camadas de lã e tecido impermeável, Nick levou Izzy de volta para onde tinham começado. Estendeu um grande cobertor vermelho e branco na areia dura e tirou as coisas da cesta. Eles se sentaram de pernas cruzadas sobre o cobertor e comeram o lanche.

Durante todo o tempo, Nick ficou contando histórias sobre os nativos que ocuparam aquela praia inicialmente, centenas de anos antes de os primeiros colonos brancos aparecerem; sobre as festas loucas a que ele tinha ido na época do colegial naquele mesmo local; sobre o período em que levou Kathy até ali quando ela estava grávida.

Uma vez, ele achou que Izzy ia dizer alguma coisa. Ela se inclinou para a frente, os olhos castanhos cintilando, os lábios tremendo.

Ele baixou o copo de limonada. *Vamos lá, Izzy querida.* Mas, no fim, ela não disse nada. O que quer que tivesse chegado até a ponta da língua dela tinha se perdido.

Esse silêncio era pior do que os outros, de certa forma. Ele se alojou no coração dele como uma farpa de aço; ele a sentiu em cada respiração depois disso. Mas se forçou a sorrir e contar outra história, dessa vez sobre uma noite havia muito tempo quando ele e Annie tinham subido no alto da torre da caixa d'água da cidade e pintaram GO PANTHERS nas laterais de metal.

Quando terminaram o piquenique, eles colocaram os restos na cesta e voltaram devagar, em silêncio, até o carro. Foram para casa com os últimos raios de sol. Nick achou difícil continuar falando, continuar dividindo sua alma com o silêncio completo que os cercava, mas se forçou a fazer isso. Quando passaram pelo Zoe's, a necessidade de beber cresceu dentro dele, forte como uma onda. Ele pisou no acelerador com força e passaram depressa diante da taverna.

Quando pararam em casa, o dia tinha dado lugar a um entardecer rosa e dourado. Ele segurou a mão de Izzy quando andaram em silêncio até a casa.

– O que acha de um jogo? – ele disse, fechando a porta.

Izzy não respondeu, mas saiu correndo. Um momento depois ela reapareceu, com a caixa grande do *Candy Land* abraçada contra o peito pequeno.

Ele gemeu de forma dramática. – Esse não, qualquer coisa menos esse. Que tal o pega-varetas?

Ela deu uma risadinha, e esse simples som fez os nervos dele se acalmarem. Nick acendeu o fogo rapidamente, então prepararam o jogo no meio do chão da sala.

Um jogo virou outro e outro e outro. Quando Nick por fim perdeu o controle motor fino, jogou as peças coloridas na caixa grande. – Eu desisto. Você é a rainha do *Candy Land*. Ninguém pode vencer você. Vamos, Izzy querida, está na hora de jantar. Até *cozinhar* é melhor que esse jogo. – Ele se levantou lentamente, já que tinha perdido metade da circulação sanguínea das pernas, e parou em pé, balançando um pouco.

Ela saltou e segurou a mão dele. A preocupação fez com que franzisse a testa.

Ele sorriu para ela. – Está tudo em ordem, meu bem. Só estou velho, e pessoas velhas ficam meio desequilibradas. Lembra da vovó Myrtle? Ela andava como um brinquedo quebrado.

Izzy deu uma risadinha.

Na cozinha, eles se sentaram à mesa grande e comeram macarrão com queijo comprado pronto até a pele deles ficar com o brilho alaranjado do que quer que passasse por queijo naqueles pacotinhos brancos. Izzy ajudou Nick a lavar e secar a louça e a guardar tudo, e então eles subiram. Ele a ajudou a vestir a camisola, a escovar aqueles incríveis dentinhos brancos dela, e juntos deitaram na cama estreita da menina.

Ele pegou um exemplar bem folheado de *Alice no País das Maravilhas* na cabeceira. Passando um braço pelos ombros estreitos de Izzy, puxou a filha para perto e começou a ler.

Quando fechou o livro, as pálpebras dela estavam pesadas e ela estava mais que meio dormindo. – Boa noite, Raio de Sol – ele disse suavemente, beijando a testa dela. Lentamente, ele se afastou e levantou.

Ela ergueu o braço subitamente e segurou a mão dele. Ele se virou e olhou para ela. – Izzy?

– Papai?

Por um segundo, Nick não conseguiu respirar. Era a primeira vez que ouvia a voz de sua doce filhinha em quase um ano. Lentamente, lentamente, ele se sentou ao lado dela. Estava com lágrimas nos olhos, o que fazia a imagem de sua preciosa menina ficar turva. – Izzy – ele sussurrou, incapaz de encontrar outras palavras.

– Eu amo você, papai – ela disse, e agora ela também estava chorando.

Ele deu nela um abraço de urso, escondendo o rosto no pescoço dela para que ela não o visse chorando. – Ah, Izzy querida, eu amo você também – ele murmurou de novo e de novo, acariciando o cabelo dela, sentindo as lágrimas da filha se misturarem com as suas na suavidade do rosto dela. Ele a abraçou apertado, imaginando se jamais teria força de parar o abraço.

Ela dormiu nos braços dele, e ele continuava abraçando-a. Por fim, Nick a colocou gentilmente no travesseiro e a cobriu com delicadeza. Quando olhou para sua menina adormecida, sentiu um jorro de emoção tão puro, doce e forte que nenhuma palavra, nem mesmo *amor,* poderia ser grande o bastante para descrever.

O triunfo era uma trêmula ária aguda em sua corrente sanguínea. E tudo por causa de algo tão simples, e tão infinitamente complexo, quanto uma criança dizer *eu te amo.* Três pequenas palavras que ele nunca desprezaria novamente.

Ele não conseguia conter a enormidade de suas emoções; elas estavam transbordando, quebrando umas por cima das outras como ondas. Ele sentiu a vontade mais incrível de rir alto. Queria compartilhar esse momento com alguém de quem gostasse.

Annie.

Ele sabia que era perigoso, esse desejo súbito de falar com ela, de estar com ela, de contar para ela o que estava sentindo. Ele sabia, e não se importou. Não podia se importar.

Nick foi para o quarto e pegou o telefone.

Segunda-feira foi um dia mágico, cheio de risadas. Mais uma vez o sol baniu as nuvens do céu. Nick, Annie e Izzy andaram de bicicleta, colheram flores selvagens e fizeram coroas com as flores roxas e brancas que abriam durante a noite.

Annie não conseguia se lembrar de quando havia se divertido tanto assim. Blake nunca passara um dia assim com suas garotas, só os três; mesmo nas raras vezes em que estava em casa, ele passava o tempo ao telefone ou junto do fax ou do computador. Só agora Annie começava a compreender como sua vida tinha sido solitária.

Pedalando a bicicleta pela trilha do National Park, ela se descobriu recordando trechos da conversa que teve com Nick na noite anterior. *Ela falou comigo, Annie. Ela me disse que me ama.* A alegria na voz dele levou lágrimas aos olhos dela, e, quando ele continuou, contando sobre o dia que passaram na praia, Annie sentiu inveja da perfeição daquilo tudo.

Apesar de nenhum dos dois hoje ter mencionado a conversa, ela ficou no ar entre os dois, como grãos de poeira que pareciam subitamente maiores ao serem atingidos pela luz do sol. Tinham tecido um novo fio de intimidade durante aquela conversa. A distância do telefone de alguma forma tornou tudo mais fácil.

No meio de tudo, Annie começou a se lembrar do velho Nick, o Nick jovem, e como ela o amava. Quando fechou os olhos enquanto ele falava, viu o rapaz que foi o primeiro que a beijou em uma noite estrelada. O rapaz cujo beijo gentil e hesitante a fez chorar.

Ela podia sentir que estava escorregando para águas perigosas. Tantas coisas em Nick a tocavam, mas era a profundidade do amor dele por Izzy que a torcia por dentro e a deixava dolorida. Não importava quanto tentasse esquecer a vida que tinha vivido na Califórnia e as escolhas que fizera, Nick trouxe tudo de novo. Annie criara uma filha que nunca conheceria o abraço reconfortante da adoração de um pai.

E ela tinha sido uma esposa que amou sozinha por anos demais.

Ela se sentira patética e pequena ao cruzar a ponte raquítica dessa realização. Durante anos, tinha confundido o hábito e a afeição com amor verdadeiro. Tinha assumido que o amor que dava ao marido era o reflexo do amor que ele sentia por ela, e agora, por causa de sua cegueira, estava sozinha, uma mulher com trinta e nove anos que encarava seus anos "dourados" sem uma criança em casa ou um marido na cama.

Naquele momento, ela e Nick estavam separados por quilômetros, e ela ficara feliz por isso porque, se ele estivesse ao seu lado, o teria tocado, teria implorado para ele a abraçar e beijar e dizer que ela era bonita... mesmo que fosse mentira.

Agora, indo para casa depois do passeio de bicicleta, Annie torcia para Nick não ter percebido toda a solidão e dor em sua voz. Cada vez que ele a havia olhado hoje, ela desviou os olhos, depressa.

Quando voltaram para casa, ela estava exausta. Sentou-se em silêncio à mesa, os olhos focalizados na comida, o pé direito batendo nervoso no chão.

Assim que o jantar acabou, ela saltou em pé e correu para colocar Izzy na cama, deixando Nick para lavar e secar os pratos.

– Boa noite, Izzy – ela disse, cobrindo a menina. – Seu papai vai subir em um minuto.

– Noite, Annie – Izzy murmurou, virando de lado.

Annie fechou a porta do quarto e desceu. Encontrou Nick na sala, olhando para o lago. Mesmo dessa distância, ela podia ver que as mãos dele tremiam. Havia um pano de prato úmido aos pés dele.

O último passo fez o degrau ranger e ela parou.

Ele girou. A pele estava pálida, e havia suor na testa.

– Você quer beber – ela disse.

– Quero? – A risada dele foi longa e dura. – Isso nem começa a descrever o que estou sentindo.

Annie não sabia o que fazer. Era perigoso tocá-lo, mas não podia ignorar isso. Cautelosamente, foi até ele. Ele segurou a mão dela, os dedos suados envolveram os dela com um aperto desesperado.

Depois de um longo minuto, ela disse – Que tal uma tigela de sorvete de menta com pedaços de chocolate?

– Ótimo. Vou dizer boa-noite para Izzy, depois... encontro você perto da lareira. – Ele sorriu antes de se virar e subir a escada.

Annie foi para a cozinha e preparou duas tigelas de sorvete. O tempo todo ficou dizendo para si mesma que não era nada, apenas dois amigos tomando sorvete. Quando terminou, Nick já tinha descido. Juntos, eles se sentaram no sofá.

Comeram em silêncio. O barulho das colheres na porcelana parecia incrivelmente alto. Ela estava agudamente consciente de tudo nele, do modo como batia o pé no chão, ansioso, ao modo como ficava colocando toda hora um cacho do cabelo por trás da orelha.

Subitamente, ele olhou para ela. – Até quando você vai ficar aqui?

Então era isso. Ela suspirou. – Cerca de um mês e meio. Natalie volta para casa em 15 de junho.

O olhar dela encontrou o dele, e ela sentiu como se estivesse caindo nos olhos azuis dele.

A respiração de Annie ficou presa no peito. Ela se percebeu esperando para ouvir o que ele diria em seguida, apesar de não conseguir imaginar o que seria.

– O que você acha de Mystic? – ele perguntou lentamente, observando-a. – Você certamente mal podia esperar para partir depois do colegial.

– Não foi Mystic que me fez sair correndo.

Levou um longo minuto antes de ele voltar a falar. – Eu não queria magoar você.

– Eu sei.

– Você me assustava.

Ela sentiu aquilo desabrochar novamente nas palavras dele, aquele delicado botão de intimidade que os uniu ontem à noite. Isso a assustava, especialmente agora, quando estava tão perto dele. Tentou afastar a sensação com uma risada. – Você está brincando, certo?

Ele se inclinou para a frente e colocou a tigela na mesa de centro. Então, lentamente, virou-se para ela. Um braço foi para o encosto do sofá, atrás dela, e Annie teve de conter o impulso de se encostar nele. – Acho que nossa vida é mapeada muito antes de sabermos o suficiente para fazermos as perguntas certas. A minha foi gravada em pedra no dia que meu pai abandonou minha mãe. Ela tinha... dificuldade para lidar com a vida. Antes mesmo que eu soubesse o que estava acontecendo, era eu quem cuidava dos dois. Aprendi tudo que uma criança de pais bêbados aprendem: não fale, não confie, não se importe. Droga, eu era adulto antes de estar com dez anos. Eu fazia as compras, cozinhava, limpava... onde quer que vivêssemos. Eu a amava, então cuidei dela, e, quando ela se voltava contra mim ou era violenta, eu acreditava no que ela dizia, que eu não tinha valor e era idiota e tinha sorte por ela ficar comigo. – Ele voltou a se encostar no sofá.

Annie sentiu as pontas dos dedos dele rasparem em seus ombros. Olhou para ele, lembrando como tinha sido belo, como foi quando o viu pela primeira vez, como vê-lo a deixara sem ar.

– Viver aqui com Joe foi como um sonho para mim. Lençóis limpos, roupas limpas, muita comida. Eu podia ir à escola todos os dias e ninguém batia em mim. – Ele sorriu para ela, e o calor do sorriso a fez tremer. – Então conheci você e Kath. Lembra?

– No A and W, depois de um jogo de futebol. Convidamos você para sentar conosco. Tinha um disco do K-Tel tocando ao fundo.

– *Você* me convidou. Eu não consegui acreditar quando você fez aquilo... e depois, quando ficamos amigos, aquilo me surpreendeu. Tudo naquele ano foi uma primeira vez para mim. – Ele sorriu, mas o sorriso foi triste e cansado e não chegava aos olhos. – Você foi a primeira garota que eu beijei. Sabia disso?

A garganta de Annie ficou perigosamente apertada. – Eu chorei.

Ele assentiu. – Pensei que fosse porque você *sabia.* Como se conseguisse sentir o gosto em mim, de alguma forma, e soubesse que eu não era bom o bastante.

Ela queria tocá-lo tanto que os dedos formigavam. Annie forçou-se a fechar a mão. – Eu não sabia por que chorei. Ainda não sei.

Ele sorriu para ela. – Está vendo? Os caminhos são traçados antes de percebermos. Kathy era tão mais simples. Eu a *compreendia.* Ela precisava de mim, mesmo naquela época ela precisava de mim, e para mim isso era o mesmo que amor. Eu apenas assumi o papel que conhecia. Quer dizer, o que eu devia fazer? Pedir para você desistir de Stanford? Ou esperar por você, apesar de você nunca ter me pedido para esperar?

Annie não tinha pensado em ser ousada o suficiente para falar com Nick sobre o que sentia. Como ele, tinha se encaixado com facilidade no papel que conhecia. Fez o que era esperado dela; Annie, a boa garota. Foi embora para a faculdade e se casou com um bom rapaz com um futuro brilhante... e se perdeu no caminho.

– Sempre achei que você seria famosa – ele disse por fim. – Você era tão inteligente. A única pessoa em Mystic a ter conseguido uma bolsa para Stanford.

Ela deu uma risada. – Eu, famosa? Fazendo o quê?

– Não faça isso, Annie. – A voz dele era tão suave quanto um toque, e ela não conseguiu evitar olhar para ele. A tristeza nos olhos de Nick se enrolou na garganta dela e apertou. – Esse não é um bom caminho para seguir. Acredite, eu sei. Você pode ter sucesso em qualquer coisa que quiser fazer. E dane-se qualquer um que disser o contrário.

O encorajamento dele foi como um balde de água na alma seca e sedenta dela. – Eu *pensei* em uma coisa outro dia...

– O quê?

Ela recuou. – Você vai rir.

– Nunca.

Perigosamente, ela acreditou nele. – Eu gostaria de ter uma pequena livraria. Sabe como, com poltronas muito macias e máquinas de cappuccino e funcionários que *leem* de verdade.

Ele tocou o rosto dela, uma carícia rápida que a fez tremer. Era a primeira vez que ele a tocava deliberadamente desde aquela noite junto do lago. – Você devia ver a si mesma agora, Annie.

O calor subiu para as faces dela. – Você deve achar que estou sendo ridícula.

– Não. Nunca. Eu só estava reparando como seus olhos se iluminaram quando você disse "livraria". Acho que é uma ótima ideia. De fato, tem uma velha casa vitoriana na rua principal. Era uma loja de presentes até uns meses atrás. Quando o dono morreu, ela foi fechada. Estão tentando alugar. Com uma pequena reforma, ali seria um ótimo lugar. – Ele fez uma pausa e olhou para ela. – Se é que você quer abrir essa livraria aqui em Mystic.

A fantasia se desfez. Eles dois sabiam que a vida dela não era em Mystic. Annie morava em outro estado, sob outro sol, em uma casa branca junto do mar. Ela olhou para a aliança com o diamante, tentando pensar em alguma coisa para dizer, um modo de afastar o sonho tolo e fingir que nunca tinha falado nisso.

Ele disse subitamente – Você assistiu a *Same Time, Next Year*[20]?

Ela franziu a testa. – O filme com o Alan Alda, aquele sobre o casal que tem um caso em um fim de semana por ano?

– Sim.

Ela achou difícil respirar normalmente. O ar parecia eletrificado por aquela simples palavra: *caso.* – Eu... eu sempre adorei esse filme.

– Vai começar em dez minutos. Quer ver?

A respiração dela saiu de uma vez. Annie sentiu-se uma boba por ler alguma coisa em uma simples pergunta sobre um filme.

– Claro.

Eles se ajeitaram no sofá e viram o filme, mas durante o tempo todo Annie teve a estranha sensação de que estava caindo. Ficava olhando para

[20] No Brasil, *Tudo bem no ano que vem.* Filme dirigido por Robert Mulligan, de 1978, com Alan Alda e Ellen Burstyn. (N.T.)

Nick, e em várias vezes o pegou olhando para ela. Annie não queria pensar em quanto ele passou a importar, mas não havia como evitar o óbvio.

Na noite anterior, ela aprendera que ele gostava de sorvete com pedaços de chocolate e odiava beterraba... que azul era a cor favorita dele e esportes profissionais o entediavam profundamente... que gostava de batata assada com manteiga e pedacinhos de bacon, mas sem sal nem pimenta, e que às vezes um beijo de Izzy, dado quando se aproximava dele, tinha o poder de fazê-lo chorar.

Ela sabia que geralmente a vontade de beber crescia nele com tamanha ferocidade que o deixava ofegante e com os olhos vidrados. Nesses momentos, ele afastava Annie e Izzy e saía para correr sozinho na floresta. Mais tarde ele voltava, o cabelo empapado de suor, a pele pálida e as mãos trêmulas, mas sorria para ela, um sorriso triste e desesperado que não chegava aos olhos, e ela sabia que ele havia vencido novamente. E às vezes, nesse momento, quando seus olhares se encontravam, ela podia sentir o perigo nadando sob a superfície.

Ela não queria se importar de forma muito profunda com Nick Delacroix, mas ainda assim podia sentir que cada dia os trazia para mais e mais perto.

Quando o filme terminou, Annie não podia olhar para ele, com medo do que veria nos seus olhos... com medo do que ele veria em seus olhos. Por isso, ela pegou a caixa de lenços de papel e a bolsa e correu para a porta. Mal parou para murmurar um boa-noite.

Capítulo 17

Izzy acordou assustada. Estava sonhando com sua mamãe... era tudo de que conseguia se lembrar. Sua mamãe estava no lago, chamando por ela... chorando.

Ela afastou as cobertas e desceu da cama. Sem parar para vestir o robe ou calçar os chinelos, saiu do quarto e andou depressa pelo corredor. Parou diante da porta do quarto do pai, então passou adiante. Desceu a escada e saiu pela porta da frente, indo para a parte mais escura da noite.

Olhou para o lago. A princípio não havia nada além de uma sombra escura como carvão no V das montanhas, mas depois de algum tempo ela conseguiu ver as ondas brilhando e ouvir a voz murmurante da água contra a margem de pedrisco. A névoa formava uma neblina espessa espetada pelas pontas negras das árvores.

Izzy querida, é você?

Ela se encolheu. A porta de tela saltou de suas mãos e bateu com força nos batentes. – Mamãe?

Algo branco piscou junto da margem.

Ela olhou para a casa e viu que a janela do quarto do pai estava escura. Sabia que devia dizer para seu papai aonde estava indo, mas daí viu o brilho branco novamente e escutou o som de uma mulher chorando, e esqueceu de tudo. Segurou a beirada da camisola e correu pela grama molhada, os dedos esmagando a lama do chão.

Sons vinham de todos os lados, o crocitar de corvos, o chamado de uma coruja solitária, o coaxar de sapos, e, apesar de os sons a assustarem, ela não parou antes de chegar ao lago.

– Mamãe? – ela sussurrou.

Uma névoa fina ergueu-se da água. Era na névoa que via a mamãe dela. Claro como dia, ela estava parada na água, as mãos na cintura, o cabelo loiro dourado formando um halo ao redor do rosto. Izzy viu por um momento apenas duas asas brancas, e ouviu um som rítmico, como o som de um cortador de grama quando é ligado, mas não tinha certeza do que estava vendo. Havia esse brilho na mamãe dela que feria seus olhos, como olhar direto para o sol. Ela piscou e tentou focalizar a visão, mas ficou vendo um jorro de pontos negros e estrelas e a mamãe dela entrava e saía de foco.

Izzy querida, por que você me chamou?

Izzy piscou e tentou ver os olhos azuis bonitos de sua mamãe. – Eu não chamei você desta vez.

Eu ouvi você chamando no seu sonho.

Izzy tentou se lembrar do sonho, mas eram apenas imagens, sensações e pânico que não pareciam significar nada agora. – Eu não sei o que eu queria.

Ela sentiu o toque da mãe, uma brisa na testa, ajeitando seu cabelo, um beijo que cheirava a névoa e chuva e o perfume favorito da mamãe. – Sinto sua falta, mamãe.

Seu papai está de volta agora.

– E se ele for embora novamente?

Outro toque, mais suave. *Ele não vai, Izzy querida.*

Desta vez, quando Izzy ergueu os olhos, sua mamãe estava mais próxima e ela estava certa de que viu as asas parecidas com as de pombos. – Eu não posso seguir você, posso?

Por um instante, a névoa sumiu, e Izzy viu sua mãe. Não havia asas, nem brilho branco, nem névoa. Havia apenas uma mulher de olhos tristes, em uma camisola rosa com flores, olhando para sua filhinha. *Eu sempre vou estar dentro de você, Izzy. Você não precisa sumir nem me seguir nem me chamar. Tudo o que tem de fazer é fechar os olhos e pensar em mim e eu vou estar lá. Pense naquela vez em que fomos ao circo e eu estava rindo tanto dos palhaços que caí do banco. Quando você sorrir disso, vai me achar.*

Lágrimas escorreram pelo rosto de Izzy, caindo em suas mãos. Ela olhou, piscando, dentro dos olhos muito, muito azuis da mamãe. – Eu amo você, mamãe...

Então sua mamãe sumiu.

– Izzy!

A voz assustada do pai cortou os pensamentos dela. Ela girou e o viu correndo para ela. – Papai?

Ele a pegou nos braços e a abraçou com força. – Izzy. – Ele disse o nome dela de uma forma estranha, como se estivesse correndo por quilômetros. – Izzy... você me assustou. Eu não sabia onde você estava...

– Eu não fui a nenhum lugar ruim, papai.

Ele sorriu sem muita convicção. – Eu sei, meu bem.

Ele a levou de volta para casa e a colocou gentilmente na cama. Ela tentou ficar ali, mas ainda não estava pronta para ficar sozinha. Pegou um livro na mesinha de cabeceira. Era sua adorada edição de *Cinderela,* aquela que tinha sido da vovó Myrtle, depois da mamãe, e então dela. – Você pode ler uma história para mim, papai?

Ele se sentou na cama ao lado dela. Muito gentilmente, abriu o livro na primeira página. Leu como sempre lia para ela, com vigor e muitas vozes engraçadas.

Só que Izzy não riu. Não conseguia; em vez disso, ela ficou sentada encostada no travesseiro amarelo do Garibaldo, olhando para os desenhos vibrantes nas páginas. Quando ele terminou, ela ficou muito quieta. – O que aconteceu com a mamãe da Cinderela?

Levou um minuto antes de ele dizer suavemente – Acho que a mamãe da Cinderela foi para o céu.

– Ah.

– E você sabe o que eu acho?

Ela fez que não com a cabeça. – Não.

– Acho que ela e a sua mamãe agora são amigas, e elas estão cuidando de nós, tendo certeza de que estamos bem.

Izzy pensou nisso. Era mais ou menos o que ela pensava também. – Annie disse que, quando chove, é a mamãe e os anjos chorando.

Ele tirou o cacho de cabelo do rosto dela. – Annie sabe um monte de coisas.

Ela se virou para o outro lado, tentando esconder as lágrimas que queimavam nos olhos. – Eu estou começando a esquecer dela, papai.

Ele passou um braço ao redor da filha e a puxou para perto, acariciando gentilmente a face molhada. – Mamãe tinha os olhos mais bonitos do mundo, e, quando ela olhava para você, era como se a chuva tivesse parado e o sol iluminasse o rosto dela. E ela tinha um dente da frente um pouquinho torto, meio de lado, e uma pequena pinta bem perto da orelha. Ela amava você, Izzy... ela amava você mais do que a própria vida.

– Ela amava nós dois, papai.

Ele não disse nada. Apenas beijou a filha, bem na ponta do nariz, e isso a lembrou de quando era bebê; ele fazia isso o tempo todo. Pela primeira vez desde que sua mamãe morreu, Izzy não estava mais com medo. O grito que passou meses dentro dela encolheu como uma uva-passa e sumiu. Ela sabia, por fim, que tudo ia ficar bem.

Seu papai a amava de novo.

Ela fechou os olhos com força, com muita força mesmo, para não chorar como um bebê. Quando conseguiu respirar de novo, abriu lentamente os olhos.

Não conseguia acreditar no que estava vendo. – Papai? – ela disse suavemente.

– O que foi, Raio de Sol?

Ela ergueu lentamente a mão esquerda. Claro como dia, ela podia ver a pequena luva preta que havia depois da manga. Ela mordeu o lábio inferior, que estava tremendo, com medo de ser um engano. Lentamente, tirou a luva e ali estava sua mão. – Você está vendo minha mão, papai?

Ele olhou direto para a mão dela. Izzy estava certa de que ele estava vendo. Mas ele não sorriu. – O que eu *tenho* de ver?

Ela ficou surpresa. – Eu vejo minha mão... e meu braço. Você também está vendo?

O papai dela soltou um som áspero. – Sim. Estou vendo sua mão. – Muito lentamente, como se temesse que ela fosse detê-lo, ele pegou a luva na mão dela.

Izzy riu, movendo os dedos. – Acho que vou ficar aqui com você, papai.

– Sim, Izzy querida. Acho que sim.

Ele deu uma fungada. Izzy ergueu os olhos e viu a coisa mais estranha do mundo: seu papai grande e forte estava chorando.

Ela amava nós dois.

Muito mais tarde, quando Nick estava na cama, com os braços cruzados sob a cabeça, ele finalmente se permitiu pensar no que Izzy tinha dito.

Ela amava nós dois.

Era a frase na qual ele não conseguia acreditar fazia tanto tempo, dita com tanta certeza na voz de uma criança.

As lágrimas que tinha escondido por um ano desceram por seu rosto. Tinha amado a esposa, a amara desde a primeira vez que a viu, e de alguma forma nos últimos anos tinha esquecido disso; havia visto toda aquela escuridão e esquecido da luz. Ela o amava também, com todo o coração partido dela; ela o amava.

– Eu amava você, Kath... – ele sussurrou na quieta solidão do quarto. – Amava você...

O Mystic Rain Festival começou quando planejado, no primeiro sábado de maio, assim como tinha sido nas últimas centenas de anos. Um céu cinzento e baixo cobria o centro da cidade. A chuva caía em uma cortina intermitente nos toldos das lojas. Folhas novas e verdes flutuavam na água barrenta junto das guias, escorrendo e girando nas depressões das calçadas.

Annie vestia uma capa de chuva amarela, com a calça Levi's enfiada por dentro das botas de borracha, e um boné dos Seattle Marines. Hank estava ao seu lado, mastigando um bolinho que comprara na barraca do Rotary Club.

O desfile avançava lentamente pela rua principal, espalhando água pelo pavimento. Havia carros de bombeiro, carros de polícia, tropas de escoteiros e seis menininhas em tutus cor-de-rosa do Esmeralda's Dance Barn.

Annie estava encantada com a produção capenga de cidade pequena. Sabia por experiência própria que o desfile seguiria pelas seis quadras e então viraria e retornaria.

Sentia falta de coisas como essa. Como é que não sabia disso? Tinha ido para a Califórnia e criado a filha atrás de portões de ferro e salas com ar-condicionado, em uma cidade onde os desfiles tinham organizadores de celebridades e patrocínio de empresas.

Não queria voltar para lá.

Isso a surpreendeu, a súbita certeza da decisão. Era a primeira vez na vida em que chegava a uma conclusão sem pensar nos sentimentos dos outros, e a sensação era boa.

Não queria mais morar na Califórnia, e não precisava morar lá. Depois do divórcio, quando Natalie fosse para a faculdade, Annie poderia voltar para Mystic, talvez até mesmo abrir aquela livraria...

Sonhos. Eles eram algo tão precioso, e ela havia aberto mão de tantos dos seus sonhos sem nem lutar. Nunca mais.

Ela se virou para o pai. – Deixe-me perguntar uma coisa, papai. Você acha que daria certo uma livraria nesta cidade?

Ele sorriu. – Mas claro. Precisamos de uma livraria faz anos. Sua mãe sonhava abrir uma.

Annie estremeceu. Por um estranho e desorientador segundo, ela sentiu como se a mãe estivesse do seu lado. – Mesmo? Eu estava pensando em fazer isso.

Ele se virou para ela, olhando firmemente para a filha por algum tempo. – Você está ferida neste momento, Annie, e está correndo, mas não esqueça onde é sua vida de verdade. Você nunca vai viver em Mystic outra vez, e, além do mais, você não é uma empresária. Você é uma dona de casa. – Ele passou o braço pelos ombros dela e a puxou para mais perto.

A falta de fé de seu pai a atingiu. Pela primeira vez Annie imaginou havia quanto tempo seu pai estaria lhe dando colheradas de dúvidas. Quando isso começou? Desde que era criança? A primeira vez que ele lhe disse para não preocupar sua linda cabecinha com alguma coisa? Ou todas as vezes que ele disse que Blake tomaria conta de tudo?

Se fosse um tipo diferente de mulher, Annie poderia ficar brava bem naquele momento, mas, como era, tudo o que sentiu foi um vago resíduo de tristeza. O pai era de outra geração, e tinha feito o melhor que podia com sua única filha. Se a esposa dele tivesse continuado viva, as coisas teriam sido diferentes...

Mas isso não aconteceu, e, com a morte dela, Hank foi lançado em um papel com o qual não conseguira lidar. Tudo o que ele sabia sobre mulheres vinha da mãe dele, uma mulher cansada e desgastada que morreu com quarenta e sete anos, levada cedo demais para o túmulo por causa do trabalho pesado. Como o pai, Hank cresceu em Mystic, e nunca viu muito do mundo além dali. Ele achara que o melhor para Annie seria ter uma boa educação, assim ela poderia arrumar um marido que lhe desse uma vida melhor do que aquela na qual foi criada.

Infelizmente, Annie havia seguido o caminho que ele escolheu para ela. Tinha ido a Stanford, onde o mundo se abriu para ela apenas quando aprendeu para onde olhar, e ela manteve o olhar fixo para a frente em um caminho estreito. Ela requerera tão pouco de si mesma... e colhera exatamente o que havia plantado. Era gozado como isso acontecia na vida.

Não era culpa do pai dela, não mais do que era culpa de Blake ou Annie. Estava tendo a sorte de conseguir ver a verdade, foi o que imaginou. Se não fosse por causa de Blake, teria seguido pela estrada do comum durante a vida toda, uma mulher de meia-idade, depois uma mulher idosa, vestindo os tapa-olhos que tinham sido passados de geração em geração.

Ela segurou a mão do pai e deu um aperto gentil. Os últimos no desfile, o Bits and Spurs 4-H Club[21], passou diante deles a cavalo, e, quando eles contornaram a esquina e saíram de vista, todos bateram palmas e gritaram.

[21] Bits and Spurs 4-H Club – Clube Bridões e Esporas do 4-H. 4-H é o nome de uma organização para apoio à juventude do Instituto Nacional de Alimento e Agricultura do Departamento de Agricultura dos Estados Unidos. Eles organizam programas de desenvolvimento para jovens. Historicamente esses programas foram orientados para a agricultura, mas atualmente o foco é a cidadania, a vida saudável, a ciência, a engenharia e os programas de tecnologia. O Bits and Spurs 4-H é voltado para lidar com cavalos, sendo encontrado em inúmeras cidades. (N.T.)

Quando o aplauso terminou, a multidão começou a se dispersar, espalhando-se pelas calçadas e pela rua.

Annie e Hank caminharam de braços dados pela calçada, passando pelas barracas dos artistas e vendedores de cachorro-quente, pela casa vitoriana com a placa de ALUGA-SE na janela.

Hank parou na barraca da igreja luterana e comprou dois *mocha lattes*, entregando um para Annie. O cheiro forte do café rodopiava entre eles, e o calor do líquido acalmou a garganta irritada dela. Nenhum dos dois notou a garoa que começava a cair; isso nunca incomodara Annie. Era gozado como tinha esquecido disso. Na Califórnia, costumava correr para pegar um guarda-chuva ao primeiro sinal de chuva. Aqui, os únicos que usavam guarda-chuvas eram os turistas.

– Então, Natalie vai voltar para casa em seis semanas.

Annie tomou um gole do café, então assentiu. – Quinze de junho. Mal posso esperar.

– O que você vai dizer para Blake quando o vir?

A pergunta surpreendeu Annie. Não era algo sobre o que desejasse pensar, e era estranho que o pai perguntasse isso. Ela encolheu os ombros. – Eu não sei. Durante semanas, tudo o que queria era ver o Blake outra vez, fazer com que ele lembrasse do que tínhamos juntos, mas agora não consigo mais saber o que é que tínhamos juntos.

– É por causa dele?

Ela começou a perguntar do que ele estava falando, mas, quando ergueu os olhos, viu Nick. Ele estava parado do outro lado da rua, com Izzy nos ombros. Cada um com um cone de sorvete na mão. Ele se virou, e, no meio da rua cheia de gente, os olhos deles se encontraram e ficaram assim por um instante. Ele sorriu, acenou, daí seguiu adiante. Ela tentou encontrar uma resposta para o pai, mas honestamente não sabia como Nick se encaixava no quadro. – Quem pode saber qual é a causa? Tudo o que sei é que não sou mais a mesma mulher de antes.

– Tome cuidado, Annie.

Ela olhou novamente para o outro lado da rua, mas Nick não estava mais lá. Annie sentiu uma pontada de decepção. – Sabe de uma coisa, pai? Estou cansada de ser cuidadosa.

– Quando brinca com fogo, você sai queimada.

Ela riu. – Mais adesivos de para-choque, pai?

Ele riu com ela. – Como é que você acha que as pessoas criam esses adesivos de para-choque? Algumas coisas simplesmente são verdade.

Capítulo 18

Na segunda-feira Annie, Nick e Izzy foram até as Sol Duc Hot Springs[22] e fizeram uma caminhada longa pela Floresta Olympic National. Depois, nadaram na imensa piscina do resort e relaxaram nas águas quentes e sulfurosas das fontes. Quando o céu começou a escurecer, eles entraram no carro e voltaram para casa.

Quando terminaram de tirar tudo do carro e arrumar as coisas, já era quase meia-noite. Nick ofereceu o quarto para Annie, que aceitou. Ela ligou para o pai, que ainda estava em pé, novamente esperando por ela, e disse que estaria em casa logo pela manhã.

Isso é algo inteligente de se fazer, Annie Virginia?, ele perguntou, com a voz baixa.

Ela disse para ele não se preocupar e desligou o telefone. Depois disso, não estava mais tão certa de ter tomado a melhor decisão, mas a verdade era que não se sentia bem. Queria desabar em uma cama e dormir dez horas. Suas costas doíam, a cabeça doía, e estava sentindo náuseas durante a maior parte do caminho de volta. Definitivamente, fazer caminhadas não era seu negócio.

Annie tomou cuidado para evitar Nick quando correu para cima, escovou os dentes e caiu no sono quase que imediatamente.

---

[22] Sol Duc é o nome do rio que alimenta as fontes aquecidas. O nome original do rio é Soleduck, tendo sido mudado oficialmente em 1992. O nome quer dizer "águas cintilantes" e vem dos índios quileutes do oeste do Estado de Washington, que há muito conheciam as qualidades terapêuticas das fontes. Sol Duc Hot Springs é o nome de um resort construído no local. (N.T.)

Na manhã seguinte, acordou sentindo-se ainda pior. Estava com uma dor de cabeça pulsando por trás dos olhos, e teve de ficar deitada muito parada na cama, concentrando-se em cada respiração, ou certamente ia vomitar.

Ela contou lentamente até dez, então se apoiou nos cotovelos. A luz do sol entrava pela janela do quarto. O brilho machucou seus olhos e intensificou a dor de cabeça. Uma bela manhã de maio, e ela não podia aproveitá-la.

Fazendo força para engolir a saliva grossa, ela se levantou da cama e cambaleou até o banheiro anexo. Não se preocupou em acender a luz; podia ver perfeitamente bem as olheiras em seu rosto. Estava se movendo como uma mulher de cem anos, levando uma eternidade para escovar os dentes e lavar o rosto. Quando terminou, sentia-se ainda pior.

Annie voltou para a cama e se enrodilhou sob as cobertas. Um tremor percorreu seu corpo, e ela fechou os olhos.

Algum tempo depois – uma hora, um minuto? –, alguém bateu na porta. Annie forçou-se a se sentar. – Entre.

A porta se abriu e o rosto de Izzy apareceu na fresta. – Annie? Estou com fome.

Annie fez força para sorrir. – Oi, meu bem. Entre, mas não chegue muito perto. Acho que peguei uma gripe.

Izzy entrou no quarto, fechando a porta. – Eu estava esperando você aparecer. Pensei que você tinha deixado a gente... mas daí o papai disse que você dormiu aqui.

Annie se derreteu com a menina, cujos olhos castanhos pareciam tão grandes e preocupados – Eu nunca faria isso, Izzy. Eu não ia desaparecer sem me despedir.

– Os adultos às vezes fazem isso.

– Ah, Izzy... – Annie mudou de posição, tentando ignorar uma súbita onda de tontura. – Eu sei que fazem, sim. – Ela começou a dizer alguma outra coisa, de preferência algo incrivelmente sábio, quando espirrou com força. Mal conseguiu colocar a mão diante da boca quando espirrou outra vez. Ela se deixou cair na cama, tentando lembrar quando tinha se sentido assim tão mal.

Os olhos de Izzy se arregalaram. – Você está doente?

Annie sorriu sem empenho. – Não doente *de verdade* – ela respondeu depressa. – É só uma gripe. Aposto que você tem gripe o tempo todo.

Izzy relaxou visivelmente. – Sim. É quando sai meleca verde do nariz.

– Uma imagem adorável, sem dúvida. Acho que vou dormir um pouco. Falamos depois, certo?

Izzy assentiu lentamente. – Certo. Até mais.

Annie sorriu sem força. – Até mais, meu bem. – Quando Izzy saiu, ela se inclinou até o criado-mudo, pegou o celular e ligou para o consultório do dr. Burton.

A recepcionista atendeu ao primeiro toque. – Clínica Familiar de Mystic. Aqui é Madge falando, como posso ajudar?

– Oi, Madge. Aqui é Annie Colwater. Gostaria de marcar uma hora para ver o doutor Burton.

– É uma emergência, meu bem?

Só se meleca verde for uma emergência. – Não.

– Bem, o doutor está fora da cidade no momento, de férias na Ilha Orcas. Ele até comentou que você ia ligar. Ele queria que eu mandasse você para o doutor Hawkins, em Port Angeles. – A voz dela baixou para um sussurro. – Ele é *psiquiatra.*

Mesmo no estado de fraqueza em que se encontrava, Annie sorriu. – Isso não será necessário.

– Ah, que bom. Agora, você continua tendo hora marcada para 1º de junho. Esse horário está bom?

Annie tinha esquecido disso. A depressão que sentia em março tinha recuado e se tornado uma fraca lembrança em tons sépia. Ela provavelmente não precisava da consulta, mas isso reconfortaria o dr. Burton, que ficaria orgulhoso de saber como ela se recuperou. – Sim, esse horário está ótimo. Obrigada, Madge.

– Certo. Dez e meia da manhã. Não esqueça.

Antes mesmo de desligar o telefone, Annie já havia fechado os olhos.

Annie sonhou que estava em um lugar frio e escuro. Dava para ouvir uma cascata e o zumbido de uma libélula. Havia alguém esperando por ela na escuridão da floresta. Conseguia ouvir o ritmo constante da respiração dele nas sombras. Queria encontrá-lo, mas estava com medo. Onde estava tinha uma sensação familiar, segura, e ele esperava por ela em um mundo estranho onde ela não conhecia as regras. Estava com medo de que, se fosse adiante, ia se perder.

– Annie?

Ela acordou subitamente e viu Nick sentado na beirada da cama. Tentando sorrir, ela lutou para se erguer no cotovelo. – Oi.

– Izzy me disse que você está doente. – Ele se aproximou e tocou a testa dela. – Você está quente.

– Estou?

Ele veio mais perto e mostrou o termômetro. – Abra a boca.

Como uma criança obediente, ela abriu a boca. O termômetro frio deslizou sob sua língua e ficou ali. Ela fechou os lábios, mas não conseguia tirar os olhos de Nick.

– Trouxe suco de laranja e ovos mexidos. Ah, e Tylenol e uma jarra de água gelada.

Annie ficou olhando surpresa quando ele foi até o banheiro. Nick voltou dobrando cuidadosamente um pano molhado. Ele se sentou na cadeira junto da cama e colocou o pano na testa dela. Daí lhe entregou dois comprimidos. – Aqui.

Ela olhou para as duas pílulas em sua mão.

Ele franziu a testa. – Annie? Você está chorando.

Ela piscou depressa. *Droga.* – Estou? Não se preocupe comigo. Deve ser alergia. Ou menopausa. Tenho me sentido instável a semana toda. E acho que estou chegando perto da... – Ela parou antes de dizer *menstruação.* Não estava falando com seu marido, e seus ciclos menstruais não eram exatamente um tópico aceitável de conversação. Perceber isso a isolou. Com essa pequena palavra que não podia dizer, ela compreendeu como estava à deriva, como estava desconectada. Era algo que sempre considerara certo no casamento, poder dizer qualquer coisa a qualquer momento, revelar qualquer coisa secreta sobre si mesma. Não havia ninguém agora com quem pudesse ser assim tão livre.

– O que foi, Annie?

A gentileza da voz dele só a fez chorar mais, e, apesar de ser humilhante ficar ali meio sentada chorando sem motivo, ela não conseguia parar.

– Annie?

Ela não conseguia olhar para ele. – Você vai achar que sou idiota.

Ele riu, um som calmo e macio. – Você está preocupada com o que o bêbado da cidade pensa?

Ela fungou com força. – Não fale assim de si mesmo.

– É o que as pessoas ricas da Califórnia fazem, e devo apenas fingir que você não está chorando? Agora, diga-me qual é o problema.

Annie fechou os olhos. Pareceu impossível reencontrar sua voz. – Ninguém nunca me deu nem mesmo uma aspirina... quer dizer, sem eu pedir antes. – Droga, isso soou tão patético quanto achava que seria. Annie sentiu-se envergonhada e terrivelmente exposta. Tentou juntar uma explicação, tornar aquilo melhor. – Fui esposa e mãe por tanto tempo. Sempre fui eu quem cuidava dos outros quando estavam doentes.

– Mas ninguém cuidava de você. – Ele disse isso como uma simples constatação, e, apesar de ela querer rejeitar a ideia por ser boba, não conseguia.

Estava tudo ali, naquela frase simples, tudo o que sempre esteve errado em seu casamento. Tinha feito tudo para tornar a vida de Blake segura e perfeita; ela o amava, importava-se com ele e o protegia. Todos esses anos, ficara arrumando desculpas para o egoísmo dele: estava cansado, ou ocupado, ou distraído com o trabalho. Havia apenas camadas de belo papel de embrulho por cima de uma verdade escura e feia.

Ninguém cuidava de você.

Subitamente ela estava chorando por aquilo tudo, cada momento perdido, cada sonho que nunca teve. O casamento que não era bom o bastante. Nunca tinha sido amada de verdade, para valer... não do jeito que merecia ser amada.

Com um suspiro longo e profundo, ela enxugou os olhos e sorriu para Nick. – Desculpe eu ser essa bebezona.

Ela olhou para as coisas que tinha colocado no criado-mudo. Suco de laranja, pastilhas para a garganta, água, Tylenol, um prato de ovos mexidos e um pedaço de torrada com canela. E isso a fez querer chorar tudo de novo. Não sabia o que dizer para ele, esse homem que acidentalmente havia aberto a porta de sua vida antiga e lhe mostrara a verdade.

– Você devia beber alguma coisa.

Ela limpou o nariz e sorriu sem jeito para ele. – Bem, você deve saber o que está dizendo.

Ele pareceu surpreso por um momento, então caiu na risada.

A gripe continuou por dois dias, e, quando terminou, Annie estava cansada e fraca. O estômago continuou ruim, mas ela se recusou a prestar atenção nisso.

Na sexta, ela, Nick e Izzy foram para Kalaloch e passaram o dia explorando a praia. Izzy gritava de prazer a cada vez que encontrava uma estrela redonda ou um siri. Eles correram juntos pela praia, todos os três, erguendo pedras e paus em busca de tesouros ocultos, e, quando o sol estava alto no céu, fizeram um piquenique em uma caverna secreta. Depois, caminharam e brincaram na água muito fria até os rostos e mãos e pés ficarem bem vermelhos. Por fim, quando o sol começou a se pôr, eles voltaram para o carro e foram para casa.

Annie estava sentada no banco do passageiro do Mustang, com um balde de plástico no colo cheio de conchas e pedras.

– Papai, podemos parar pra tomar sorvete, papai?

Nick respondeu de imediato, rindo. – Claro, Izzy querida.

Annie olhou para ele, maravilhada. Nas últimas semanas, ele tinha se tornado um homem completamente diferente. Sorria o tempo todo, ria com facilidade e passava horas brincando com a filha. Às vezes, como agora, quando o sol atingia o perfil dele e o rodeava de luz dourada, ele ficava tão atraente que fazia Annie ficar sem fôlego.

Mas havia ainda mais em Nick; a vulnerabilidade e força dele a comoviam, e a suavidade do carinho dele quase a derreteu. Ela não conhecia mais ninguém capaz de amar de forma tão profunda quanto Nick. Era por isso que a vida conseguira atingi-lo com um impacto tão brutal. Nada era mais fácil de quebrar do que o frágil escudo de um idealista.

Ela ainda o estava observando horas mais tarde, depois de ter lavado o último prato e ter recolhido todos os lápis de cera de Izzy. Ele estava novamente parado junto do lago, o corpo uma sombra em meio às sombras, mas Annie conseguia perceber bem as diferenças sutis de luz e escuridão, o pálido contorno do cabelo dele, a área larga dos ombros, o luar que brilhava de vez em quando nos rebites metálicos da calça jeans.

Ela jogou o pano de prato úmido no balcão da pia e saiu. Queria estar com ele, e, apesar de perceber que isso a assustava, também fazia seu coração acelerar com a antecipação. Quando estava com Nick, era uma mulher diferente. Parte do brilho dele caía nela e a fazia se sentir bela, resplandecente, mais viva.

Havia estrelas por todos os lados. Sapos e grilos cantavam em um coro que morreu com sua aproximação. A grama estava fria e molhada sob seus pés descalços.

Nick estava imóvel, os ombros arredondados, a cabeça caída para a frente.

– Ei, Nick – ela disse suavemente.

Ele girou e ela viu a dor nos olhos dele.

– Oi, Annie. – A voz dele era baixa e áspera como tijolos velhos. Uma brisa noturna fria acariciava o rosto dela e deslizava por entre os botões da blusa de algodão, como os dedos frios de um homem, avançando lentamente pela pele dela. Annie havia aprendido a conhecê-lo tão bem nas últimas semanas que os anseios de Nick ficavam evidentes. – Você quer beber.

Ele riu, mas de forma dura, amarga, não era realmente a risada dele. Ele estendeu a mão e segurou a mão dela, apertando com força.

Annie sabia pela experiência que ele precisava agora do som de sua voz. Não importava o que dissesse, qualquer coisa serviria; ele só precisava de uma âncora para mantê-lo firme. – Lembra da festa no último ano, quando Kathy desapareceu por meia hora? – ela comentou calmamente. – Estávamos no Lago Crescent. Você e eu nos sentamos na beirada, bem na frente do hotel, e falamos e falamos. Você disse que queria ser policial.

– E você disse que queria ser escritora.

Ela ficou surpresa por ele se lembrar, e, apesar de não desejar, descobriu-se recordando a menina que desejava ser escritora. – Isso foi antes de eu saber... – A voz dela misturou-se com a brisa e sumiu.

Ele se virou, olhando para ela. – Saber o quê?

Ela deu de ombros, subitamente incapaz de enfrentar os olhos dele. – Não sei. Como a vida escapa de você quando está ali parada na fila do mercado, esperando para pagar um litro de leite... como o tempo passa e leva tudo no caminho, juventude, esperanças, sonhos. Sonhos. É o que ele mais leva.

Ela sentiu o olhar dele examinando-a, e ficou com medo de encará-lo, temendo o que veria.

– Às vezes eu nem reconheço você – ele disse, fazendo com que ela erguesse o queixo com um gesto gentil. – Você diz coisas como essa e eu não conheço nada sobre a mulher que está falando.

Ela deu uma risada que esvoaçou como uma mariposa na escuridão. – Você não está sozinho.

– O que aconteceu com você, Annie?

A pergunta era surpreendente por causa da intimidade. A noite caía silenciosamente, esperando a resposta, tão silenciosa que Annie pode ouvir quando inspirou o ar com força. Ela forçou as palavras venenosas de uma vez. – Meu marido está apaixonado por outra mulher. Ele quer se divorciar.

– Annie...

– Eu estou bem, de verdade. – Ela tentou pensar em algo para dizer que fizesse os dois rirem, mas, quando olhou para ele, viu uma compaixão terrível e angustiante, e foi sua ruína. A força que estava reunindo nas últimas semanas desabou subitamente. Uma única lágrima desceu pelo seu rosto. – Como isso acontece? Eu amava Blake com todo o meu coração e alma, e isso não bastou...

Ele suspirou, e a tristeza do som os uniu. Ela ficou olhando enquanto ele tentava encontrar as palavras certas para responder, viu a frustração quando não conseguiu achar nada.

– O pior é que você não vê que vai acontecer – ela disse. – Você nem imagina que aquela segunda-feira vai ser a última vez que chegará por trás e beijará a nuca dele... ou a última vez que vai estar sentada vendo televisão e acariciando a pele macia logo abaixo do tornozelo dele. E você acha que vai se lembrar da última vez em que fizeram amor, mas não consegue. Sumiu.

Ela ergueu os olhos para ele, surpresa por ver como as palavras saíam com facilidade. Nas semanas após a confissão de Blake, ela prendera a dor dentro do coração e a mantivera ali, abanando o carvão quente com sonhos, pesadelos e lembranças. Mas agora, subitamente, o fogo tinha sumido. No lugar dele havia uma dor constante e muito evidente.

Ela ainda tinha de sentir dor; provavelmente nunca deixaria de sentir. Como um osso quebrado que fora recuperado da forma errada, a ferida sempre seria um local de fraqueza dentro de si. Quando o frio chegasse, ou quando recordasse um momento especial, iria se lembrar do amor que tinha sentido por Blake e sentiria dor. Mas o fogo desse amor tinha se tornado uma brasa fria e cinzenta.

Nick não sabia dizer exatamente quando aconteceu, ou quem se moveu primeiro. Tudo o que sabia é que precisava de Annie. Estendeu a mão para ela. Sua mão deslizou por dentro do colarinho de flanela e envolveu o pescoço dela, segurando-a no lugar. Lentamente, olhando para ela, ele se curvou e a beijou. Foi gentil a princípio, um suave misturar de lábios e respiração. Mas então ela se aproximou dele, entrou no seu abraço. Ele sentiu as mãos dela, tão pequenas e dóceis, movendo-se nas suas costas, fazendo um círculo em um movimento calmante.

Ele aprofundou o beijo. Sua língua explorou a boca de Annie, experimentando, acariciando. Ele a beijou até ficar zonzo com o desejo, e então, lentamente, recuou.

Ela olhou para ele. Nick viu a tristeza nos olhos dela, mas também algo mais, talvez a mesma sensação maravilhosa e calma que havia sentido. – Desculpe – ele disse suavemente, apesar de não ser verdade. – Eu não tinha o direito...

– Não diga isso. – Ela sussurrou. – Por favor... não se desculpe. Eu queria que você me beijasse. Eu... eu queria faz tempo, eu acho.

Ela abriu a porta da intimidade, e ele não conseguia se afastar. Não se importava se estava sendo estúpido ou descuidado ou procurando problemas. Só sabia que a queria, coração, corpo e alma. Ele a puxou para perto novamente, tão perto que conseguia sentir a respiração apressada dela nos lábios. – Eu quero você, Annie Bourne. Sinto como se quisesse você por toda a minha vida.

Uma lágrima desceu pelo rosto dela, e, naquela pequena gota brilhante, ele viu reflexos de toda a distância que os separava. Ela ainda parecia incrivelmente com a menina de dezesseis anos por quem se apaixonara primeiro, mas, como com ele, a vida que ela vivera e as escolhas que fizera estavam reunidas na pequena rede de rugas no lindo rosto dela.

– Eu sei – foi tudo o que ela disse em resposta, mas, nessas duas palavras simples e tristemente suavizadas, ele escutou a verdade: que, às vezes, o desejo não era o bastante.

Ele baixou a mão e segurou a mão dela, erguendo-a. Sob o brilho do luar, o anel de diamante parecia ser feito de fogo frio. Ele olhou para o anel por um longo tempo, sem dizer nada. Então se virou para o outro lado. – Boa noite, Annie – ele disse suavemente, afastando-se dela antes de fazer papel de bobo.

De volta ao seu quarto, Nick tirou a roupa e se deitou na cama desarrumada. Ficou surpreso por perceber que estava tremendo. E, pela primeira vez, não era por causa da abstinência de álcool que brincava com seu corpo. Era por causa de uma mulher.

Não pense nela... pense nos AA e no conselho deles. Nada de novos relacionamentos enquanto está ficando sóbrio...

Pensar nos Doze Passos não ajudava. Ele fechou os olhos e imaginou Annie. Ela provavelmente estaria na cidade a essa altura. Ele tentou imaginar que música estaria tocando no rádio do Mustang, no que ela estaria pensando.

Precisara de toda a sua força e honra para conseguir se afastar depois do beijo. Queria abraçá-la e possuí-la ali mesmo. Se perder nela e esquecer o passado na doce escuridão do corpo dela. Mas não era direito, e ele não ousava... por muitos motivos. Por isso ali estava ele, deitado sozinho na cama.

Ocorreu a Annie que, se fosse esperta, iria embora naquele momento. Mas tudo o que conseguia pensar era em Nick, e o modo como ele a beijou. O modo como a tocou e a abraçou tinha feito com que esquecesse do mundo.

Quando terminou, quando ele disse *Eu quero você, Annie Bourne,* ela sabia que estava perdida.

Ergueu os olhos para a janela do quarto dele. Uma sombra passou diante do vidro, depois sumiu. Ele devia estar pensando que tinha ido para casa. E é isso que devia fazer.

Mas, em vez disso, ela olhou para a aliança de casamento em sua mão esquerda. O diamante brilhava com a cor de uma luz. O anel que usava fazia anos. Blake o colocara no seu dedo sob uma chuva de palavras românticas no décimo aniversário de casamento deles.

Gentilmente, ela tirou o anel do dedo. – Adeus, Blake. – Doeu dizer as palavras, e até mesmo pensar nelas, mas também havia nisso uma liberdade surpreendente. Ela sentiu que não estava mais algemada, por sua própria conta talvez, pela primeira vez na vida. Não havia ninguém para guiar suas escolhas e determinar seu caminho. Ninguém além dela mesma.

Antes de poder se convencer a não seguir adiante, ela correu de volta para a casa e subiu a escada. Do lado de fora da porta do quarto de Nick, fez uma pausa. No tempo que levou para respirar uma vez, ela perdeu a coragem. Todos os motivos para estar ali desapareceram, covardes abandonando um navio que afundava. Subitamente ela não se sentiu sexy; sentiu-se vulnerável e sozinha. Uma mulher de meia-idade implorando por sexo a um velho amigo...

Estava para se virar quando escutou a música. Do lado de lá da porta, um rádio estava tocando uma versão antiga e com ruídos de Nat King Cole cantando "Unforgettable".

Isso acalmou os nervos dela, aquela música, e ainda mais o fato de ele a estar ouvindo. Nick não era um adolescente inexperiente; era um homem, da idade dela, e tão machucado pela vida e pelo amor quanto ela. Ele compreenderia por que ela estava ali. Ele não ia pedir nada dela, exceto o ato simples e descomplicado de compartilhar.

Ela bateu levemente na porta.

Houve uma pausa. A música parou. – Entre, Izzy.

Annie limpou a garganta. – Sou eu... Annie.

Mais uma pausa, um som de arrastar. – Entre.

Ela empurrou a porta, que se abriu com um movimento lento, rangendo.

Nick estava na cama.

Ela engoliu em seco e foi até ele. A ansiedade a fazia vibrar por dentro; sentia-se boba e desengonçada como uma adolescente. Pensou no peso que tinha ganhado naquelas últimas semanas, e imaginou se ele a acharia atraente. Blake sempre fazia aqueles comentários duros quando ela engordava um quilo...

Ele olhou para ela, e a intensidade do olhar fez com que sentisse calor. Annie tremeu.

– Tem certeza? – ele perguntou apenas, a única pergunta que importava.

E ela tinha certeza. Uma certeza total, absoluta, positiva. Sentiu que se movia até ele, estendendo as mãos. Mais tarde, ela não conseguiria lembrar quem tocou o outro primeiro, ou como tinham ficado nus naquela cama imensa de quatro colunas... mas nunca esqueceria o modo suave e cantado como ele sussurrou seu nome enquanto a beijava... ou o modo como os braços dele envolveram seu corpo, mantendo-a tão próxima que às vezes não conseguia respirar... ou a sensação devastadora do amor que fizeram. Tudo o que lembrava era que, no pico de seu prazer, foi o nome *dele* que ela gritou. Não o de Blake.

Capítulo 19

Além da cama, um lampião a óleo tremeluzia gentilmente; uma faixa de fumaça negra subia preguiçosa pela abertura no vidro.

Annie estava aninhada junto de Nick, a perna nua passando sobre a coxa dele. Estavam juntos agora fazia horas, falando suavemente, rindo e fazendo amor. Por volta da meia-noite, ela ligou com relutância para o pai e disse que não ia para casa naquela noite, que Izzy estava ficando gripada e precisava dela; mas o pai não se deixou enganar. Ele escutou a desculpa esfarrapada e fez a pergunta familiar: – Você tem certeza de que é uma boa ideia, Annie?

Ela deu uma risadinha de colegial e disse a ele para não se preocupar. Não queria pensar se aquilo era ou não uma boa ideia. Pela primeira vez na vida, sentia-se livre, selvagem, maravilhosamente viva. Tinha sido uma boa menina por tempo demais...

Tanta coisa havia mudado para ela nessa noite. O simples ato de retirar a aliança a transformara. Tinha ficado mais jovem, mais corajosa, mais aventureira. Não sabia que o sexo poderia ser tão... divertido. Nessa noite, nas horas que passou nos braços de Nick, ela descobriu uma mulher inteiramente nova.

Quando terminou, da primeira vez, ela esperava se sentir culpada e envergonhada. Ficou tensa esperando por isso, procurando rapidamente racionalizações para seu comportamento devasso; mas tudo de que precisou foi uma palavra de Nick, um sorriso, um beijo, e todas as explicações voaram para longe.

Não se afaste, ele dissera, e foi tudo de que ela precisava.

Agora, estavam enrolados um no outro embaixo das cobertas. Cerca de uma hora atrás, tinham ido até a cozinha e trazido um prato com queijo, bolachas e frutas, que levaram para a cama. Nenhum dos dois queria voltar para o mundo que espreitava do lado de fora do quarto.

Nick passou o braço em torno de Annie e a puxou para mais perto. Pela primeira vez, havia tristeza nos olhos azuis dele. – Quinze de junho, é?

Annie parou de respirar. Os olhares deles se encontraram, e ela sentiu o sorriso ficar fraco.

Em menos de um mês, Annie iria para casa. Ia deixar Nick, Izzy e Mystic e voltar para o mundo marrom da vida real dela... ou o que restasse dele.

Ele tocou seu rosto com uma suavidade que fez o coração dela doer. – Eu não devia ter dito isso.

– Nós temos o que temos, Nick. Não vamos arruinar isso olhando para a frente. O futuro não é algo em que quero pensar.

A mão de Nick deslizou pelo braço nu dela e parou de forma possessiva em sua mão esquerda. Annie sabia que ele estava pensando no anel que ela não estava mais usando, e na pequena faixa branca que permanecia no lugar. Quando finalmente olhou para ela, ele estava sorrindo outra vez. – Eu aceito tudo o que você quiser dar, e...

– E o quê?

Levou um longo tempo para ele responder, tanto tempo que ela pensou que ele tinha mudado de ideia. Então, com a voz baixa, ele disse – E espero que seja o bastante.

Todo dia os deixava mais próximos um do outro. Na última semana de maio, o verão lançou sua rede multicolorida sobre a floresta. Dias inteiros passaram sem uma gota de chuva. As temperaturas ficaram em torno dos 25 graus. Era uma onda de calor incomum, e todos em Mystic adoraram a sensação. Crianças pegaram as calças cortadas do ano passado e tiraram as bicicletas das garagens. Pássaros juntaram-se nos fios de telefone e voavam dali, cantando sem parar, à procura de minhocas grandes e gordas.

Annie passou cada vez menos tempo na casa do pai, e cada vez mais tempo na cama de Nick. Ela sabia que estava brincando com fogo, mas não podia evitar. Sentia-se novamente como adolescente, consumida por seu primeiro amor. Cada vez que olhava para Nick, o que ocorria a cada quinze segundos, lembrava deles dois fazendo amor. E não conseguia acreditar em como ficara desinibida.

Durante o dia, eles tomavam cuidado para não se tocar, mas a abstinência forçada apenas aumentava o desejo. Annie passava o dia todo esperando que a noite começasse, para poder ir para a cama dele.

Hoje tinham passado um período maravilhoso no Lago Crescent. Jogaram vôlei na praia, alugaram pedalinhos, e, no longo caminho de volta para casa, cantaram junto com o rádio. Em casa, Annie fez espaguete e, depois de jantar, sentaram-se à grande mesa da cozinha e trabalharam na leitura de Izzy.

Depois, quando foram para cima, todos subiram na cama da menina para a história.

Annie se recusava a pensar que tudo aquilo parecia *certo,* que aquele lugar começava a ser o seu lugar. Ela passou a mão por trás da cabeça de Izzy e tocou o ombro de Nick, apertando com tanta força por um momento que ele olhou para ela. A princípio ele sorriu, depois, lentamente, o sorriso sumiu, e ela percebeu que ele estava vendo em seus olhos o medo súbito, o desejo que ia machucar eles todos.

Ela desviou os olhos, concentrando-se no livro aberto.

Nick tinha lido apenas a primeira página quando o telefone os interrompeu. – Eu vou atender – ele disse.

– Vamos esperar por você, papai – Izzy disse, aconchegando-se junto de Annie.

Nick colocou o livro nas mãos de Izzy e correu para fora do quarto. Voltou alguns minutos depois, com ar solene.

Annie sentiu uma pontada de medo. Ela se endireitou, inclinando-se para a frente. – Nick?

Ele se sentou na cama, do outro lado de Izzy.

– Era sua professora, Izzy querida. Ela disse que vão fazer uma festa na sexta, e todos da classe querem que você vá.

Izzy pareceu assustada. – Ah.

Nick sorriu para ela, um sorriso suave e gentil que pareceu atingir direto o coração de Annie. – Ela disse alguma coisa sobre cupcakes.

Izzy franziu a testa. – Eu *gosto* de cupcakes.

– Eu sei que gosta, Raio de Sol. – Ele a puxou para perto com seu braço forte. – Não tem nada de errado em estar assustada, Izzy. Acontece com todo mundo. O que é errado é não tentar fazer as coisas porque estamos com medo. Não podemos ficar nos escondendo das coisas que nos assustam.

Annie ouviu no que ele estava dizendo tudo o que resultara das lições que ele aprendera da forma mais difícil. Sentiu uma onda quente de orgulho por ele, e imaginou novamente como ia deixar esse homem, como ia voltar para sua vida fria e estéril, onde terminaria procurando nos espelhos mais uma vez alguma evidência de sua própria existência.

Izzy suspirou. – Acho que uma festa não tem problema. Você e Annie me levam?

– Claro que sim.

– Certo. – Ela ergueu o rosto, dando um sorriso incerto para Nick. – Papai, você lê outra história para mim, papai?

Ele sorriu. Ele se abaixou e pegou outro livro no chão, perto da cama. – Pensei que você ia mesmo dizer isso.

Ele leu como um ator, usando vozes graves para os monstros e vozes agudas para os menininhos. Izzy ficou sentada imóvel, os olhos adoradores focalizados no pai. Quando ele sorria, ela sorria; quando ele franzia a testa, ela franzia a testa.

Quando virou uma página, Nick olhou para Annie. Por cima da cabeça da menina, os olhares deles se encontraram. Não havia nada de sexual nos olhos dele; havia apenas o simples prazer de um homem lendo uma história para a filha. A expressão dele, como se esse momento fosse a culminação de todos os seus desejos e sonhos, arrancou um pedaço do coração de Annie e a deixou com uma estranha vontade de gritar.

Depois que a história terminou, Nick voltou para o quarto dele e esperou. Por duas vezes ele abriu a porta e olhou para o corredor. Nas duas vezes o corredor estava vazio, exceto pelo brilho fraco de algumas luzes mal distribuídas pelas paredes.

Ele ficou andando pelo quarto pequeno, batendo a cabeça no teto inclinado praticamente todas as vezes em que se virou para a direita.

Então ouviu baterem na porta.

Ele correu e a abriu. Annie estava ali, vestindo uma camiseta grande demais e um par de meias azul-marinho que iam até os joelhos.

Eles mal conseguiram chegar à cama. Beijando-se, apalpando-se, rindo, eles caíram por cima das cobertas. O velho colchão rangeu e gemeu embaixo dos dois.

Nick nunca desejara tanto assim uma mulher, e Annie parecia sentir a mesma urgência. Ele a abraçou, acariciou e beijou. Ela rolou com ele, beijando-o com uma ansiedade que o deixou sem fôlego, enfiando a língua profundamente na boca de Annie. Fizeram toda e qualquer coisa, fizeram amor e dormiram e fizeram amor novamente.

Quando terminou, Nick estava exausto, um braço apoiado na parede, o outro dobrado de forma protetora em volta do quadril nu de Annie. Ela estava encostada nele, a perna nua lançada de forma casual sobre a dele, o mamilo pressionado contra a caixa torácica dele.

Ele podia sentir o resultado do sexo na fina camada de suor presa na pele dela, sentir seu cheiro na doçura no ar. A cabeça dela estava apoiada no ombro dele, a respiração dela acariciando a pele dele.

Nick subitamente ficou com medo que ela se levantasse naquele momento, de que saísse dos seus braços e corresse de volta para a casa do pai, e que ele ficasse com nada além do cheiro dela flutuando no ar e o frio da ausência dela do seu lado. – Fale comigo, Annie – ele pediu suavemente, acariciando a pele aveludada das costas dela junto do quadril.

– Isso é sempre perigoso – ela disse com uma risada. – A maioria das pessoas que conheço quer que eu pare de falar.

– Eu não sou Blake.

– Desculpe. – Ela se aconchegou mais junto dele. Um dedo pálido mexeu nos pelos do peito de Nick, acariciando sua pele. – Você... você causa alguma coisa em mim. Algo que eu não acreditava que existisse.

– É mesmo? E o que é?

Ela girou, ficando meio por cima dele, a virilha apoiada de forma íntima em sua coxa. Os seios lindos dela balançavam de forma hipnotizante diante do rosto dele, e era incrivelmente difícil manter a concentração no que ela dizia. – Eu costumava ser... organizada. Eficiente. Dava comida para todo mundo e vestia todo mundo, fazia compras, fazia listas e não esquecia das horas marcadas. Blake e eu fazíamos sexo, se tivéssemos sorte, nas noites de sexta às onze e quarenta e cinco, entre o primeiro e o segundo convidados do Jay Leno[23]. Era sempre... um sexo bom, confortável. Era agradável e eu tinha orgasmos. Mas não era como é com você. Eu nunca senti como se fosse saltar para fora da minha pele. – Ela riu, aquela risada aberta e contagiante que parecia vir de algum lugar dentro dela. Kathy nunca fizera com que ele se sentisse assim, como se o mundo inteiro estivesse aberto para ele e tudo o que tinha de fazer era ir atrás dos sonhos.

Sonhos. Ele fechou os olhos. Eles vinham com tanta frequência agora, os sonhos que tinha colocado de lado fazia tanto tempo. Lembrava novamente de como uma família sempre fora importante para ele, como imaginava que sua vida seguiria por uma estrada brilhante e fácil, cheia de risadas de crianças ao redor.

Se tivesse escolhido Annie, tantos anos atrás, talvez tudo tivesse sido diferente...

– Por que você e Kathy não tiveram mais filhos? – Annie perguntou subitamente.

A pergunta desconcertou Nick por um segundo, fez com que imaginasse se ela conseguiria ler sua mente. – Eu sempre quis. Droga, eu queria seis filhos, mas, depois da Izzy, ficou óbvio que Kathy não conseguia lidar com mais crianças. Quando Izzy estava com uns dois anos, eu fiz vasectomia. – Ele olhou para ela, tão aconchegada ao seu lado, e tão próxima. – E você? Você é uma mãe tão boa.

Levou um bom tempo até ela responder. – Adrian faria catorze anos este ano.

– Annie...

---

[23] Famoso ator e comediante americano que apresentou o talk-show *The Tonight Show* de 1992 a 2009, e depois de 2010 a fevereiro de 2014. (N.T.)

Ela não olhou para ele. – Ele nasceu prematuro e só viveu quatro dias. Depois disso, tentamos de tudo, mas eu não consegui mais engravidar. Geralmente ele é apenas um pequeno sorriso meu, ou uma lágrima que faz meus olhos arderem, mas às vezes... é mais difícil. Eu sempre quis mais filhos.

Ele não queria dizer que sentia muito; sabia em primeira mão como as palavras podiam parecer de plástico, um Band-Aid em um ferimento arterial. Em vez disso, ele a puxou para seus braços e a segurou tão perto quanto possível, tão perto que podia sentir o coração dela batendo.

Ele sabia que estava se perdendo naquele momento, em Annie, mas não se importou. Era tarde demais para ficar seguro, tarde demais para se impedir de a amar.

A Escola Elementar Jefferson R. Smithwood ficava em uma colina gramada rodeada por pinheiros centenários. Um longo passeio cimentado começava na porta dupla e deslizava para baixo até o estacionamento, onde os carros ficavam alinhados junto de uma cerca alta.

Nick estava perto do meio-fio, com Izzy do seu lado. Annie estava do outro lado de Izzy.

A menininha dele estava assustada, e era função dele deixá-la confiante; mas não tinha ideia como fazer isso. Ele se virou para Annie com uma expressão de desamparo.

Você pode fazer isso, ela falou sem emitir sons, e sorriu.

Engolindo em seco, ele curvou as pernas e olhou para Izzy. Ela tentou sorrir, mas foi um movimento rápido e pequeno dos lábios que não chegou aos olhos. Ele estendeu a mão e segurou a fita amarela amarrada na ponta da trança dela.

O lábio inferior dela tremeu. – Eles vão rir de mim.

– Então eu pego eles e...

Annie apertou o ombro dele e Nick engoliu as palavras. – Eles não vão rir de você – ele disse.

– Eu sou... diferente.

Ele balançou a cabeça. – Não. Você teve uma... tristeza. E às vezes isso deixa uma pessoa um pouco... louca. Mas você vai ficar bem, eu garanto.

– Vocês vão vir me buscar depois da festa?

– Sim.

– *Bem* quando acabar?

– Bem quando acabar.

– Está bem – ela disse por fim.

Ele sorriu. – Essa é a minha garota.

Lentamente, com os joelhos estalando, ele se levantou novamente. Olhou para Annie, que estava sorrindo para ele, apesar de os olhos dela estarem, de forma suspeita, um tanto cheio de lágrimas.

Juntos, os três subiram pela passagem de cimento, indo em direção à escola.

– Leões e tigres e ursos, meu Deus![24] – Annie exclamou subitamente.

Nick quase caiu na gargalhada. Era uma coisa ridícula de fazer, mas naquele momento parecia perfeitamente correta. Ele acompanhou.

– Leões e tigres e ursos, meu Deus!

A princípio, a voz de Izzy foi hesitante, mas com cada repetição ela ficava mais forte, até os três estarem cantando a plenos pulmões enquanto caminhavam, subindo a escada e chegando à porta da frente.

Nick empurrou a porta e os três entraram no corredor silencioso da escola elementar. À esquerda havia uma longa mesa de fórmica, e sobre ela todos os casacos, lancheiras e malhas deixados ali pelas crianças.

Izzy parou. – Eu quero ir sozinha – ela disse subitamente. – Assim eles não vão pensar que sou um bebê. – Ela lançou um último olhar assustado para Annie e Nick e seguiu pelo corredor.

Nick lutou contra a vontade de correr atrás dela.

Annie passou seus dedos pelos dele. Nick suspirou ao ver sua menininha andando pelo corredor. Ele via a hesitação em cada passo e sabia que ela estava fazendo força para ser corajosa. Sabia como era isso, seguir adiante quando tudo o que se deseja é se esconder em algum lugar escuro e quente.

---

[24] Frase do filme *O Mágico de Oz*. Quem diz isso está com medo de uma possível ameaça. No filme, Dorothy (Judy Garland), o Homem de Lata e o Espantalho ficam repetindo a frase com um ritmo, apesar de não ser uma música, enquanto atravessam a Floresta Assustadora. (N.T.)

Por fim, ele teve de desviar os olhos. Nunca imaginara que seria tão difícil ver a filha enfrentar o medo.

– Ela vai ficar bem – Annie disse. – Acredite em mim.

Ele olhou para ela, e, com a suave certeza na expressão dela, algo no peito dele ficou inchado e macio. – Eu acredito, Annie. – Ele disse suavemente. – Eu acredito.

No final do corredor, uma porta se abriu. Uma voz feminina disse: – Izzy! Sentimos sua falta. – Aplausos passaram pela porta aberta. Izzy olhou para trás, com um grande sorriso para Nick e Annie, e correu para a classe.

Capítulo 20

– Bem, isso certamente me fez parar de pensar na Izzy – Nick disse, ofegante, quando finalmente conseguiu falar. Ele saiu de cima de Annie mas manteve um braço em torno dela. Puxando-a para mais perto, ele se deitou confortavelmente com as costas contra a parede e apoiou o rosto suado na mão, olhando para baixo, para ela.

Annie parecia incrivelmente linda, com a luz do sol entrando pela janela meio aberta no rosto e o cabelo cheio de pontas indo para uma dúzia de direções diferentes. A respiração dela estava curta, o que o fez lembrar com cada pequeno som do ar entrando e saindo que, pelo menos por enquanto, ela era sua. Por baixo do fino cobertor de lã, a mão dele encontrou o seio dela e ficou ali.

Ele queria ficar deitado com ela durante horas, falando sobre nada e tudo, compartilhando mais do que apenas seus corpos. Era um desejo perigoso, ele sabia, desejar mais de Annie do que o corpo que ela estava compartilhando com tanta vontade. Por mais que tentasse esquecer, ficava se lembrando que ela ia embora no dia 15 de junho, agora a menos de três semanas. Ela ia voltar para a vida real dela.

Ele a abraçou apertado, sabendo que devia manter a boca fechada. Mas não conseguia. – Como era seu casamento?

– De que perspectiva? Eu achava que eram dezenove ótimos anos com o único homem que amei. Então, um dia ele parou o carro na frente da garagem e disse "eu amo outra mulher; por favor não me faça dizer isso de novo". – Ela deu uma risada curta e amarga. – Como se eu quisesse escutar isso duas vezes.

– Você ainda está apaixonada por ele?

– *Apaixonada?* Como poderia? – Ela suspirou, e ele sentiu o suave subir e descer do peito dela. – Mas amar... ah, essa é a parte difícil. Ele é... foi meu melhor amigo, meu amante, minha *família* por quase vinte anos. Como você para de amar sua família?

– O que... e se ele quiser você de volta?

– Blake não é esse tipo de homem. Isso significaria ter de admitir que cometeu um erro. Em todos os nossos anos juntos, nunca o vi, nem uma vez, pedir desculpas. Para ninguém.

Ele percebeu tristeza nas palavras dela.

Annie sorriu sem empenho e desviou os olhos, fixando-os em um ponto na parede perto da cabeça dele.

Nick a abraçou, virando-a para poder se perder no verde dos olhos dela. – Lembro de uma história que você escreveu no último ano de Inglês. Era sobre um cachorro que ajudava um menino perdido a voltar para casa. Sempre achei que você ia ser uma escritora famosa.

– Foi "Encontrando Joey". Não posso acreditar que você lembra disso.

– Era uma história boa.

Ela ficou em silêncio por um longo tempo e, quando finalmente falou, foi com a voz embargada. – Eu devia ter acreditado em mim mesma, mas o Blake... ele achava que escrever era um hobby idiota, por isso eu parei. Não foi culpa dele, foi minha. Eu aceitei fácil demais. Depois disso, tentei de tudo, caligrafia, judô, pintura, escultura, arranjo floral, decoração de interiores. – Ela fez um muxoxo de depreciação. – Não é de admirar que Blake fizesse piada comigo. Eu era a modelo perfeita para um cartaz de alma perdida.

– Não posso imaginar isso.

– É verdade. Coloquei meus dois livros inacabados em lindas caixas cor-de-rosa e as enfiei por baixo do meu baú de lingerie. Deixei os comentários ácidos do Blake sobre "o hobby atual da mamãe" me tirarem do rumo. Depois de alguns anos, acabei esquecendo que antes tinha um sonho. Virei a senhora Blake Colwater, e, sem ele, me senti ninguém. Até agora. Você e Izzy me deram meu verdadeiro eu de novo.

Ele tocou o rosto dela. – Não, Annie. Você recuperou seu eu verdadeiro. Droga, você *lutou* por isso.

Ela olhou para ele. – Eu me perdi uma vez, Nick. Estou apavorada que possa fazer isso de novo.

Não fazia sentido perguntar para ela o que queria dizer. Ele sabia. De alguma forma, ela tinha visto o segredo que ele vinha tentando esconder dela com tanto empenho. Estava apaixonado por ela, e não tinham muito tempo juntos; essa era a verdade que compreendia desde o começo, a verdade que vinha de dormir com uma mulher casada, mesmo que ela estivesse a caminho do divórcio. Ela ainda tinha Natalie e uma vida toda que não incluía Nick. – Certo, Annie – ele disse com calma. – Está certo por agora.

Mas não estava nada certo. Ele sabia disso, e agora ela estava começando a saber também.

Annie estava na varanda da casa do pai, olhando para a faixa sinuosa prateada da correnteza dos salmões. Mimosas azuis brilhantes dançavam no meio do verde da grama alta na margem do rio. Em algum lugar, um pica-pau estava bicando um tronco de árvore; ra-ta-ta-ta-tat ecoava pela floresta.

Ela ouviu o rangido da porta e então a porta de tela batendo.

– O que é que está acontecendo, Annie Virginia?

Ela sabia pelo tom de voz do pai que ele tinha saído apenas para fazer essa pergunta. – Como assim? – Annie se fez de boba.

– Você sabe do que estou falando. Você ruboriza como uma adolescente sempre que diz o nome do Nick, e eu mal vi você nas últimas duas semanas. Você está fazendo muito mais do que cuidar da menina. Ontem à noite escutei você falando no telefone. Você estava dizendo para Terri que Nick é só um amigo. Então, acho que não sou o único que reparei.

– Não é amor – ela disse com a voz baixa, mas, no momento em que falou as palavras, começou a pensar. Quando estava com Nick, sentia-se jovem, a ponto de estourar de tanta adrenalina. Os sonhos pareciam tangíveis novamente, tão próximos quanto amanhã; não era como se sentira no casamento. Depois ela pensou que sonhos eram brinquedos de infância, deviam ser postos de lado quando a vida real começava.

– Você está fazendo isso para se vingar do Blake?

– Não. Pela primeira vez, não estou pensando em Blake ou Natalie. Estou fazendo isso por mim.

– E isso é justo?

Ela se virou para ele. – Por que é que só as mulheres têm de ser justas?

– Estou é pensando no Nick. Conheço esse garoto faz muito tempo. Desde criança, ele viu muita coisa ruim. Quando começou a namorar a Kathy, agradeci a Deus por não ser você. Mas daí ele se acertou e virou o melhor policial que esta cidade já teve. Todo mundo via como ele amava Kathy; e a filhinha deles era a menina dos olhos dele. Então, aquilo... aquilo aconteceu com Kathy, e ele... desintegrou. O cabelo ficou daquele jeito estranho, e, todas as vezes que o vi, eu lembrava do que tinha acontecido. Era como uma marca física de tristeza. Ninguém o condenou, claro; mas ele se condenava, dava para ver. Foi realmente difícil de ver.

– E por que você está me dizendo isso?

– Você é uma lutadora, Annie, e...

– Rá! Vamos lá, pai, eu sou um capacho de primeira.

– Não. Você nunca viu a si mesma direito. Você tem um interior de aço, Annie. Sempre teve. E você vê o mundo de forma positiva. Seu copo está sempre meio cheio.

– Quando Blake me deixou, eu desmontei – ela comentou.

– Por quanto tempo, um mês? Isso não é nada. Quando sua mãe morreu, eu não me escondi por algumas semanas e daí emergi mais forte do que antes. – Ele fez uma pausa, balançando a cabeça. – Não sou bom em dizer o que estou pensando. O que estou tentando dizer, meu bem, é que você não compreende o desespero ou a fraqueza, não de verdade. Você não consegue compreender a desesperança.

Ela olhou para o rio. – Acho que isso é verdade.

– Você ainda está casada e, se acha que Blake vai mesmo trocar você por essa mulher, está maluca. Ele vai voltar. Quando cair em si, Blake vai voltar para você.

– Eu não me sinto casada.

– Sente, sim.

Ela não tinha como responder a isso; era verdade e também não era. Por mais que tivesse crescido e mudado nos últimos meses, Hank estava certo: Annie *ainda* se sentia casada com Blake. Tinha sido esposa dele por quase vinte anos... esse tipo de compromisso emocional não evaporava por causa de algumas palavras mais duras, mesmo que essas palavras fossem *eu quero o divórcio.*

Hank aproximou-se por trás dela, tocando seu rosto. – Você vai machucar o Nick. E ele não é um homem que aceita bem ser magoado. Não quero dizer a você o que fazer. Nunca fiz isso e não vou começar agora. Mas... isso... isso vai terminar mal, Annie. Para todos vocês.

Na noite seguinte, depois de os pratos do jantar estarem lavados e guardados e Izzy ter ido para a cama, Annie se sentou na cadeira de balanço na varanda. Ficou olhando uma aranha preta minúscula criar uma teia iridescente em um arbusto de rododendro. O barulho da cadeira fazia companhia no silêncio. Ela sabia que devia ir para dentro; Nick devia estar esperando por ela lá em cima. Mas estava tudo tão silencioso e pacífico ali fora, e o eco das palavras do pai parecia mais suave e mais distante quando ficava sozinha. Quando entrasse e fitasse os olhos azuis, azuis de Nick, sabia que o conselho do pai ia voltar, alto e insistente demais para ser ignorado.

Nick e Izzy já estavam sofrendo muito. Ela não queria fazer nada que causasse mais dor para eles, mas também sabia, com tanta certeza quanto a de estar sentada ali, que ia fazer exatamente isso. Tinha outra vida em outra cidade, outra filha que precisaria da mãe tão desesperadamente quanto Izzy precisava fazia poucos meses. Sua vida real estava lá fora, esperando por ela, dando voltas no ar quente e enfumaçado do sul da Califórnia, preparando-se para a confrontação que ocorreria dali a apenas algumas semanas. Isso testaria Anne, essa reunião; testaria tudo o que ela era e tudo o que decidira aqui que queria ser.

Atrás dela, a porta de tela rangeu ao ser aberta. – Annie?

Ela fechou os olhos por um segundo, reunindo forças. – Oi, Nick – ela disse suavemente, olhando para as mãos apertadas no colo.

A porta bateu ao fechar e ele se aproximou por trás dela. Colocou a mão gentilmente no ombro dela e se abaixou. – O que você está fazendo sozinha aqui fora?

Ela olhou para ele e, por um instante, teve uma sensação de pânico. A ideia de desistir dele era aterrorizante.

Mas tinha de pensar em Nick, não em si mesma. Ela olhou para ele. – Não quero machucar você, Nick.

Ele segurou a mão esquerda dela, retraçando a linha do bronzeado com a ponta do dedo. – Me dê algum crédito, Annie. Eu sei que isso não é simples como apenas tirar um anel.

Ela olhou para ele por um longo tempo. Sentiu crescer dentro de si a vontade de fazer promessas impossíveis, de dizer que o amava, mas não podia ser cruel assim. Ia partir em duas semanas. Seria infinitamente melhor levar suas palavras consigo.

– Não temos o "para sempre", Annie. Eu sei disso.

Ela escutou algo na voz dele, uma pequena rachadura na palavra *sempre,* mas ele estava sorrindo e ela não queria pensar no que ele estava sentindo. – Sim – ela sussurrou.

Ele a ergueu nos braços e a carregou para a cama. E, como sempre, assim que estava nos braços dele, Annie parava de pensar no futuro e deixava o presente a consumir.

Na terça de manhã, eles planejavam ir à praia. Annie olhou para a cesta de piquenique do seu lado, conferindo o conteúdo pela décima vez, então olhou para o relógio. Já eram dez e meia. Ela foi até o pé da escada e gritou para Nick e Izzy se apressarem. Depois, cantarolando, voltou para a cozinha.

O telefone tocou quando estava passando por ele. Ela se abaixou e atendeu no segundo toque. – Alô?

– Aguarde, por favor. Blake Colwater vai falar.

Por um momento de desorientação, Annie não conseguiu conectar o nome com sua própria vida. Nick desceu a escada. Ela lançou para ele um olhar confuso. – É o Blake.

Nick parou no meio do passo. – Eu... vou lhe dar privacidade.

– Não. Venha aqui. Por favor.

Nick cruzou a sala e parou do lado dela. Virando-se um pouco, ela segurou a mão dele.

A voz autoritária de Blake finalmente soou no fone. – Annie... é você?

Com o som da voz dele, tudo voltou. Ela ficou perfeitamente imóvel. – Alô, Blake.

– Como você está, Annalise?

– Estou bem. – Ela fez uma pausa, preparando-se para o que viria a seguir. – E você?

– Eu... estou bem. Peguei seu número com o Hank. Você sabe que Natalie logo voltará para casa.

– Em 15 de junho. Ela quer que nós a esperemos no aeroporto. – Ela colocou uma pequena ênfase no *nós*.

– Claro. O avião dela chega às...

Ela o odiou por não saber a hora. – Cinco e dez da tarde.

– Eu sabia disso.

Um silêncio desconfortável seguiu-se à aparente mentira. Blake riu com facilidade, como se fizesse apenas três horas desde que tinham falado pela última vez, e não três meses. – Precisamos conversar, claro, antes de encontrarmos a Natalie. Quero que você venha para Los Angeles este fim de semana.

– Você quer? – Era tão coisa do Blake. Ele queria conversar, então ela tinha de pegar um avião.

– Vou mandar uma passagem para você.

Ela inalou com força. – Não estou pronta para ver você agora.

– *O quê?* Pensei que...

– Duvido. Não temos nada que falar agora.

– Eu tenho.

– Palavras engraçadas, vindas de você.

– Annalise – ele suspirou. – Quero que venha para casa neste fim de semana. Precisamos conversar.

– Desculpe, Blake. Não tenho a intenção de ir para casa neste fim de semana. Sei que concordamos em discutir a separação em junho. Vamos deixar assim, está bem? Eu vou estar em casa no dia 13.

– Mas que droga, Annalise. Eu quero...

– Adeus, Blake. Vejo você em duas semanas. – Ela desligou o telefone e ficou olhando para ele.

– Você está bem, Annie?

A voz de Nick a tirou da escuridão que se formava no horizonte dela. Forçando um sorriso, ela se virou para ele. – Estou bem.

Ele olhou para ela por um longo, longo tempo. Por um segundo, Annie pensou que ele fosse beijá-la, e ficou na ponta dos pés para receber o beijo. Mas ele só ficou ali, olhando para ela como se estivesse memorizando cada detalhe daquele momento. – Não vai ser tempo suficiente.

Capítulo 21

Quando Blake percorreu o pavimento irregular da rua principal de Mystic, lembrou-se como sempre detestara essa cidadezinha combalida de lenhadores. Fazia com que se lembrasse da cidade onde tinha crescido, em uma comunidade dilapidada e esquecida em Iowa, um lugar que fizera muita força para esquecer.

Entrou com o Cadillac alugado em um posto de gasolina e estacionou. Levantando o colarinho do casaco (quem ia querer morar em um lugar onde é preciso usar casaco no fim de maio?), ele caminhou debaixo da chuva até a cabine telefônica. A chuva fazia tanto barulho na cabine que mal conseguia ouvir os próprios pensamentos.

Precisou de um minuto para lembrar o telefone de Hank. Não discava os números para seus telefonemas fazia anos. Colocando uma moeda no telefone, pressionou os números e escutou o toque.

No terceiro toque, Hank atendeu. – Alô?

– Oi, Hank. Sou eu, Blake... de novo. Quero falar com minha espo... com Annie.

– Mesmo? Eu achei que não queria.

Blake suspirou. – Apenas chame a Annie, Hank.

– Ela não está aqui. Ela *nunca* está aqui durante o dia.

– Como assim?

– Eu passei outro número para você no outro dia. Você pode encontrá-la lá.

– Onde ela está, Hank?

– Ela está visitando... amigos na velha casa Beauregard.

– A velha casa Beauregard. Puxa, agora eu sei onde é.

– Lembra da velha casa no final da estrada do lago? Um velho amigo dela mora lá agora.

Blake teve uma sensação estranha na boca do estômago. – O que está acontecendo, Hank?

Houve uma pausa, então Hank disse – Você vai ter de descobrir sozinho, Blake. Boa sorte.

Boa sorte. Mas que droga ele queria dizer com isso?

Depois de pedir ajuda para chegar à estrada do lago e voltar para o carro, Blake estava imensamente irritado. Alguma coisa ali estava errada.

Mas, também, as coisas não estavam certas fazia tempo.

Ele percebeu que tinha algo errado fazia um mês; tinha perdido a capacidade de se concentrar. O trabalho começou a sofrer.

E eram as coisas pequenas, nada realmente sério. Como a gravata que estava usando hoje. Estava errada.

Era uma coisa estúpida, sem sentido, e certamente ninguém notaria, mas *ele* sabia. Quando Annie comprou para ele esse terno Armani de dois mil dólares, tinha escolhido uma camisa branca com monograma e uma gravata de seda com faixas bem finas cinza, brancas e vermelhas para acompanhar. Era um conjunto, e ele sempre usou essas peças juntas. Tinha percebido fazia algumas semanas que não conseguia achar a gravata. Revirou o quarto procurando por ela.

– Espero que você arrume toda essa confusão – foi o que Suzannah disse quando viu a bagunça que ele tinha feito.

– Não consigo achar a gravata que vai com esse terno.

Ela o olhou por cima da beirada da xícara de café. – Vou avisar a imprensa.

Ela achou engraçado a gravata ter sumido, e que ele precisasse tanto dela. Ocorreu a ele que talvez estivesse na lavanderia, em algum lugar, sua gravata favorita, a gravata da qual *precisava.*

Annie ia saber onde ela está.

Esse foi o começo.

Blake ligou o som do carro, fazendo uma careta quando o que saiu dos alto-falantes foi música country. Passou pelas estações, mas não dava para ouvir nada direito. Aborrecido, ele desligou o rádio.

A estrada se desdobrava a sua frente, envolta em sombras no meio do dia e da chuva prateada. Depois de alguns quilômetros, começou a ver rapidamente o lago através das árvores. O pavimento deu lugar a uma estrada de cascalho que virava para um lado e para o outro sem parar, e por fim o colocou em uma grande clareira. Uma casa amarela brilhante ficava no meio de um gramado cheio de flores coloridas. Um Mustang vermelho e um carro de polícia estavam estacionados embaixo do galhos grossos de um antigo bordo.

Ele parou o carro e desceu. Erguendo o colarinho outra vez, atravessou o jardim e subiu a escada, indo bater com força na porta da frente. Ela foi aberta quase no mesmo instante, e uma menininha apareceu na fresta. Ela usava um macacão impermeável e boné de beisebol. Nos braços, carregava uma boneca de pano velha.

Blake sorriu para a menina. – Olá. Eu sou...

Um homem apareceu subitamente atrás da menina. As mãos pousaram de forma protetora nos ombros dela, puxando-a um pouquinho para trás. – Olá.

Blake olhou para o homem alto de cabelo grisalho, então virou a cabeça para olhar para dentro da casa. – Oi. Desculpe incomodar, mas estou procurando por Annalise Colwater. O pai dela, Hank, me disse que ela estaria aqui.

O homem ficou visivelmente tenso. Os olhos azuis se estreitaram e examinaram Blake de alto a baixo com em uma única olhada. Blake ficou de alguma forma certo de que aqueles olhos não perderam nenhum detalhe, nem o terno Armani nem a gravata que não combinava. – Você é Blake.

Blake franziu a testa. – Sim, e você...

De algum lugar lá de dentro, Blake escutou o som de alguém descendo depressa uma escada. – Eu estou pronta, pessoal.

Blake reconheceu a voz de Annie. Ele passou pelo homem silencioso e a menina e entrou na casa.

Annie o viu e parou subitamente.

Ele quase não a reconheceu. Estava usando uma capa amarela e um grande chapéu largo que cobria a maior parte do rosto. As botas nos pés deviam ser quatro números maiores que o dela. Ele forçou um sorriso largo e abriu os braços. – Surpresa.

Annie olhou de forma estranha para o homem de cabelo grisalho, então voltou o olhar lentamente para Blake. – O que você está fazendo aqui?

Ele olhou para os dois estranhos; ambos o observavam. Lentamente, ele baixou os braços. – Prefiro não discutir isso em público.

Annie mordeu o lábio, então suspirou com força. – Certo, Blake. Vamos conversar. Mas não aqui.

A menina choramingou e bateu os pés. – Mas, Annie, nós vamos tomar sorvete.

Annie sorriu para ela. – Desculpe, Izzy. Preciso falar um pouco com esse homem. Depois tomamos o sorvete, está bem?

Esse homem. O estômago de Blake se apertou. O que é que estava acontecendo ali?

– Não torne isso difícil para a Annie, está bem, Raio de Sol? Ela tem de sair por um minuto. – Era a voz do homem.

– Mas ela vai voltar... não vai, papai?

A pergunta foi seguida por um silêncio desconfortável. Ninguém respondeu.

Annie passou pela menininha e parou ao lado de Blake. – Encontro você no Ted's Diner and Barber em cerca de dez minutos. É bem no centro da cidade. Não dá para você não ver.

Blake sentiu como se o mundo tivesse se inclinado. Olhou para ela, essa mulher que mal reconhecia. – Certo. Vejo você em dez minutos.

Ele ficou ali por um momento interminável, sentindo-se desconfortável e deslocado. Então forçou um sorriso. Só precisavam de alguns momentos sozinhos, e tudo ficaria bem. Foi o que disse para si mesmo quando se virou e saiu da casa. Ainda estava se dizendo a mesma coisa dez minutos depois, quando parou diante da lanchonete mais brega e descuidada que jamais tinha visto. Lá dentro, sentou-se em um das mesas de vinil amarelo e pediu um café. Quando o café chegou, ele olhou o Rolex: onze e quinze.

Na verdade, estava nervoso. Por baixo da mesa de fórmica, enxugou as palmas das mãos na calça.

Olhou para o relógio de novo, onze e vinte cinco, e imaginou se Annie ia aparecer. Foi um pensamento maluco que descartou de imediato. Annie era a pessoa mais confiável que já conhecera. Se Annie dizia que estaria em algum lugar, ela estaria mesmo. Talvez atrasada; geralmente nervosa. Mas estaria lá.

– Alô, Blake.

Ele estava olhando pela vitrine e virou a cabeça subitamente ao ouvir a voz dela. Annie estava parada ao lado da mesa com o quadril para um lado e os braços cruzados. Vestia um jeans desbotado e uma blusa branca de gola olímpica sem manga; e o cabelo... parecia que tinham passado um cortador de grama nele.

– O que você fez com seu cabelo?

– Acho que a resposta é óbvia.

– Ah. – Ele franziu a testa, desconcertado pela visão dela e pela resposta. Tinha sido uma resposta descolada, algo que ela nunca fazia. Blake imaginara esse momento, temia e ansiava por ele em medidas iguais, durante semanas. Mas, sempre que imaginava esse reencontro, era com a Annie antiga, vestida de forma impecável, sorridente, um pouco nervosa. A mulher parada ali na frente dele era alguém que não conhecia. – Bem, ele vai crescer de novo. – Atrasado, ele se levantou. – É bom ver você, Annie.

O sorriso que ela lhe dirigiu foi reservado e não alcançou os olhos. Ela deslizou para o assento, ficando de frente para ele.

Com um movimento rápido da mão, ele chamou a garçonete vestida de poliéster, que correu até a mesa. Blake olhou para Annie. – Café?

– Não. – Ela bateu com as unhas na mesa, e ele notou que não havia esmalte e as unhas estavam muito curtas, quase como se tivessem sido roídas. E na mão esquerda, onde era o lugar da aliança dele, havia apenas uma faixa de pele clara, sem bronzeado. Ela sorriu para a garçonete. – Quero uma Budweiser.

Ele a olhou chocado. – Você não bebe cerveja. – Era algo estúpido de dizer, mas ele não conseguiu pensar em mais nada. Tudo o que podia era olhar para o anel que ela não estava usando.

Mais um sorriso falso. – Não bebo?

A garçonete assentiu e foi embora.

Annie voltou a atenção para Blake. O olhar dela o examinou em um segundo, e ele imaginou o que essa nova mulher via quando olhava para o velho Blake. Esperou que ela dissesse alguma coisa, mas ela só ficou ali sentada com o novo corte de cabelo e sem maquiagem nem a aliança, olhando para ele.

– Pensei que devíamos conversar... – ele disse, de forma bem idiota, como pensou a seguir.

– Arrã.

Mais um silêncio, e nesse momento a garçonete se aproximou. Ela colocou uma caneca de cerveja gelada em um pequeno guardanapo quadrado e Annie sorriu abertamente para ela.

– Obrigada, Sophie.

– De nada, senhorita Bourne.

Senhorita Bourne? Isso o deixou sem ar.

– Então – ela disse por fim, tomando um gole da cerveja. – Como está a Suzannah?

Blake se encolheu com a frieza da voz dela. Sabia que merecia, mas não esperava a raiva. Annie nunca ficava brava. – Não estou mais morando com ela.

– Mesmo?

– Sim. É por isso que queria falar com você.

Ela olhou para ele por cima da beirada da caneca. – Mesmo?

Ele desejou ter ensaiado aquilo, mas não esperava que ela tornasse tudo tão difícil. Para ele, o roteiro seria assim: ele entrava na sala e ela hesitava, daí sorria e chorava e dizia como sentira a falta dele. Ele abria os braços e ela se lançava neles... e pronto. Estavam juntos de novo.

Ele tentou avaliar as emoções dela, mas os olhos que conhecia tão bem estavam fechados para ele. De forma muito incomum, ele ficava tropeçando nas palavras. – Cometi um erro. – Ele deslizou a mão sobre a mesa.

– Um erro. – Ela retirou a mão.

Ele ouviu a censura na voz dela e sabia o que ela queria dizer. Um erro era atrasar o pagamento do cartão de crédito; o que ele tinha feito era algo bem diferente. O modo como ela o olhou, o som suave e reservado da voz, tão diferentes da Annie que conhecia, fizeram um buraco na confiança dele, e Blake começou a sentir como se algo vital estivesse vazando dele. – Quero voltar para casa, Annie – ele disse suavemente, implorando de uma forma como nunca havia implorado na vida. – Eu amo você, Annalise. Sei disso agora. Fui um tolo estúpido. Você pode me perdoar?

Ela ficou ali, olhando para ele, os lábios formando uma linha reta, dura.

No silêncio, ele sentiu uma fagulha de esperança surgir. Deslizou pelo assento redondo e ficou do lado dela, olhando para ela, sabendo que todo o seu coração e alma estavam nos olhos e esperando com ansiedade que ela ainda se importasse. Lembranças da vida em comum inchavam dentro dele, alimentando a confiança. Ele se lembrava de uma dúzia de vezes em que a magoara, aniversários que tinha esquecido, noites em que não voltara para casa, jantares que foram arruinados por sua ausência. Ela sempre o perdoara; ela era assim. Annie não podia ter mudado tanto assim.

Ela olhava direto para a frente, os olhos cansados e cheios de uma dor que ele colocara ali. Blake olhou para o perfil dela, desejando que ela se virasse para ele. Se ela o fizesse, se olhasse para ele por um segundo, ia ver a resposta nos olhos dela. – Annie? – Ele segurou a mão dela, e estava fria. – Eu amo você, Annie – ele disse novamente, com a voz embargada. – Olhe para mim.

Lentamente, bem lentamente, ela se virou, e ele viu então que os olhos dela estavam cheios de lágrimas. – Você acha que pode dizer que lamenta muito e vai estar tudo acabado, Blake? Como se nunca tivesse acontecido?

Ele ficou segurando a mão dela, sentindo a delicadeza dos ossos e a suavidade da pele. – Eu vou passar o resto da vida pagando por isso.

Ela fechou os olhos por um segundo, e uma lágrima desceu pelo rosto. Então ela abriu os olhos e olhou para ele. – Você me fez um favor, Blake. A mulher que eu era... – Ela tirou a mão de entre as deles e enxugou a lágrima do rosto. – Eu me deixei virar nada. Eu não sou mais aquela mulher.

– Você ainda é a minha Annie.

– Não, eu sou a *minha* Annie.

– Volte para mim, Annie. Por favor. Nos dê outra chance. Você não pode jogar tudo...

– Não *ouse* terminar essa frase. *Eu* não joguei nada fora. Foi você, com seu egoísmo e suas mentiras e esse seu pau que não para quieto. E agora você descobriu que a pequena Suzannah quer ser sua amante, não sua esposa ou sua mãe e seu capacho, e você vem correndo de volta para mim. A mulher que vai aceitar suas merdas com um sorriso e lhe dar um lugar seguro onde nada se espera de você e tudo é feito para você.

Ele ficou chocado com a linguagem e a veemência dela. – Annie...

– Eu conheci alguém.

O queixo dele caiu. – Um homem?

– Sim, Blake. Um homem.

Ele deslizou de volta para o outro lado do assento circular. Tomou um gole do café frio, tentando superar o choque da revelação. *Um homem? Annie com outro homem?*

O homem de cabelo grisalho e os olhos azuis tristes.

Por que é que nos meses em que ficaram separados ele nunca pensou nessa possibilidade? Sempre a imaginara como a Annie quieta e confiável, que cuidava de todo mundo, sorria e ria e tentava praticar todo tipo de hobby. Ele a imaginara costurando, decorando e bordando. Mas que droga, ele sempre pensava nela costurando e chorando inconsolável. Ergueu os olhos para ela. – Você... você dormiu com ele?

– Ah, pelo amor de Deus, Blake.

Ela tinha dormido com ele. Annie, sua Annie, sua *esposa,* tinha dormido com outro homem. Blake sentiu um surto de raiva animal, crua, uma fúria que nunca sentira antes. Queria lançar a cabeça para trás e gritar de raiva, mas em vez disso ficou muito quieto ali sentado, as mãos fechadas com força ao redor dos blocos de madeira da mesa. Ele afastou os pensamentos horríveis. – Eu acho que você fez isso para se vingar de mim.

Ela riu. – Nem tudo acontece por sua causa.

– Então... – O que se dizia em uma hora dessas? Ele queria dar um soco no vidro da vitrine, mas em vez disso tinha de ficar sentado ali como um cavalheiro, fingindo que aquilo não doía imensamente, fingindo que ela não tinha arrancado seu coração e o pisoteado. – Eu acho... – Ele encolheu os ombros. – Acho que podemos perdoar um ao outro.

– Eu não quero seu perdão.

Ele se encolheu. Eram as mesmas palavras que tinha dito a ela há alguns meses, e elas machucavam. Meu Deus, elas machucavam.

– Desculpe, Annie. – Ele disse apenas isso, olhando para ela. Pela primeira vez, ele compreendia de verdade o que tinha feito com ela. Em seu egoísmo arrogante, não havia pensado no que a fizera passar. Tinha adoçado seu comportamento com o vocabulário dos anos noventa: *Preciso do meu espaço; não tem motivo para ficarmos juntos se você não está feliz; você vai ficar melhor sem mim; nós fomos nos separando.* E ele acreditava em tudo isso. Agora, via seu engano. As palavras eram simples desculpas sem sentido para um homem que achava que as regras não se aplicavam a ele. Agia como se o casamento deles fosse um estorvo inconveniente, uma irritante pendência em uma propriedade onde ele queria construir. As palavras que importavam de verdade, *amor, honra* e *carinho, até que a morte os separe,* ele descartara como se não significassem nada.

Ele sentiu a primeira onda de vergonha honesta. – Eu não sabia como isso podia machucar. Mas Annie, eu amo você, pode acreditar nisso. E vou continuar amando você pelo resto da vida. Não importa o que você faça nem para onde vá ou o que diga, eu vou estar sempre esperando pelo seu perdão. Amando você.

Ele viu um brilho de dor nos olhos dela, e viu que os seus lábios relaxaram. Por um instante, ela tinha enfraquecido, e, como qualquer bom advogado, ele sabia aproveitar a oportunidade. Tocou o rosto dela com gentileza, forçando-a a olhar para ele. – Você acha que eu não amo você de verdade, que sou apenas o mesmo idiota egoísta que sempre fui, e que eu quero você porque você torna minha vida mais fácil... mas não é isso, Annie. Você torna minha vida completa.

– Blake...

– Lembra dos velhos tempos? Quando vivíamos naquela casa de praia na Laguna Niguel? Eu não podia esperar para voltar para casa para ver você. E você sempre me esperava na porta, lembra disso? Você abria a porta e se jogava nos meus braços. E como foi quando Natalie nasceu, quando deitei naquela cama estreita de hospital com você e passei a noite, até aquela enfermeira velha e ossuda me pôr para fora? E daquela vez na praia, quando nós dois fizemos castelos de areia à meia-noite e tomamos champanhe e sonhamos com a casa que um dia teríamos. Você disse que queria um quarto azul e branco, e eu disse que poderia pintá-lo de roxo se quisesse, desde que prometesse estar na minha cama para sempre...

Ela estava chorando agora. – Blake, por favor, não faça isso...

– Não fazer o quê? Não lembrar você de quem somos e o tempo todo que vivemos juntos? – Ele tirou o lenço do bolso do peito e enxugou as lágrimas dela. – Nós somos uma *família*. Eu devia ter visto isso antes, mas estava cego, idiota e egoísta, e desprezei isso. – A voz dele virou um sussurro rouco e ele olhou para ela através das próprias lágrimas. – Eu amo você, Annie. Você tem de acreditar em mim.

Ela esfregou os olhos e os desviou dele, fungando baixinho. – Acreditei em você por vinte anos, Blake. Não é mais assim fácil.

– Eu nunca pensei que seria.

– Pensou, sim.

Ele sorriu sem graça. – Você está certa. Eu pensei que você ia ouvir minhas desculpas e se jogar nos meus braços e cavalgaríamos juntos para o pôr do sol. – Ele suspirou. – Então, para onde vamos daqui?

– Não sei.

Era uma abertura, alguma coisa por fim. – Você tem de me dar, *nos* dar, outra chance. Quando você pediu uma chance, eu concordei, e pensei onde tínhamos errado e onde estou. Você me deve a mesma consideração, Annie. Você deve isso a sua família.

– Ah, que bom. Um discurso sobre valores familiares vindo de *você*. – Ela tirou um estojo compacto da bolsa e abriu o espelho. – Perfeito. Estou parecendo a Pillsbury Dough Girl[25].

– Você está linda.

Ela olhou duro para ele. – Mas meu cabelo vai crescer de novo.

---

[25] Pillsbury Company é uma fabricante de produtos alimentícios, entre eles massa para pães e bolos. Em 1965 a empresa lançou o primeiro comercial com o Pillsbury Dough Boy, um boneco bem simples feito de massa e sempre sorridente, com cabeça redonda, um lenço no pescoço e chapéu de cozinheiro. A figura ficou famosa e mais tarde foi acompanhada por uma série de outros bonecos, incluindo o da garota Pillsbury. (N.T.)

– Eu não devia ter dito isso.

Ela fechou o estojo de pó. – Não, não devia.

O olhar dela era desconfortavelmente direto, e ele se lembrou de que, de certa forma, depois de quase vinte anos de casamento, não conhecia nem um pouco a mulher sentada a sua frente. – No dia 14 de junho vou encontrar você em casa. Podemos discutir... isso... então. – Ela se levantou e ele viu que estava um pouco instável. Era evidente que Annie estava se contendo com grande esforço.

Ele se animou com isso. – Eu não vou desistir, Annie. Vou fazer o que for preciso para ter você de volta.

Ela suspirou. – Vencer sempre foi muito importante para você, Blake. – Ao dizer isso, ela se virou e saiu da lanchonete.

Capítulo 22

Nick estava esperando Annie voltar. Na primeira hora, ele disse a si mesmo que estava sendo idiota. Sabia que ela não tinha como ir conversar com o marido e voltar em menos de duas horas.

Mas então duas horas viraram três, e quatro, e então cinco.

Forçando um sorriso, ele transformou fazer o jantar em uma grande produção, por causa de Izzy. Foi tropeçando através de uma das receitas de Annie: peito de frango com arroz, flocos de milho e batata. Esqueceu de começar o arroz a tempo, por isso serviu o frango frito demais com fatias de banana e pedaços de queijo. Fez o possível para ficar conversando, mas ele e Izzy estavam ambos muito conscientes da cadeira vazia à mesa.

Tudo estava indo bem até Izzy olhar para ele, o lábio de cima com um bigode fino de leite. – Papai, ela vai voltar, não vai, papai?

O garfo de Nick atingiu a beirada do prato com um *ping*. Ele não sabia como responder a essa pergunta, então recorreu a uma lição típica da educação de uma criança. – Não fale com a boca cheia – ele disse, desviando os olhos depressa.

Quando terminaram de lavar os pratos, ele deu banho em Izzy e a colocou na cama, ele estava arisco como um passarinho. Não conseguia nem se concentrar o suficiente para ler uma história para dormir para ela. Em vez disso, deu um beijo na testa da filha e correu dali.

Blake era exatamente como Nick imaginava, e precisamente o que temia. Quando viu o homem bonito, confiante, e obviamente bem-sucedido no terno caro, Nick sentiu como se não fosse nada. Viu seus próprios defeitos com relevo: o jeans barato de cidade pequena que precisava ter a barra costurada, a camiseta que tinha sido azul no passado mas, depois de ser lavada incontáveis vezes, ficara de um cinza manchado e sem vida, a alça do cinto rasgada que ele nunca se preocupara em costurar. E ele nem mesmo queria *pensar* em sua aparência, as rugas profundas ao redor dos olhos que eram o legado de Kathy, e a cor não natural do cabelo.

Blake era tudo o que Nick nunca poderia ser.

Ele queria poder deixar a preocupação de lado, pensar em alguma outra coisa, qualquer outra coisa. Mas, quanto mais tentava clarear os pensamentos, mais ela aparecia dentro deles. Annie tinha seu coração e alma na palma da mão, e nem sabia disso.

Nick nunca se sentira tão parte de uma família como agora.

Com a esposa de outro homem.

Annie o viu parado perto do lago. Desceu do Mustang e fechou a porta silenciosamente, e foi caminhando devagar pela grama.

Sem dizer nada, ela se aproximou e parou do lado dele. Ficou esperando ele tocá-la, que se aproximasse o suficiente para ela sentir o calor reconfortante da presença dele, mas ele não o fez. Em vez disso, ficou parado ali, empertigado. – Como foi?

Não havia sentido em mentir. – Ele cometeu um grande erro e me ama.

– Ele cometeu *mesmo* um grande erro.

A voz de Nick estava incerta, e, nela, Annie sentiu a dor dele.

– O que você vai fazer? – ele perguntou suavemente.

– Eu não sei. Passei dois meses e meio tentando parar de amá-lo, e agora, quando quase consegui, ele quer voltar. Não posso me adaptar depressa a isso.

Nick ficou em silêncio, e ela percebeu o que tinha dito. *Quase consegui.* Quase deixara de amar o marido. Ela teve vontade de colocar um Band-Aid na ferida que suas palavras causaram, mas o *quase* era a verdade do que sentia por Blake. Qualquer outra coisa seria mentira.

Na margem, a água batia tranquilamente contra os seixos. A brisa sussurrava através das folhas do grande bordo.

A ideia de partir a aterrorizava. Ela pensou em sua casa grande e vazia na Califórnia, e o tempo todo em que ficaria sozinha. – E se...

Ele se virou para ela. – E se o quê?

Ela respirou fundo. – E se... eu voltar pra cá? Depois... de acertar tudo? Tenho pensado mais e mais na livraria. Você tem razão, a casa da rua principal seria perfeita. E Deus sabe que esta cidade precisa de uma livraria...

Ele ficou completamente imóvel. – O que você está dizendo?

– Depois do divórcio... e depois que Natalie for para a faculdade, eu vou ficar lá no sul da Califórnia completamente sozinha...

– Não faça isso comigo, Annie. Não me jogue a esperança como se fosse um osso para enterrar no meu quintal. Eu não posso passar o resto da vida esperando você, olhando para a estrada, pensando *hoje, talvez hoje.* Isso partiria o que resta do meu coração. Não me faça nenhuma promessa que não puder cumprir. É... mais fácil para mim assim.

O ar pareceu escapar dos pulmões dela. Annie pareceu encolher. Ele estava certo; sabia que ele estava certo. Seu futuro era um mistério, impenetrável e incerto. Não tinha ideia do que ia acontecer quando voltasse para casa. Não estava nem certa do que queria que acontecesse. – Desculpe – ela sussurrou. Queria dar alguma explicação, lembrar para ele que conhecia Blake desde sempre, que Natalie era sua filha, que tinha sido sempre uma mulher casada, mas nenhuma dessas palavras importava.

Ele não disse nada. Só ficou ali, balançando um pouquinho, olhando para ela como se já a tivesse perdido.

Na manhã seguinte, Annie estava tão deprimida que nem foi para a casa de Nick. Em vez disso, ficou na cama alternando entre chorar e ficar olhando para o nada.

Sua mente estava cheia demais; isso a estava deixando louca, todas as coisas em que tinha de pensar. Seu marido, o homem que amara desde os dezenove anos, queria outra chance de fazer o casamento dar certo. Ele lamentava. Ele tinha cometido um erro.

Ela não havia *implorado* para ele dar uma chance ao casamento deles fazia alguns meses?

Do lado da cama, o celular tocou. Ela se inclinou e o pegou. – Alô?

– Annie Colwater? Aqui é Madge, do escritório do doutor Burton. Estou ligando para lembrar da sua consulta às dez e meia de hoje.

Ela tinha esquecido completamente. – Ah, eu não sei...

– Doc Burton me disse para não aceitar um não como resposta.

Annie suspirou. Na semana passada achava que tinha vencido a depressão, mas agora ali estava novamente, avançando lentamente através da confusão gelada, incapaz de alcançar a superfície. Talvez fosse bom falar com o médico. Pelo menos era um lugar aonde ir e alguma coisa para fazer. Provavelmente se sentiria melhor apenas por sair da cama. – Obrigada, Madge – ela disse suavemente. – Eu vou estar aí.

Com um suspiro cansado, ela girou para fora da cama e foi para o chuveiro. Às dez e quinze estava pronta, com um jeans e camiseta gasta. Sem se preocupar em pentear o cabelo, já que não serviria para nada, pegou a bolsa, as chaves do carro e saiu do quarto.

Hank estava na varanda, sentado na cadeira de balanço, lendo um livro. Com a saída apressada dela, ergueu o rosto. – Você está atrasada hoje.

– Tenho hora no médico.

O sorriso dele sumiu. – Está tudo bem?

– Além do fato de eu estar deprimida e retendo mais água do que o tanque das focas do Sea World, estou bem. Doc Burton marcou essa consulta da primeira vez em que o vi. Ele queria ter certeza de que eu não estaria mais triste antes de... eu ir para casa.

Triste. Uma palavra tão pequena para o vazio que corria em suas veias.

Forçando um sorriso, ela beijou a testa de Hank. – Tchau, pai.

– Tchau.

Ela correu descendo a escada e entrou no Mustang.

No centro, estacionou à sombra de um olmo e deixou o carro sem se preocupar em trancar a porta. Correu subindo os degraus de cimento e entrando no prédio de tijolos que visitara tantas vezes quando criança.

Madge sorriu para ela. – Olá, meu bem. O doutor está a sua espera. Vá para a sala de exame número dois.

Annie assentiu e seguiu pelo corredor de paredes brancas. Encontrou a porta com um imenso número dois preto e entrou. Sentou-se na mesa coberta por papel e folheou a edição mais recente da *Fishing News*.

Cerca de cinco minutos mais tarde, o dr. Burton bateu na porta e a abriu. – Olá, Annie. Ainda está se sentindo triste?

Como ela poderia responder? Em um momento estava bem, e no próximo, especialmente desde a visita de Blake, ficara muito mal. Ela jogou a revista numa cadeira. – Às vezes – ela respondeu.

– Marge disse que você tentou marcar uma consulta quando eu estava fora. Qual foi a causa?

– Eu tive uma gripe. Eu venci, mas... nos últimos dois dias tenho sentido um pouco de náusea.

– Eu disse que esse seria um período para você se cuidar. Quando ficamos deprimidos, nosso sistema tem problemas para lidar com infecções. E se eu tirar um pouco de sangue para dar uma olhada? Daí, se estiver tudo bem, podemos falar sobre como você está se sentindo de verdade.

Três horas depois, Annie estava diante da casa do pai. Tremendo, ela avançou. As pernas não pareciam funcionar; era como se estivesse caminhando através de uma névoa cinza densa que resistia aos seus movimentos.

Lentamente, ela subiu os degraus e entrou.

Hank estava sentado junto da lareira, fazendo palavras cruzadas. Quando ela entrou, ele ergueu o rosto. – Não estava esperando você até...

Ela começou a chorar. O pai chegou ao seu lado em um instante. Ele a abraçou e acariciou o cabelo. Mantendo-a abraçada, ele a conduziu até o sofá, sentando-se ao lado. Atrás, a porta se fechou com uma batida, deixando o mundo lá fora.

– O que foi, Annie?

Ela fungou com força e limpou o nariz na manga. Virou-se para o pai, mas as palavras não saíam.

– Annie?

– Eu estou grávida – ela sussurrou, e, com as palavras, começou a chorar de novo. Queria estar cheia de alegria com a notícia; já estava de três meses.

Depois de anos infindáveis tirando a temperatura, marcando religiosamente os ciclos de ovulação e ficando de cabeça para baixo após o sexo, ela havia concebido uma criança sem nenhum esforço.

Um bebê de Blake.

Annie nunca se sentira tão confusa e abatida em toda a sua vida, nem mesmo quando Blake pediu o divórcio. A princípio, quando o dr. Burton informou os resultados do exame de sangue, ela achou que fosse um engano. Quando percebeu que não havia engano, ficou paralisada por um momento, com um medo tremendo. Ficou pensando de quem seria o bebê.

Então lembrou de que Nick tinha contado. Ele fizera vasectomia quando Izzy estava com dois anos. E aí ela fez o exame pélvico, que revelou que estava com três meses.

O bebê definitivamente era de Blake.

Hank tocou o rosto da filha, virando gentilmente a face dela para ele.

– É um milagre – ele disse, e ela sabia que era verdade. Ela *sentia* isso, a pequena semente de um bebê crescendo dentro de seu corpo. Annie colocou a mão no ventre. Aquilo a emocionava e aterrorizava.

– Isso muda tudo – ela disse suavemente.

Era isso o que mais a assustava. Não queria voltar para a vida fria e estéril que tinha na Califórnia. Queria ficar ali, em Mystic, deixar a escuridão verde e fria tornar-se seu mundo. Queria continuar amando Nick. Queria subitamente, ferozmente, ver Izzy usar aparelho e cortar o cabelo e aprender a dançar. Queria abrir sua livraria e viver na sua própria casa e não prestar contas para ninguém além dela mesma.

Mais que tudo, queria amar pelo resto da vida, acordar toda manhã com Nick a seu lado e ir dormir toda noite nos braços dele. Mas não podia fazer isso. Não havia um bom obstetra a centenas de quilômetros de Mystic, e nenhum hospital com UTI neonatal. Tinha ligado para sua obstetra em Beverly Hills e a recomendação era que voltasse para casa. Descansar na cama era a ordem do dia. Assim como tinha sido com Adrian. Só que dessa vez Annie estava com quase quarenta anos; eles não iam correr nenhum risco. A médica queria ver Annie em três dias, e nem um dia depois disso, foi o que ela disse em tom sério.

– Você contou para o Blake?

Desta vez ela queria chorar, mas não conseguia. Ficou olhando para o pai, sentindo como se tudo que jamais desejara estivesse indo embora, se afastando e ficando fora do alcance. – Ah, papai, Blake vai querer...

– O que *você* quer?

– Nick – ela sussurrou.

Hank sorriu triste para ela. – Então, você acha que está apaixonada por ele agora. Annie, você está com ele faz apenas alguns meses. Você amou Blake desde que era adolescente. Há apenas alguns meses você estava tão devastada com o rompimento do seu casamento que não conseguia sair da cama. Agora quer jogar isso fora com o lixo de ontem?

Ela sabia que o pai estava certo. O que tinha com Nick era especial e mágico, mas não tinha a mesma profundidade do seu casamento. – Blake e eu tentamos durante tanto tempo ter mais filhos. Depois de Adrian, eu fiquei desesperada para conceber novamente, mas os anos passaram e... nada. Quando ele souber do bebê...

– Você vai voltar para ele – Hank disse, e a certeza na voz dele a deixou em pedaços.

Era a coisa certa a fazer, a única coisa a fazer, e Annie sabia disso. Não podia tirar de Blake o filho dele e mudar para aqui sozinha. Um bebê merecia ter o pai.

Era isso, a verdade que desnudou sua alma e a deixou com nada além de um punhado de sonhos perdidos e promessas que logo seriam quebradas.

Ela estava chorando novamente; não conseguia evitar. Ficava imaginando o que viria, o momento quando contasse para Nick sobre o bebê, e isso a machucava tanto que não conseguia respirar. Annie não queria ser forte, não queria ser honrada, não queria fazer a coisa certa.

Pensou em todo o tempo que passaram juntos, todos os momentos em que ele a abraçou e a tocou e beijou seus lábios com uma gentileza que ela nunca imaginou. Pensou em Izzy, e no tanto que ela havia perdido, e então pensou em voltar para a Califórnia, para a cama de Blake, para um lugar onde o ar era marrom e a terra seca. Mas, acima de tudo, ela pensou em como seu mundo seria desesperadamente solitário sem Nick...

Annie dirigiu e dirigiu, até não conseguir mais dirigir. Finalmente, pegou o caminho da casa de Nick. Quando chegou lá, ele estava no jardim com Izzy.

Tudo continuaria sem ela, esse lugar, essa família. Izzy ia crescer e aprender a dançar e sair em seu primeiro encontro, mas Annie não estaria ali para ver.

Ela olhou para Nick e ficou horrorizada ao perceber que lágrimas estavam turvando sua visão.

– Annie?

Trêmula, ela respirou fundo. Mais que nada, queria se jogar nos braços grandes e fortes dele. A necessidade de dizer as palavras preciosas, *eu te amo,* chegava a causar dor, mas ela não ousava. Sabia que, se Nick pudesse, ele prometeria que o sol brilharia sobre eles para sempre. Mas nenhum dos dois era ingênuo; ambos tinham aprendido que tudo podia mudar em um instante, e que os votos sinceros de pessoas apaixonadas eram palavras frágeis que, uma vez quebradas, podiam cortar tão fundo que a pessoa sangrava para sempre.

Ele se levantou e foi até ela. Com um dedo sujo, tocou o queixo dela, tão gentilmente que foi como o toque de uma asa de borboleta. – Meu bem, o que foi?

Ela forçou um sorriso brilhante, brilhante demais, Annie sabia, mas não tinha como evitar. – Entrou alguma coisa no meu olho. Não é nada. Deixe-me trocar de roupa, daí venho ajudar vocês.

Antes que ele pudesse responder, ou fazer outra pergunta dolorosa e amorosa, ela correu para a casa.

* * *

Nick e Annie estavam na cama, mal se tocando, as cobertas afastadas de suas pernas nuas. Um grande ventilador de carvalho girava lentamente no alto, zumbindo, agitando o ar com um barulho ritmado.

Depois de Izzy ser colocada na cama, eles rodearam um ao outro, ele e Annie, sem dizer as coisas que pareciam estar se juntando no ar entre os dois. Agora, ele a puxou para perto, acariciando a pele macia e úmida do seio dela. Annie estava quieta a noite toda, e de vez em quando ele a olhava e via uma tristeza distante nos olhos dela. Isso o assustava, esse súbito e inesperado silêncio. Nick ficava tentando perguntar o que estava errado, mas, a cada vez que as palavras flutuavam em sua língua, ele as engolia de volta. Estava com medo do que se escondia no silêncio.

– Precisamos conversar – ela disse suavemente, girando para longe dele.

– Deus, essas devem ser as piores duas palavras que uma mulher pode dizer. – Ele esperou que ela risse com ele.

– É sério.

Ele suspirou. – Eu sei que é.

Ela inclinou o corpo até ficar quase em cima dele. Seus olhos pareciam imensos no oval pálido do rosto, grandes e cheios de tristeza. – Fui ao médico hoje.

O coração dele quase parou. – Você está bem?

O sorriso dela foi cansado e desanimado. – Estou bem.

Ele soltou o ar com força. – Graças a Deus.

– Também estou grávida de três meses.

– Puxa vida... – ele não conseguia respirar direito.

– Tentamos durante anos e anos essa gravidez.

O bebê de Blake. O bebê do marido dela, do homem que disse que tinha cometido um erro terrível e a queria de volta. Nick sentiu como se estivesse derretendo nos lençóis quentes e amassados que cheiravam ao perfume dela e à paixão dos dois.

Eu sempre quis mais filhos. Essas tinham sido as exatas palavras dela, e nelas dava para ouvir o resíduo da dor de uma vida. E sabia que isso era algo que não podia dar para ela. E agora isso não importava.

Nick conhecia Annie bem demais; ela era uma pessoa amorosa e honrada, e uma mãe feroz. Era uma das coisas que amava nela, esse senso tão forte de honra. Ela sabia que Blake merecia a chance de conhecer o filho.

Não havia futuro para eles agora, não haveria anos que deslizariam um depois do outro com eles sentados naquelas grandes cadeiras de balanço na varanda.

Ele queria dizer algo que transformasse magicamente esse momento em algo que não era, que forjasse uma lembrança que não doesse pelo resto da vida. Mas não conseguiu.

Antes de a canção de amor deles começar de verdade, estava chegando ao fim.

Capítulo 23

Nick sabia que Annie estava acertando tudo para voltar para casa, mas ela estava sendo cuidadosa perto dele. Ela desligou o telefone quando ele entrou na sala.

Ele tentou erguer um escudo entre os dois, algo que suavizaria a queda quando ela partisse, mas era impossível. Ontem, ele e Annie tinham ido até Seattle ver um especialista em gravidez de alto risco. Ele não conseguia se manter afastado. Estava junto dela o tempo todo, encorajando-a a tomar água quando ela achava que não ia aguentar nem mais um gole, segurando a mão dela durante o ultrassom. Quando ele viu o bebê, aquela pequena linha cinza que se contorcia em um mar negro, ele teve de se afastar depressa, balbuciando alguma coisa sobre ir ao banheiro.

A cada dia, ele tentava não pensar no que ia acontecer, mas sentia a silenciosa e insistente marcha de cada hora, passando incessantemente para levar o que ele mais queria na vida.

Às vezes, no meio do dia, quando um raio de sol passava pela janela aberta e iluminava o cabelo curto de Annie, ele ficava perplexo com a beleza dela; e então ela sorria para ele, aquele sorriso suave, triste, e tudo voltava subitamente. Nick escutava novamente, em sua cabeça, aquele tique-taque.

Ela o mudara tanto, sua Annie. Tinha dado uma família para ele e o fez acreditar que o amor era um casaco de inverno pesado que o mantinha aquecido o ano todo. Mostrara que podia desviar a si mesmo dos padrões destrutivos da vida; podia parar de beber e cuidar da filha. Ela tinha lhe dado tudo com que sonhara.

Exceto um futuro.

Quando estavam juntos, não falavam sobre o bebê ou o futuro.

Agora ela estava parada na sala, olhando para as fotos sobre a lareira. Sem perceber, ela acariciou o ventre ainda liso.

Descendo a escada, ele imaginou no que ela estaria pensando. Os degraus rangeram com seu peso, e, com o som, ela ergueu o rosto, sorrindo para ele com ar cansado. – Oi, Nick – ela disse.

Ele foi até lá, passou os braços ao redor dela e a puxou para bem perto. Ela encostou a cabeça no ombro dele. Cuidadosamente, ele deslizou a mão e a fez parar no ventre dela. Por um segundo, permitiu-se pensar que a criança era sua, que *ela* era sua, e que esse momento era um começo em vez de um final.

– O que você está pensando? – ele perguntou baixinho, odiando o medo que veio com essa pergunta simples tão comum entre amantes.

– Eu estava pensando no seu trabalho. – Ela se virou entre os braços dele o olhou. – Eu... queria saber que você vai voltar para ele.

Aquilo doía, aquela declaração silenciosa de atenção. Nick sabia o que ela precisava dele nesse momento, um sorriso, uma piada, um gesto que a reassegurasse de que ele ficaria bem sem ela. Mas não tinha esse tipo de força; gostaria de ter. – Eu não sei, Annie...

– Eu sei que você era um bom policial, Nick. Nunca conheci ninguém com uma capacidade maior de se preocupar.

– Isso quase acabou comigo... isso de me preocupar. – As palavras tinham dois sentidos, e ele sabia que ela tinha entendido.

– Mas você iria desistir de tudo... do interesse e do amor e de tentar... você desistiria disso porque no final há dor?

Ele tocou o rosto dela com gentileza. – Você não está falando do meu trabalho...

– É tudo a mesma coisa, Nick. Tudo o que temos é o tempo, o esforço. O final... a dor... isso está fora do nosso controle.

– Está mesmo?

Uma única lágrima deslizou pelo rosto dela, e, apesar de ele querer enxugá-la, ficou com medo de que a pequena gota fosse queimar sua pele. Ele sabia que esse momento ficaria com ele para sempre, mesmo depois de querer esquecê-lo. – Eu nunca vou esquecer nós dois, Annie.

Dessa vez ele não se importou com quanto doía; ele se deixou sonhar que o bebê que ela carregava era seu.

Annie apareceu na casa do pai mais cedo. Por um momento, depois que desceu do carro, ela só ficou ali, olhando para a casa da sua infância como se nunca a tivesse visto antes. As janelas brilhavam com uma luz dourada, e uma profusão de flores coloridas envolvia a grelha de madeira abaixo da varanda que contornava a casa. Ela não estaria ali para ver os crisântemos florescerem este ano, e, apesar de não os ter visto florescer por muitos, muitos anos, agora isso a entristeceu.

Ia sentir falta de ver o pai. Era gozado; na Califórnia tinha passado longos períodos de tempo sem vê-lo, às vezes um ano inteiro passava sem nenhuma visita, e não sentia a dor da saudade que agora ocupava seu peito como uma pedra. Sentia-se quase como menina novamente, com medo de deixar sua casa pela primeira vez.

Com um suspiro, ela bateu a porta do carro e caminhou até a casa.

Não tinha chegado à varanda quando Hank abriu a porta. – Bem, já estava na hora. Não vejo você faz dias. Eu estava...

– Está na hora, pai.

– Já?

Ela assentiu. – Vou embora amanhã cedo.

– Ah. – Ele passou pela porta, fechando-a. Passou por ela e foi sentar no sofá de palhinha. Então a convidou com um gesto para sentar ao seu lado.

Ela se recostou na cadeira de balanço da mãe. Lembranças da infância estavam bem ali perto; elas vinham codificadas no som da cadeira movendo-se sobre as tábuas da varanda. Ela podia quase *escutar* a voz da mãe, chamando-a para entrar.

Hank olhou para a escuridão verde da floresta. – Eu lamento, Annie. Por tudo isso.

Annie sentiu a garganta apertar. – Eu sei, pai.

Hank virou para ela por fim. – Fiz algo para você. – Ele foi para dentro e voltou um momento depois, carregando um presente.

Ela pegou a caixa estreita, embrulhada em um belo papel azul, e a abriu. Dentro havia um álbum de fotografias encadernado em couro. Ela abriu a capa. A primeira página tinha uma pequena fotografia em preto e branco que já havia visto dias melhores; as beiradas estavam marcadas, e pequenas rachaduras brancas cobriam a imagem com padrões que lembravam um mapa.

Era uma foto rara de Annie com a mãe, uma que ela nunca tinha visto antes. A mãe vestia calça branca e uma blusa sem manga, com o cabelo preso atrás em um rabo de cavalo. Ela sorria. Ao lado, uma Annie magra e alta aparecia junto de uma bicicleta novinha em folha.

Annie lembrava dessa bicicleta. Fora um presente de aniversário, que ganhou em meio a uma chuva de balões, bolo e risadas. Lembrava de como a mãe ficou orgulhosa quando ela andou na bicicleta pela primeira vez. *Aí está, Annie, querida, você está por sua conta agora.*

Lentamente, ela virou as páginas, saboreando cada fotografia. Ali estava ela por fim, Annie... desde os primeiros dias, desdentada, no jardim de infância, e até seus anos de adolescência.

Era sua vida ali diante dos seus olhos, um momento congelado por vez, e cada um trazendo uma lembrança doce-amarga. Lady, uma cachorrinha que tinha trazido da venda... o ornamento de árvore de Natal que havia feito na aula do sr. Quisdorff... o vestido de cetim branco sem mangas que usara na festa de formatura do ginásio.

As lembranças se juntaram nela, ansiando por serem seguras e saboreadas, e ela imaginou como é que havia esquecido tanto. Em cada foto via a si mesma, via a mulher emergindo nas feições cheias de sardas, com dentes faltando, da menina naquelas imagens. A página final do álbum fora reservada para a foto de família para a qual ela, Blake e Natalie tinham posado fazia apenas dois anos.

Aí estou eu, ela pensou, olhando para a mulher sorridente e de olhos brilhantes no suéter preto St. John... *e aí não estou eu.*

– Não consegui achar muitas fotos da sua mãe – Hank disse suavemente. – Olhei uma dúzia de caixas no sótão. Essas são quase todas que achei. Desculpe.

Annie ficou surpresa ao ouvir a voz dele. Tinha penetrado tão profundamente nos próprios pensamentos que esqueceu que o pai estava do seu lado. Ela sorriu rapidamente para ele. – Nós somos assim, as mães. Tiramos as fotos, mas não registramos nossa própria vida muito bem. É um erro que nunca percebemos senão quando já é tarde demais...

Ela voltou para o começo do álbum, para uma foto pequena em preto e branco da formatura da mãe. Ela parecia tão devastadoramente jovem. Annie lembrava perfeitamente bem do tom de castanho dos olhos da mãe. Ela acariciou a fotografia. *Você se olhava nos espelhos, mãe? Você era como o resto de nós? É por isso que você sonhava abrir uma livraria?*

Ela imaginava agora, pela primeira vez em anos, do que a mãe ia gostar hoje em dia. Estaria pintando o cabelo ou ia deixar o belo loiro transformar-se em branco? Ela ainda usaria aquela sombra azul dos anos setenta, e os fios de lã rosa fosforescente para amarrar as pontas das tranças? Ou teria se tornado graciosamente uma senhora com um corte conservador na altura dos ombros?

– Ela era linda – Hank disse suavemente –, e amava muito você. – Ele tocou o rosto de Annie com a mão ressecada de homem idoso. – Eu devia ter dito isso a você, e ter lhe dado essas fotos, já faz muito tempo. Mas eu era jovem e idiota e não sabia...

Havia um tom muito emocional na voz dele. Isso surpreendeu Annie, a inesperada viagem dele pela intimidade. – O que você não sabia?

Ele deu de ombros. – Eu achava que você ficaria de luto por alguns meses e depois seguiria adiante com a vida. Eu não sabia como... como o amor é *profundo,* como fica no seu sangue, não no seu coração, e como esse mesmo sangue fica sendo bombeado pelas suas veias durante a vida toda. Eu achava que você ficaria melhor se a esquecesse. Eu devia ter sabido que isso não é possível.

O coração de Annie se contraiu dolorosamente. O pai nunca havia demonstrado a dor e o amor que sentia de uma forma tão aberta. Isso a fez tocar o rosto aveludado dele. – Ela teve muita sorte de ser tão amada, pai. Por nós dois.

– Ela ainda é amada. E continua fazendo falta. Ninguém pode ocupar o lugar dela para mim, exceto você, Annie. Você é o melhor de Sarah e de mim, e às vezes, quando sorri, eu vejo sua mãe sentada do meu lado.

Ela percebeu nesse instante que ia lembrar desse dia para sempre. Compraria um sofá de palhinha para seu deque, e sentaria nele com seu bebê e recordaria o que uma vez tinha se permitido esquecer.

– Venho visitar você com mais frequência – ela disse. – Eu juro. E quero que você vá lá para Ações de Graças ou Natal este ano. Sem desculpas. Vou mandar uma passagem.

– É melhor que seja na classe executiva.

Ela sorriu. Era exatamente o que esperaria que ele dissesse. – Droga, pai, vou colocar você em um ônibus se for o necessário para você ir.

– Você vai ficar bem, Annie Virginia?

– Não se preocupe comigo, pai. Foi isso que aprendi aqui em Mystic. Sou mais forte do que pensava. Eu vou sempre estar bem.

* * *

Choveu no dia em que Annie foi embora. Durante toda a noite anterior, ela e Nick ficaram acordados na cama, conversando, se tocando, tentando de todas as formas imprimir as lembranças em suas almas. Tinham assistido em silêncio ao sol se arrastar por cima do domo do Monte Olympus, transformando os glaciares em vidro cor-de-rosa nos picos irregulares de granito; assistiram às nuvens passarem e esconderem o pôr do sol, e, quando a chuva começou a pontuar a superfície do lago, crescer de um pipocar suave para uma torrente que rugia, e depois voltava a ser um pingar suave. Olharam um para o outro, os olhos cheios de desejo e medo, e ainda assim não disseram nada.

Quando finalmente Annie se levantou do calor com cheiro de paixão da cama dele, ele ergueu a mão e segurou a dela. Annie esperou que Nick falasse, mas ele não disse nada. Lentamente, odiando cada movimento, ela tirou a camiseta e vestiu uma calça e blusa de moletom.

– Minhas malas estão no carro – ela disse por fim. – Eu... vou dizer adeus para Izzy e depois... eu vou.

– Acho que já nos despedimos – ele disse suavemente. Então sorriu, um sorriso carinhoso e pungente que enrugou os olhos e a fez querer chorar. – Droga, acho que estamos nos despedindo desde o momento em que nos encontramos.

– Eu sei...

Os dois ficaram ali, olhando-se por um longo tempo. Se fosse possível, ela se apaixonou ainda mais por ele. Por fim, não conseguiu mais aguentar quanto doía olhar para ele.

Annie se afastou e foi até a janela. Ele se aproximou por trás dela. Ela queria que ele a tomasse nos seus braços, mas ele só ficou ali, distante e separado.

– Fui casada por quase vinte anos – ela disse baixinho, vendo seu próprio reflexo no vidro. Via seus lábios se moverem, ouvia as palavras que saíam da boca, mas era como se fosse outra mulher falando.

E era mesmo. Annalise Colwater.

Lentamente, lentamente, ela se virou para ele.

– Eu amo você, Annie. – Ele disse, como se isso dissesse tudo, com uma seriedade calma. – É como se eu a amasse desde sempre. – A voz dele estava grave e baixa. – Eu não sabia que podia ser assim... esse amor que pode pegar você quando cai...

As palavras a fizeram se sentir frágil, como se fosse feita de um vidro com cem anos e pudesse ser quebrado pelo toque do vento. – Nick...

Ele se aproximou, perto o bastante para beijá-la, mas não a tocou. Só olhou para ela com aqueles tristes olhos azuis e sorriu um sorriso que continha toda a sua alegria e tristeza, sua esperança e medo.

E seu conhecimento. O conhecimento de que o amor não era tudo o que diziam ser. Que às vezes ele pode partir seu coração. – Eu preciso saber, Annie... estou amando sozinho?

Annie fechou os olhos. – Eu não quero dizer isso, Nick. Por favor...

– Eu vou ficar sozinho, Annie, nós dois sabemos disso. À medida que o mês passar, vou começar a esquecer você. O modo como seus olhos enrugam no canto quando você sorri, o modo como você morde o lábio inferior quando está nervosa, o modo como mastiga o polegar quando assiste ao noticiário.

Ele tocou o rosto dela com uma gentileza que partiu o coração dela. – Não quero fazer você chorar. Só quero saber que não estou louco. Eu amo você. E, se eu tiver de deixar você ir para fazê-la feliz, eu vou fazer isso, e você nunca mais vai saber de mim. Mas, por Deus, Annie, eu tenho de saber o que você sente...

– Eu amo você, Nick. – Ela sorriu com tristeza. – Estou louca de amor por você. Estou na lua de amor por você. Mas isso não importa. Nós dois sabemos disso.

– Você está errada, Annie. O amor importa. Talvez seja a única coisa que importa.

Sem esperar que ela respondesse, ele se inclinou e a beijou uma última vez, um beijo suave que tinha gosto de lágrimas e arrependimento, um último beijo que dizia adeus.

Quando Annie caminhou pela casa, ocorreu-lhe que devia ter deixado algo para trás, um suéter pendurado no armário ou um par de sapatos embaixo da cama. Não havia nada dela aqui agora, nada que fizesse lembrar os momentos em que tinha rido nesse quarto ou as noites que tinha dormido nos braços de Nick.

Mordendo o lábio inferior, ela foi até o quarto de Izzy e encontrou a menininha sentada na beirada da cama, os pés balançando acima do chão. Ela estava usando o suéter branco de Annie, o cardigã de caxemira com os botões de pérola. Uma bela caixa laqueada estava aberta no colo dela.

– Ei, Izzy querida – Annie disse suavemente –, posso entrar?

Izzy ergueu o rosto. Tentou sorrir, mas seus olhos castanhos já estavam cheios de lágrimas. – Você quer ver minha coleção de novo?

Annie foi até a cama e se sentou ao lado de Izzy. Apontou para um belo anel roxo. – Este aqui é incrivelmente bonito.

– Era da minha avó Myrtle... e esses botões eram da minha mamãe. – Izzy pegou um grande botão creme com quatro furos. Ela o entregou para Annie. – Cheire.

Annie pegou o botão e o levou até o nariz.

– Esse aí tem o cheiro do quarto da minha mãe.

Lentamente, Annie baixou o botão. Então colocou a mão no bolso e tirou um lenço dobrado. Era um belo lenço cor-de-rosa com grandes letras *AVC* bordadas no canto. – Por que você não coloca isso na sua coleção?

Izzy o levou ao nariz. – Tem o seu cheiro.

Annie ficou com medo de começar a chorar. – É mesmo?

Izzy pegou uma fita rosa desbotada na caixinha. – Aqui. Essa é minha fita de cabelo. Você pode ficar com ela.

Annie pegou a fita de cetim. – Obrigada, meu bem.

Izzy fechou a caixa e subiu no colo de Annie. Annie a abraçou com força, saboreando a sensação, o cheiro do cabelo dela.

Por fim Izzy recuou, e os olhos castanhos eram imensos no rosto pálido. Annie podia dizer que ela estava fazendo o máximo para não chorar. – É hoje, não é? Você vai nos deixar.

– Sim, Izzy, é hoje.

Izzy engoliu em seco. – Mas, Annie, quem vai fazer tranças no meu cabelo agora? Quem vai pintar minhas unhas e me deixar bonita?

Annie não conseguiu mais fitar os olhos castanhos e muito brilhantes de Izzy. Forçando um sorriso, ela segurou a mão da menina. – Venha comigo. – Ela levou Izzy para fora. Elas andaram pela grama úmida, e Annie abriu o portão branco do jardim. Elas passaram pelo caminho de pedras até o banco de jardim, onde se sentaram no meio das flores.

Ficaram olhando em silêncio para as flores que desabrochavam, e Annie sabia que, como ela, Izzy estava se lembrando do dia em que as plantaram. Depois, quando a primeira flor se abriu, ela, Izzy e Nick tinham se sentado no jardim ao cair da noite e compartilharam suas lembranças sobre Kathy. Eles riram, choraram e conversaram. Desde então, Izzy disse que cada novo botão de flor a fazia lembrar da mamãe dela.

Izzy chegou mais perto. Annie tentou reunir coragem para o que viria. Com um suspiro, ela colocou a mão no bolso e pegou a moeda antiga. Fechando os dedos ao redor do disco de metal, ela olhou para a profusão de cores das flores. – Eu vou sentir muita falta de você, Izzy.

– Eu sei, mas você tem de ficar com a sua filha agora.

Levou um instante para Annie recuperar a voz. – Sim.

– Eu queria... eu queria ser sua filha.

– Izzy... sua mamãe amava você muito, muito mesmo. E seu pai ama você com todo o coração e alma dele.

Izzy virou-se para ela. – Natalie podia vir para cá, não podia? Eu deixava ela ficar com o meu quarto. E, quando o bebê chegasse, ele podia dormir comigo. Eu... eu ia dividir a Miss Jemmie com ele. De verdade, ia sim. Eu vou ser uma boa menina, eu prometo. Eu vou escovar os dentes e arrumar a cama e comer os legumes.

– Você já é uma boa menina, Izzy. – Ela tocou o rosto pequeno e marcado pelas lágrimas da menina. – Natalie e eu temos nossa casa na Califórnia. E o bebê tem um pai que sente a minha falta.

Izzy suspirou. – Eu sei. Na Disneylândia.

– Arrã. – Ela apertou a mãozinha de Izzy. – Mas isso não quer dizer que eu não ame você, Izzy. Eu vou pensar em você e vou ligar para você muitas e muitas... – A voz dela falhou, e por um momento a dor foi tão intensa que Annie teve medo de estragar tudo começando a chorar. – Eu sempre vou amar você, Izzy querida.

– Sim. – Foi um suspiro baixo, mal audível.

Ela se virou para olhar para Izzy. – Quero que você faça uma coisa para mim quando eu não estiver mais aqui.

– O que é?

– Você tem de tomar conta do seu papai para mim. Ele é grande e forte, mas às vezes ele vai precisar de você.

– Ele vai ficar triste.

As palavras machucaram. – Sim. – Ela entregou para Izzy a moeda que tinham encontrado na cabana de ranger abandonada, aquela que Izzy pediu para Annie guardar. – É melhor você dar isso para seu papai. Ele é um lugar seguro agora, Izzy. Você pode confiar nele para tudo.

Izzy olhou para a moeda na mão de Annie; depois, lentamente, ela ergueu os olhos. Lágrimas faziam os olhos castanhos parecerem ainda maiores. — Fica você com ela.

– Não posso.

As lágrimas de Izzy começaram a cair. – Você fica com ela, Annie. Assim eu vou saber que você vai voltar.

No instante seguinte, Annie estava chorando. Ela puxou Izzy para seu colo e a abraçou. Começou a chover suavemente; gotas escorreram pela cerca branca e caíram na grama, elas caíam em silêncio como o som das lágrimas de uma mulher ou uma alma se partindo suavemente em duas.

– Eu amo você, Izzy – ela sussurrou, acariciando o cabelo da menina. Então, muito suavemente, ela disse – Adeus.

Nick deixou Izzy com Lurlene e seguiu Annie até sair da cidade, mantendo o carro de polícia a uma distância segura atrás dela. Sentiu-se como um desses perseguidores malucos, mas não conseguiu evitar. Ele a acompanhou o tempo todo até a ponte do Hood Canal.

Ali, estacionou e saiu do carro, vendo o Mustang vermelho cruzar a ponte, ficando menor e menor.

E por fim, tão subitamente quanto ela entrara em sua vida, Annie tinha ido embora.

Com o canto dos olhos, ele viu lindas flores amarelas na beirada da estrada.

Olhe, Annie, os lírios glaciares estão florescendo. O pensamento veio do nada, cortando fundo. Ele não conseguia mais olhar para ela e dizer o que viesse à cabeça. Além disso, ela estava indo para um lugar onde as flores brotavam o ano todo.

A vontade de beber o tomou, forte e rápida.

Ele fechou os olhos. *Por favor, Deus, me ajude a aguentar...*

Mas o pedido foi inútil. Ele sentiu que começava a cair, e não havia ninguém para ampará-lo. Foi até o carro e entrou. O carro derrapou saindo do acostamento, a traseira chicoteando ao fazer o contorno, seguindo em alta velocidade de volta para Mystic.

No Zoe's, Nick encontrou sua cadeira favorita desocupada, esperando por ele no canto escuro. O lugar estava silencioso, no meio do dia, com apenas um ocasional bater de vidros no bar e o barulho baixo da televisão.

O lugar estava como sempre, e sem nenhum motivo isso o surpreendeu. O mesmo balcão de carvalho, com as banquetas vazias. Os mesmos ventiladores baratos, girando devagar no alto, mal perturbando o ar enfumaçado. Não havia mais que meia dúzia de pessoas ali, os clientes fiéis que ocupavam seus lugares de hábito, sentados, de olhos vidrados, fumando, segurando seus copos.

– Jesus, Nick, pode onde você andou?

Nick ergueu os olhos e viu Zoe ao seu lado. Colocando uma bebida na sua frente. Então assentiu lentamente, virou-se e voltou para o bar.

Nick pegou o copo. Estava frio, liso e agradável. Ele o girou, olhando a bebida balançar na luz fraca.

Levou o copo até os lábios, inalando a fragrância familiar do uísque. *Beba... beba,* disse uma pequena voz lá bem dentro dele. *Você sabe que vai acabar com a dor...*

Era sedutora essa voz, empurrando-o para a fragrância do uísque, prometendo uma solução para a dor no seu coração, um filtro que borrava tudo através do qual poderia se lembrar de Annie.

Ele queria virar a bebida e então pedir outra e outra e outra, até mal conseguir lembrar que a amava.

Mas então pensou em Izzy.

Posso voltar para casa, Izzy? Quando disse essas palavras, queria a confiança dela mais do que qualquer coisa no mundo. E continuava querendo.

A bebida não ia ajudar; a parte racional de seu cérebro sabia disso. Ia ficar bêbado, ser um bêbado novamente, e o que aconteceria depois? Annie não estaria mais perto de retornar para ele, e teria falhado mais uma vez com a filha.

Ele bateu o copo na mesa, jogou uma nota de dez ao lado e se levantou, recuando. No bar, acenou para Zoe. – Vou dar o fora daqui.

Zoe pegou um pano e esfregou o balcão, olhando para ele. – Você está bem, Nick?

Ele tentou sorrir, mas não conseguiu. – Estou bem como sempre, Zoe.

Saiu correndo do bar. As mãos estavam tremendo e a garganta parecia incrivelmente seca, mas estava feliz por sair dali.

Correu até ter uma dor do lado e ficar ofegante, até que a necessidade de beber não o consumisse mais. Daí ficou sentado por duas horas em um banco do parque, olhando o sol descer lentamente na rua principal. A cada respiração, o pânico e o medo diminuíam. A dor continuava ali, pulsando em seu coração como uma ferida aberta, e ele sabia que ficaria ali por um longo, longo tempo, mas Annie o modificara, ajudara a ver a si mesmo sob uma luz diferente e mais gentil. Era nisso que tinha de se concentrar agora. Tinha uma vida que importava, uma filha que amava e precisava dele. Desmontar novamente era um luxo que não podia se permitir.

Quando a reunião dos AA começou, Nick havia empurrado a vontade de beber para um canto escuro da sua alma. Entrou na sala cheia de fumaça atrás de uma fila de amigos.

Joe estava bem atrás dele. Sentiu a mão de Joe em seu ombro, ouviu a voz grave e rascante dele – Como estão as coisas, Nicholas?

Nick conseguiu sorrir. – Estou indo bem, Joe. Obrigado. – Ele se sentou em uma das cadeiras metálicas de dobrar, e Joe se sentou do seu lado.

Joe olhou para ele. – Tem certeza que está bem?

Nick sabia que devia estar pálido e com ar cansado. – Estou bem, Joe – ele respondeu, ajeitando-se no assento duro de plástico.

Joe sorriu e deu um tapinha em seu ombro. – Estou orgulhoso de você, Nicholas.

Nick fechou os olhos e se encostou na cadeira, suspirando profundamente. A princípio, não reparou que alguém batia nas suas costas. Quando percebeu, empertigou subitamente o corpo. O coração acelerou com a antecipação. Annie tinha mudado de ideia, tinha dado a volta, estava ali. Ele se virou na cadeira...

E viu Gina Piccolo parada ali atrás. Os olhos sem maquiagem pareciam cansados contra a palidez do rosto. Ele notou que o anel no nariz tinha sumido, assim como o batom negro. Ela parecia tão jovem e inocente como quando a viu pela primeira vez, andando de bicicleta, indo para o campo de golfe World-of-Wonders todos aqueles anos atrás.

Ele se levantou lentamente. – Gina – ele disse. – O que está fazendo aqui?

– Drew morreu esta semana. Overdose. – A voz dela estava baixa e trêmula. Lágrimas enchiam os olhos e começaram a escorrer pelo rosto muito magro. – Você disse que se eu precisasse de ajuda... quer dizer... eu não consegui pensar em mais ninguém... na delegacia disseram que você poderia estar aqui...

– Tudo bem, Gina...

– Eu não quero morrer, senhor Delacroix.

Antes daquela primavera, Nick sentiria medo em um momento desses; veria outra tragédia em construção, mais um fracasso mordendo seus calcanhares. Mas agora ele sentiu Annie ao seu lado, tão forte e quente como a luz do sol. Escutou a voz dela falando dentro de si: *Você largaria tudo, Nick... o carinho... você desistiria de tudo porque no final há dor?*

Talvez fosse falhar, provavelmente iria falhar, mas não ia deixar isso detê-lo. Era no tentar que podia salvar a si mesmo, e possivelmente também essa garota desesperada ao seu lado.

Ele segurou a mão dela. – Você veio ao lugar certo, Gina. É assustador e difícil largar as muletas, mas vou estar aqui com você. Não vou desistir se você não desistir.

Um sorriso surgiu no rosto dela, fazendo com que parecesse inocente e esperançosa de uma forma impossível. – Vou pegar uma Coca e venho me sentar com você.

– Certo. – Ele ficou olhando ela atravessar a sala cheia, e voltou a se sentar.

– Então, Nicholas – disse Joe. – O que foi isso?

Nick virou-se para seu mentor, sorrindo abertamente. – Acho que foi mais um policial tentando salvar mais um jovem da ruína.

Joe sorriu. – Bem-vindo de volta, Nicholas. Sentimos sua falta.

As palavras penetraram a mente de Nick, pousando gentilmente, encontrando um local confortável para parar. – Eu também senti minha falta – ele disse baixinho. – Acho que você pode me colocar de volta no quadro dos ativos. Digamos, segunda de manhã?

– Ah, Nicholas, eu nunca tirei seu nome de lá.

Sorrindo, Nick se encostou na cadeira. Em um momento, Gina se sentou na cadeira do outro lado dele.

A reunião começou. Nick escutou as histórias, e, a cada uma, cada história que era tão parecida com a sua, ele foi sentindo que ficava mais forte. Quando por fim a reunião estava para terminar, ele acenou para o diretor.
– Eu gostaria de falar – declarou.

Houve uma agitação de surpresa na sala. Cadeiras rasparam no chão quando outros se viraram para olhar para Nick.

– Meu nome é Nick – ele disse no silêncio da sala. A parte seguinte agarrou em sua garganta, então ele tentou de novo. – Meu nome é Nick, e eu sou um alcoólatra.

– Oi, Nick – todos responderam juntos, sorrindo orgulhosos para ele.

Ele viu a compreensão nos olhos dos outros, na forma como assentiram ou olharam para ele ou se inclinaram para a frente. *Está tudo bem,* eles diziam sem palavras, *nós sabemos.* – Acho que era um alcoólatra muito antes de tomar o primeiro drinque. Mas tudo começou a sair de controle há cerca de um ano, quando minha esposa morreu...

Palavra por palavra, ele contou tudo, revirando os restos da sua vida e expondo todas as vulnerabilidades, fracassos, triunfos e momentos de dor. Ele mostrou tudo o que havia dentro de si para os rostos compreensivos naquela sala simples, cheia de fumaça, sabendo que eles conteriam sua dor em mãos cuidadosas e a transformariam em alguma outra coisa, uma nova consciência que o faria atravessar as noites solitárias sem Annie. Enquanto falava, sentiu o peso do ano passado começar a sumir. Não foi senão quando falou sobre Izzy, sua doce Izzy, e a lembrança daquele dia em que ela havia dito *Eu amo você, papai,* que ele finalmente desabou.

Parte Três

Deus nos deu lembranças para podermos ter rosas em dezembro.

– James M. Barrie

Capítulo 24

O CALOR SUBIA EM ONDAS TREMULANTES da faixa negra de asfalto e se espalhava pelo ar marrom, cheio de fumaça. Annie se abaixou mais sobre o estofamento de imitação de veludo do táxi e suspirou, encostando a mão no ventre.

Não conseguia suportar estar distante de Nick e Izzy; era como se uma parte vital do seu ser tivesse sido arrancada e deixada para murchar em algum outro lugar.

Essa terra incrustada de concreto não continha mais a sua vida. Parecia para ela uma visão apocalíptica na qual árvores verdes e céus azuis e as nuvens brancas eram substituídos por milhões de tons de cinza feitos pelo homem.

O táxi saiu da Pacific Coast Highway e entrou na sua rua. Engraçado, ela ainda pensava naquela como a sua rua. Além do portão protetor da Colony, passaram pelas casas de praia cuidadosamente escondidas, cada uma cortada do mesmo tecido de design contemporâneo; casas grandes, com múltiplas camadas, construídas praticamente umas por cima das outras, a maioria com menos de dois metros e meio entre elas. Cada uma um reino minúsculo que pretendia manter o resto do mundo afastado.

Viraram na entrada da casa, e os ângulos brancos da construção pairavam contra o céu azul. O jardim estava todo florido, uma mistura de hibiscos rosa e vermelhos e folhas verdes brilhantes. A beleza daquilo era tão... falsa. Se deixasse de ser regado, esse jardim artificial ia secar e morrer.

O táxi se aproximou da garagem e parou. O motorista desceu do carro e foi abrir o porta-malas.

Lentamente, Annie desceu. Olhou pela entrada de carros, lembrando que tinha assistido à colocação daqueles tijolos, cada um deles. *Este aqui não está certo, está inclinado. Você pode por favor corrigir antes que o cimento seque?*

– Madame? Mais alguma coisa? – O motorista estava parado ao lado das malas Louis Vuitton dela.

– Não, obrigada. – Ela abriu a bolsa e pagou a corrida, junto com uma gorjeta generosa. – Aqui está.

O motorista pegou o dinheiro e colocou no bolso. – Pode me chamar se precisar ir para o aeroporto novamente – disse ele.

O aeroporto.

– Obrigada. Vou chamar.

Quando ele foi embora, Annie virou-se para a casa. Por um segundo, pensou que não conseguiria fazer isso, não ia conseguir andar até a porta de mogno entalhada a mão, abri-la e entrar. Mas então estava se movendo, passando pela entrada em arco que cheirava a jasmim, tirando o chaveiro da bolsa.

A chave deslizou na fechadura; o que ela esperava que fosse acontecer? Que não fosse mais servir só porque ela não se encaixava mais ali? A porta se abriu, e o cheiro do ar parado a atingiu.

Entrou na casa, indo a cada cômodo, esperando sentir alguma coisa... tristeza, alegria, depressão... alguma coisa. As janelas do chão ao teto emolduravam os azuis brilhantes do mar e do céu.

Ela sentia como se estivesse andando pela casa de estranhos. Pensamentos sobre Nick e Izzy não saíam de sua cabeça, implorando para serem repetidos e escolhidos, mas ela não ousava. Em vez disso, concentrou-se nas coisas pequenas: o piano de cauda que tinha comprado em um leilão da Sotheby's, o candelabro que resgatou de um velho hotel em San Francisco, a coleção de estátuas Lladró que iniciou quando Natalie começou o colegial.

Coisas.

Ela subiu para o quarto. O quarto deles.

Lá, certamente sentiu *alguma coisa.* Mas novamente havia apenas aquela sensação estranha de que estava vendo os restos de uma civilização morta muito tempo atrás. Esse era o quarto de Annie *Colwater,* e era tudo o que restava dela.

O closet estava cheio de sedas caras, lãs e caxemiras, saias de todas as cores e comprimentos, sapatos em caixas que ainda tinham as etiquetas com preços exorbitantes.

Na cabeceira da cama, Annie pegou o telefone e escutou por um longo tempo o som da linha. Queria ligar para Nick e Izzy, mas não o fez. Em vez disso, digitou cuidadosamente o número do escritório de Blake. Sem esperar para falar com ele, deixou recado dizendo que estava em casa.

Em seguida desligou o telefone e se deixou cair sentada no canto da cama.

Logo veria Blake novamente. Nos velhos tempos, teria ficado obcecada com o que vestir, mas, agora, não podia se importar menos. Não havia nada naquele vasto e caríssimo closet que a interessasse, nada que parecia ser seu. Não era mais do que montes de roupas de outra mulher.

* * *

O escritório era como o homem, controlado, caro, efervescendo de poder. Anos antes de Blake poder pagar esse escritório de esquina em Century City, com sua cara vista para arranha-céus de vidro e concreto, ele o imaginara. Sempre soube que seria um lugar árido, que não haveria ali nada que dissesse *entre, sente-se, conte-me seus problemas.* Ele nunca quis ser esse tipo de advogado, e não era. Era o tipo de escritório que fazia um cliente se contorcer e lembrar, com cada tique-taque do relógio de mesa, quanto custava sentar-se ali.

Na verdade, é claro, tinha sido Annie quem lhe dera esse escritório. Ela passara horas escolhendo as cortinas e estofamentos. Ela desenhara e encomendara a mesa de mogno africano e cada acessório de couro tingido a mão.

Para onde quer que olhasse agora, ele a via.

Blake suspirou e se encostou na cadeira. A pilha de papéis sobre a mesa perdeu o foco. Afastou os papéis, olhando enquanto um deles esvoaçava até o chão de mármore.

Sentiu-se estranho e meio deslocado, e estava se sentindo assim desde a viagem que havia feito seguindo um impulso até aquela porcaria de lanchonete em Mystic.

Achou que poderia pedir desculpas para Annie e voltar para a situação confortável que tinha antes. Só que Annie não era mais Annie, e ele não sabia o que fazer ou dizer para tê-la de volta.

Na mesa, o interfone tocou. Ele apertou o botão com impaciência. – Sim, Mildred?

– Sua esposa ligou...

– Passe para mim.

– Ela deixou um recado, senhor. Pediu para avisar que está em casa.

Blake não conseguiu acreditar. – Cancele meus compromissos, Mildred. Eu vou sair pelo resto do dia.

Ele correu prédio afora e entrou em sua Ferrari, acelerando para sair depressa do estacionamento e pegar a via expressa.

Em casa, subiu correndo os degraus e enfiou a chave na fechadura, empurrando a porta. Havia uma pilha de malas junto da escada. – Annie?

Ela estava parada junto do arco que separava a sala de jantar.

Ela estava em casa novamente. *Agora,* finalmente, tudo ficaria bem.

Ele avançou cautelosamente na direção dela. – Annie?

Ela se afastou dele e caminhou pela sala, parando junto das janelas. – Tenho algo para contar a você, Blake.

Isso o incomodou, o modo como ela não olhou para ele. A imagem dela, tão rígida e afastada, era um lembrete agudo de que não era mais a mesma mulher que ele deixara havia apenas alguns meses. A garganta dele estava seca. – O que é?

– Estou grávida.

O primeiro pensamento dele foi *não, não de novo.* Não poderia passar por isso outra vez. Então ele se lembrou do outro homem, o homem com quem Annie tinha dormido, e mal conseguiu respirar. Era como se alguém tivesse passado um cubo de gelo nas suas costas. – O bebê é meu?

Ela suspirou, e foi um som pequeno e triste que não o tranquilizou. – Sim. Estou com três meses.

Ele não conseguiu mais pensar direito. Balançou a cabeça, suspirando. – Um bebê... caramba, depois de todos esses anos.

Ela se virou e sorriu de uma forma esquisita, e aí estava, finalmente. Sua Annie. Ele percebeu então o que não havia notado antes. Fora o bebê que a trouxera de volta para ele. – Um bebê. – Desta vez ele conseguiu sorrir. – *Nosso* bebê...

– Todos esses anos eu achei que Deus não estivesse ouvindo. Acontece que ele tem um senso de humor maldoso. Ele obviamente deseja que eu passe ao mesmo tempo pela menopausa e pela fase de tirar as fraldas.

– Vamos fazer dar certo desta vez – ele disse suavemente.

Ela se encolheu com as palavras, e ele imaginou se não deveria ter dito a frase como uma pergunta. – Blake...

Ele não queria ouvir o que ela ia dizer. – Seja o que for que ocorreu em Mystic, está encerrado, Annie. Esta criança que você está carregando é nossa. *Nosso* filho. Temos de ser uma família novamente. Por favor, me dê outra chance.

Ela não respondeu. Apenas olhou para ele por um longo tempo, com a mão no ventre. Então, sem sorrir, ela desviou os olhos.

Por favor, me dê outra chance.

Annie fechou os olhos. Deus, quantas noites não tinha ficado na cama, sozinha, desejando ouvi-lo dizer essas palavras? Mas agora elas caíam como pedras em seu coração, pedras jogadas em um poço vazio. Batendo, girando, sem significar nada.

E o que ela havia dito para Blake alguns meses antes? *Não posso acreditar que você vai jogar tudo fora. Somos uma família, Blake, uma família.*

– Annie...

– Agora não, Blake – ela disse com a voz frágil. – Agora não.

Ela o ouviu suspirar, um som desapontado, cansado, que conhecia bem. Ele estava confuso e mais do que um pouco bravo; não sabia perder, não sabia ser paciente nem conter a língua.

– Eu vou precisar ficar na cama, assim como foi com o... Adrian. – Ela o encarou. – Você vai ter de ajudar. Não vou poder ser a boa e velha Annie, tomando conta de todo mundo. Desta vez você vai ter de me colocar em primeiro lugar.

– Eu posso fazer isso.

Ela desejou poder acreditar.

– Sei que não vai ser fácil para você confiar em mim novamente. Eu estraguei tudo...

– Não diga.

A voz dele baixou para um sussurro. – Não posso acreditar que você não me ama mais...

– Nem eu – ela disse suavemente, e era verdade. Em algum lugar, lá dentro dela, uma sombra do amor deles tinha de existir. Afinal, tinha amado aquele homem por vinte anos. Certamente esse tipo de emoção não desaparece simplesmente. – Estou tentando acreditar no que tivemos, e rezo para podermos encontrar de novo o caminho para o amor, mas não amo você neste momento. Droga, eu nem mesmo *gosto* muito de você.

– Mas vai gostar – ele respondeu com uma confiança que a preocupou. Ele se aproximou dela. – Vamos para a cama.

– Blake. Você está me escutando? Eu não estou pronta para dormir com você ainda... Além do mais, a doutora North disse que seria perigoso. Lembra? Contrações antes da hora.

Ele pareceu desinflar de uma forma ridícula. – Ah, é. Eu só pensei que, se isto é uma reconciliação, então você devia...

– Chega de me dizer o que eu devo ou não fazer, Blake. Eu não sou a mesma mulher de antes. E estou apavorada com a ideia de você continuar sendo o mesmo homem de antes.

– Eu não sou. De verdade, não sou mesmo. Eu também cresci. Eu sei como nossa vida era preciosa. E não vou cometer os mesmos erros de novo.

– Espero que não.

Ele se aproximou dela. – Você sempre disse que a jornada mais longa começa com um simples passo.

Blake estava certo; esse era um dos ditados favoritos dela. Agora, esse tipo de otimismo parecia muito, muito distante.

Ele estava obviamente esperando por uma resposta, e, como ela não disse nada, ele olhou em volta. – Bem, você quer ver televisão? Eu posso fazer pipoca e chocolate quente, como nos velhos tempos.

Os velhos tempos.

Com essas simples palavras, ela viu a vida toda passar diante dos olhos. Nessa primavera tinha trabalhado para desenterrar a verdadeira Annie, e agora Blake queria enterrá-la novamente sob areia e velhos hábitos. Amanhã, ela sabia, teria de fazer um esforço, um esforço *honesto,* para encontrar novamente o caminho até Blake, mas não nesta noite, porque para começar estava cansada demais. – Não, obrigada – ela disse calmamente. – Acho que vou dormir. O dia foi longo. Você pode dormir no quarto verde de hóspedes. Coloquei roupa de cama limpa.

– Ah. Eu pensei...

– Sei o que você pensou. Não vai acontecer.

Ela poderia ter rido da expressão dele, tão confuso e desapontado, mas aquilo não era engraçado. Ele era seu marido, o pai de seus filhos, o homem que jurara amar, honrar e cuidar até que a morte os separasse, e, naquele momento, parada na sala da casa que tinham dividido durante tantos anos, não conseguia pensar em absolutamente nada para dizer a ele.

Blake encontrou Natalie na alfândega.

Ela deu um grande abraço nele, então recuou, olhando em volta. – Cadê a mamãe?

– Ela não pôde vir. Conto tudo no carro.

– Você está com a Ferrari?

– E com o que mais estaria?

– Posso dirigir?

Blake franziu a testa. – Alguém te falou que eu sofri algum dano cerebral recentemente? Eu nunca deixei...

– *Ah, por favor,* pai. Eu não dirijo há meses.

– Esse argumento dificilmente vai ajudar.

– Vamos lá, pai. *Por favooooor.*

Ele imaginou a expressão de Annie se soubesse que não deixara Natalie dirigir. Lentamente, tirou as chaves do bolso e as jogou no ar. Natalie as pegou com apenas uma das mãos. – Vamos, pai! – Ela pegou a mão dele e o arrastou pelo terminal. Em instantes, estavam sentados no carro esporte seguindo pela via expressa a caminho de casa.

Como sempre, Blake se sentia deslocado junto da filha. Tentou pensar em algo para dizer agora para ela, algo que rompesse o silêncio desconfortável que sempre houvera entre eles.

Ela mudou o rádio de estação. Um rock pesado explodiu nos alto-falantes.

– Abaixe essa coisa – ele disse automaticamente.

Ela desligou o rádio, ligou a seta e mudou para a pista rápida, aproximando-se de uma Mercedes conversível. Antes que ele tivesse tempo de dizer o que fazer, ela reduziu e deixou aumentar a distância entre os dois carros.

– Então, pai, como está o vovô Hank?

– E como eu ia saber?

Ela olhou para ele. – Você não *foi* até Mystic?

Ele se mexeu desconfortável, agradecido por ela ter de voltar logo a olhar para a frente. Não era bom em lidar com esse tipo de coisa. Era trabalho de Annie dar a explicação adequada para a separação deles. – Eu... estava muito ocupado. Tem esse caso grande entre um astro do rock e...

– Então, você estava muito ocupado – ela disse baixinho, as mãos envolvendo a direção, os olhos fixos à frente.

– Totalmente.

– Deve ter sido por isso que nunca ligou para mim.

Ele ouviu a dor na voz dela e não soube o que dizer. Nunca tinha ouvido esse tom antes, e imaginou se não teria estado ali o tempo todo. – Mandei flores para você toda sexta-feira.

– Sim. Você pensou em mim o bastante para pedir para sua secretária enviar flores toda semana.

Blake suspirou. Estava numa situação bem ruim. Como podia dizer para a filha adolescente que tinha jogado fora a família, e que durante alguns meses tinha feito sexo selvagem com uma mulher muito mais jovem?

O que devia dizer a ela? A verdade, uma mentira ou algo entre as duas?

Annie saberia o que fazer e dizer. Ela sempre guiara o relacionamento dele com Natalie. Ela lhe dizia sutilmente, com um olhar, um toque ou sussurro, quando se aproximar de Natalie e quando recuar.

Mas ele tinha de dizer *alguma coisa.* Natalie estava obviamente esperando por sua explicação. – Sua mãe... está brava comigo. Eu cometi alguns erros e... bem...

– Vocês dois ficaram separados nessa primavera – ela falou em um tom monótono, sem nem olhar para ele.

Blake se encolheu. – Foi só um tempo, só isso. Está tudo bem agora.

– Mesmo? Você passou por uma cirurgia enquanto estive fora, um transplante de personalidade, talvez? Ou se aposentou? Vamos lá, pai, como tudo pode estar bem? Você odeia ficar em casa.

Ele franziu a testa, olhando para o perfil sério da filha. Aquela era uma coisa estranha para ela dizer. – Isso não é verdade.

– Sei. É por isso que não tenho lembrança alguma de você antes de chegar ao segundo grau.

Ele afundou mais no banco. Talvez fosse por causa *disso* que ficava fora o tempo todo. Annie e Natalie eram mestres em fazê-lo se sentir culpado. – Vai ficar tudo bem, Natalie. Você vai ver. Sua mãe... vai ter um bebê.

– Um *bebê?* Puxa vida, como ela não me contou? – Ela riu. – Não posso acreditar...

– É verdade. Ela está na cama por causa do bebê, assim como foi com o Adrian. E ela vai precisar da nossa ajuda.

– *Nossa* ajuda? – foi tudo o que ela disse, e ele ficou feliz por Natalie parar de falar na separação, mas, depois de um instante, o silêncio começou a incomodá-lo. Ficou pensando naquela frase ridícula, *não tenho lembrança alguma de você.* Ela ficava voltando apesar de ele tentar afastá-la.

Blake olhou pela janela para sua vida toda. Anos atrás, quando Natalie era uma criança rechonchuda que falava sem parar, não era assim entre eles. Ela olhava para ele com ar de adoração.

Mas, em algum ponto no meio do caminho, ela parou de pensar que ele era o maior, e, por algum motivo que ele não conseguia recordar agora, ele deixara isso acontecer. Estava sempre tão ocupado.

Nunca tivera muito tempo para ela; isso certamente era verdade. Mas esse era o trabalho da Annie, ser mãe, e ela fazia isso tão sem esforço que Blake dissera a si mesmo que não era necessário. O trabalho dele era levar dinheiro para casa. E, quando percebeu que a filha tinha parado de vir até ele com seus problemas, um dente mole, um ursinho perdido, era tarde demais. A essa altura, mal a conhecia. Um dia ela era uma menininha sem dentes e no dia seguinte estava indo para o shopping com um grupo de garotas que ele não reconhecia.

Infelizmente, quando pensava nisso, também tinha muito poucas lembranças dela também. Momentos, sim; imagens em sua mente, certamente. Mas lembranças, recordações de períodos passados juntos, praticamente não havia.

Annie ouviu o grito primeiro.

– *Mããããããe!*

Ela se sentou na cama, afofando os travesseiros. – Estou aqui, Nana!

Natalie entrou correndo no quarto. Sorrindo, ela mergulhou na cama imensa e passou os braços ao redor de Annie. Blake entrou um pouco depois e ficou por perto.

Por fim, Natalie se afastou. Seus lindos olhos azuis estavam cheios de lágrimas, mas ela sorria de orelha a orelha.

Annie saboreou a presença da filha. – Senti sua falta, Nana – ela sussurrou.

Natalie inclinou a cabeça, olhando para Annie de forma crítica. – O que aconteceu com seu cabelo?

– Cortei.

– Está *fantástico.* Nós estamos parecendo irmãs. – Uma expressão fingida de horror surgiu no rosto dela. – Espero que isso não queira dizer que vai para a faculdade comigo...

Annie fingiu ter ficado triste. – E eu que pensei que você não se importaria. Me inscrevi para ser a mãe do seu dormitório.

Natalie revirou os olhos. – Isso vindo da mãe de qualquer outra seria uma piada. – Ela olhou para Blake. – Você não vai deixá-la ir, não é, pai?

Annie encarou Blake, que estava ali olhando para ela. Ele se aproximou e colocou a mão no ombro dela de forma possessiva. – Estou tentando muito fazer com que ela fique em casa – ele respondeu.

– Papai me contou que você está grávida. – Uma rápida expressão de dor passou pelo rosto de Natalie, mas logo sumiu. – Não posso acreditar que não me contou.

Annie tocou gentilmente o rosto da filha. – Acabei de descobrir, meu bem.

Natalie sorriu. – Eu peço uma irmã por dezesseis anos, e você fica grávida bem quando estou indo para a faculdade. Muito obrigada.

– Isso definitivamente entra na categoria "acidente". Acredite, eu sempre quis encher esta casa de crianças, mas não agora, quando estou perto de me aposentar.

– Que exagero. Li sobre uma mulher de sessenta anos que teve um filho.

– Reconfortante. Você entende, claro, que as regras mudaram agora. Você não pode ter um filho até seu irmão ou irmã se formar no colegial. E você vai ter de me apresentar como sua madrasta.

Natalie riu. – Tenho mentido sobre você há dez anos, mãe. Desde que você chorou no meu recital de dança e teve de ser acompanhada para fora do lugar.

– Aquilo foi um ataque de alergia.

– Ah, claro. – Ela riu. – Ei, imagine só, mãe. O papai me deixou dirigir a Ferrari.

– Você está brincando.

– Ainda bem que você não estava lá. Teria me feito usar um capacete e dirigir na pista da direita... de preferência com o pisca-alerta ligado.

Annie riu, e não conseguiu evitar em pensar que aquilo tudo parecia *certo:* a provocação, as piadas, a familiaridade. Tão natural.

Eles eram uma família. Uma *família.*

Blake se curvou perto de Annie. Ele sussurrou com uma voz suave que só ela conseguiu ouvir. – As pessoas mudam, Annalise.

Isso a assustou, aquela frase tão simples que parecia prometer o sol, a lua e as estrelas.

Foi quando ela percebeu que estava correndo risco. Esse homem que amara por tanto tempo sabia o que dizer, sempre, e o que fazer. Ele podia forçá-la a ir até o limite novamente. Se não tivesse cuidado, ia escorregar direto para o fluxo suave de sua vida antiga, puxada de volta sem um pio de protesto. Outra dona de casa perdida na correnteza.

Capítulo 25

As peças quebradas da família deles se encaixaram de novo com uma facilidade incrível. Como um vaso de vidro quebrado que tivesse sido colado com todo o cuidado, as pequenas linhas podiam ser vistas apenas quando se olhava de perto, quando Blake e Annie estavam sozinhos. Eles eram soldados, os dois, contornando um ao outro, desconfiados, negociando uma paz estranha e desconfortável.

Mas Annie tinha passado vinte anos cavando uma trilha para a sua vida, e agora se encaixou facilmente nela. Acordava cedo, vestia um robe caro de seda com uma faixa bonita amarrada em sua cintura que crescia. Acentuava as feições cuidadosamente com maquiagem, colocando uma cor sob os olhos para esconder as olheiras causadas por noites agitadas.

Às segundas-feiras, fazia a lista de compras e mandava Natalie até o mercado gourmet na esquina. Às terças, pagava as contas da casa. Às quartas, falava com a faxineira e o jardineiro, e às quintas mandava Natalie cuidar de outros assuntos, ensinando a filha a pegar todas as várias peças de suas vidas. A casa voltou a ser uma unidade bem administrada.

Ajudava Blake a escolher ternos e gravatas, e o lembrava de pegar as roupas dele na lavanderia. Toda manhã, dava um beijo de adeus nele, um beijo casto, pequeno e seco no rosto, e toda noite o recebia vindo do trabalho com um sorriso. Ele se sentava na cama dela e falava forçadamente sobre as ocorrências do dia.

Na verdade, ela estava feliz por ficar o tempo todo na cama, escondida da realidade do casamento. Na maioria dos dias, enquanto Blake estava no trabalho, ela e Natalie passavam longas horas conversando, rindo e trocando lembranças.

Annie ficou sabendo que Blake não tinha ligado para Natalie em Londres. Ouviu a dor e o desapontamento na voz da filha ao contar, mas não havia nada que Annie pudesse fazer para consertar isso. – Lamento – foi tudo o que conseguiu dizer. De novo e de novo.

Annie começou a notar mudanças em Natalie, uma maturidade que não existia antes. De vez em quando ela surpreendia Annie com um comentário inesperado. Como ontem.

Você só pensa em nos deixar felizes. O que faz você feliz, mãe?

Ou: *Nessa primavera... você estava falando de um jeito diferente. Tão feliz.*

E a coisa mais surpreendente de todas: *Você ama o papai?*

Annie queria responder de forma reflexiva, dizer *Sim, claro que amo seu pai.* Mas daí viu nos olhos de Natalie uma compreensão de adulto. E, então, Annie falou com a mulher que a filha tinha se tornado.

Eu amei seu pai desde que era adolescente. Só estamos passando por um momento difícil, é só isso.

Ele ama você, Natalie tinha dito. *Assim como ele me ama, mas... o amor dele... não é muito caloroso... quer dizer... não é como ser amada por você, mãe.*

Isso fez lágrimas surgirem nos olhos de Annie, essa simples observação. Ela ficou triste por perceber que Natalie nunca compreenderia como o amor de um pai poderia ser. Seria uma perda na vida de Natalie para sempre...

Ao contrário de Izzy.

Ela fechou os olhos e se recostou na cama, lembrando-se de Nick e Izzy jogando *Candy Land*, Nick curvado sobre o tabuleiro... ou quando os dois brincavam com as Barbies no chão da sala, Nick falando com voz de falsete: *Você viu minhas sapatilhas de dança azuis?*

Ontem, quando ela e Natalie tinham ido ao médico, Annie não conseguiu afastar as lembranças. Era doloroso demais. Não havia um marido ali para segurar sua mão enquanto fazia o ultrassom. Nenhum marido para ver a tela escura com aquela imagem indistinta e se maravilhar com o milagre.

Não havia Nick.

Por quanto tempo seria assim? Passaria o resto da vida sentindo que deixara uma parte essencial de si mesma em outra época e lugar?

A primeira carta, quando chegou, era pequena e amassada. Um carimbo azul desbotado dizia *Mystic, WA.*

Annie olhou para o envelope cor-de-rosa. Muito gentilmente, abriu a aba e tirou o papel. Era um desenho do Monte Olympus. E dentro havia uma carta de Izzy.

Querida Annie:

Como você está? Eu estou boua.

As flor são bunita. Oje aprendi a andar de becicleta.

Foi legal.

Tou com saudade. Quando é qui você vai votar pra casa?

Amor, Izzy.

PS: meu papai ajudo a escreve essa cata.

Annie apertou o papel na mão. Tudo nele, cada palavra escrita errado, tocou seu coração. Ela ficou parada imóvel na cama, olhando para o céu azul, muito azul, além do quarto, desejando que chovesse. Sabia que ia responder à carta de Izzy, mas o que diria? Algumas palavras desesperançadas que não prometessem nada? Ou uma sequência de banalidades sem sentido para fingir que eram todos amigos? Nada além de amigos, e às vezes os amigos se mudam...

Havia apenas algumas palavras que importavam, e eram as mais verdadeiras de todas. – Também sinto saudade sua, Izzy...

Ela abriu a gaveta da cabeceira e pegou a fita de cabelo de Izzy, acariciando a faixa de cetim. Sabia que amanhã iria responder à carta, e encheria uma folha de papel com palavras e mais palavras, mas não diria o que importava. Ela não diria o que Izzy queria ouvir.

Pegando o telefone sem fio na mesa, escutou o sinal por um longo tempo, então lentamente desligou novamente. Era injusto ligar para Nick e Izzy, injusto deixar que o som das vozes deles suavizasse sua solidão. *Não faça isso comigo, Annie,* Nick tinha dito, *Não me jogue a esperança como se fosse um osso para enterrar no meu quintal...*

– Mãe? – Natalie enfiou a cabeça pela fresta da porta do quarto. – Você está bem?

Annie fungou e se virou para o outro lado.

Natalie correu até a cama e subiu nela, indo ficar junto de Annie. – Mãe? Você está bem?

Não, ela quis dizer, *não, não estou bem.* Sinto falta do homem que amo e da filha dele, e sinto falta de um lugar onde não para de chover e o cabelo nunca fica seco e jogam no meio da tarde com uma menina de seis anos...

Mas nada disso era o tipo de coisa que se diz para a filha adolescente, por mais adulta que ela parecesse. – Eu estou bem, querida. Estou bem.

Por mais que tentasse ser a Annie antiga, não conseguia. Não importava quantas das rotinas antigas se forçasse a seguir, não se encaixava mais naquilo. A cada dia, via o futuro se aproximando em uma nuvem de fumaça de chances e oportunidades perdidas.

O verão passou pelo sul da Califórnia em uma onda de calor muito forte. As colinas de Malibu ficaram secas e marrons. As folhas começaram, uma a uma, a se enrolar e morrer, caindo como pedaços de papel queimado em gramados de um verde artificial.

Blake estava no deque, tomando uísque com soda. A madeira sob seus pés era quente, o último lembrete de um dia de calor especialmente forte.

Ele não dormira bem na noite anterior. Não dormia bem, de fato, fazia semanas. Desde que tinha se desculpado com Annie e descoberto que ela não se importava com isso.

Ela estava tentando fazer o casamento funcionar. Blake podia ver o esforço no modo como ela se maquiava toda manhã e usava as cores de que sabia que ele gostava. Ela até o tocava ocasionalmente, gestos bem rápidos projetados para fazê-lo se sentir melhor, mas que tinham o efeito oposto. Cada vez que ela o tocava, ele sentia uma pequena dor no peito, e se lembrava de como era antes, o modo como ela o tocava o tempo todo, sorria de suas piadas e tirava o cabelo do rosto dele, e se lembrar disso provocava dor.

Annie não era mais ela mesma, isso ficara óbvio. Ficava deitada na imensa cama deles em silêncio, como um fantasma grávido, e, quando sorria, era um sorriso rápido, quebradiço, não era Annie de jeito nenhum.

Ela estava... desaparecendo, por falta de uma palavra melhor.

Antes ela falava e ria o tempo todo. Costumava se divertir com a maluquice da vida, mas agora nada mais a interessava. O humor dela era zero, sem nenhuma alteração. Não havia sinal da antiga Annie naquela mulher calada que ficava sentada com ele à noite, assistindo à televisão.

Na semana passada, quando choveu, ela se sentou na cama, olhando pela janela. Quando ele a chamou, ela se virou, e ele não deixou de notar as lágrimas nos olhos dela. E ela ficava segurando uma porcaria de fita para o cabelo como se fosse o Cálice Sagrado.

Blake não ia conseguir aguentar muito mais. Não era o tipo de homem que gostava de lutar pelo que desejava. Tinha de haver um limite.

Ele colocou o copo na mesa e voltou para dentro. Bateu na porta do quarto de Annie, depressa, antes que perdesse a coragem.

– Entre – ela disse.

Ele abriu a porta e entrou. O quarto estava reconfortante como sempre, com as paredes azuis, a cama e o carpete brancos.

Annie estava na cama, lendo um livro chamado *Como cuidar do seu pequeno negócio.* Ao lado dela, havia vários outros livros com títulos parecidos.

Droga, ela estava pensando em arrumar um *emprego?*

Ele seria humilhado se ela saísse procurando trabalho; Annie sabia o que ele pensava sobre a esposa trabalhar. Especialmente com a falta de habilidade dela. O que poderia fazer? Servir café e croissants?

Blake não tinha ideia de quem era a mulher sentada na cama lendo esse tipo de livro. Sentiu-se desconectado de Annie; tinha de fazer alguma coisa para se unirem novamente.

Ela ergueu o rosto, e ele notou as olheiras e o tom cinzento da pele. No mês que passou, ela tinha ganhado muito peso, mas de alguma forma o rosto parecia mais magro. O cabelo crescera um pouco, e as pontas estavam começando a se curvar de forma completamente desarranjada. Novamente, ela parecia uma mulher que ele não conhecia. – Oi, Blake –

ela disse suavemente, fechando o livro. – Está na hora de o filme começar? Eu pensei que...

Ele foi até a cama e se sentou ao lado dela, olhando para os lindos olhos verdes. – Eu amo você, Annie. Sei que podemos resolver isso se... estivermos juntos.

– Nós estamos juntos.

– Onde está sua aliança?

Ela indicou o armário de mogno com a cabeça. – Na minha caixa de joias.

Blake se levantou e foi até lá, abrindo com cuidado a caixa pintada a mão que continha todos os tesouros que havia dado para ela ao longo dos anos. Ali, entre as dobras de veludo negro, estava o anel com o diamante de três quilates que lhe dera no aniversário de dez anos de casamento. Ao lado estava a aliança de ouro original, que era tudo o que podiam comprar na época. Ele pegou os dois anéis e voltou para a cama, sentando-se ao lado da esposa.

Blake olhou para o diamante faiscante. – Lembra das férias que passamos no Hotel Del Coronado? Natalie não tinha mais de um ano...

– Seis meses.

Ele olhou para ela. – Compramos aquele imenso cobertor azul e vermelho, o que usei na minha cama na faculdade, e o abrimos na praia. Éramos as únicas pessoas lá, só nós três.

Annie quase sorriu. – Fomos nadar, apesar de estar um frio de congelar.

– Você estava segurando a Natalie, com as ondas batendo nas suas coxas. Seus lábios estavam praticamente azuis e a pele toda arrepiada, mas você estava rindo, e lembro como amei você naquele momento. Meu coração doía cada vez que olhava para você.

Ela baixou os olhos para as mãos, meio fechadas no colo. – Já faz muito tempo.

– Eu encontrei uma estrela redonda, lembra? Entreguei para você com o nosso bebê no cobertor entre nós dois. Acho que ela estava tentando engatinhar.

Annie fechou os olhos e tentou visualizar a cena. Conseguiria lembrar do resto daquele dia? A maneira como ele a tocava... ou quando ele se inclinou e deu um beijo nas costas da sua mão. *Ei, Godiva,* ele sussurrara. *Eles alugam cavalos ali na frente...*

E ela respondeu rindo: *Bebês não sabem cavalgar.*

– Quando foi que paramos de nos divertir juntos, Annie? Quando? – Ele a estava seduzindo com as lembranças, e podia ver que estava dando certo; via isso no modo como ela olhava intensamente para as mãos, e no brilho de lágrimas nos olhos.

Lentamente, ele esticou a mão e colocou os dois anéis no dedo dela. – Me perdoe, Annie – disse suavemente.

Ela ergueu os olhos. Uma lágrima desceu pelo rosto e pingou na camisola dela, formando uma manchinha. – Eu quero perdoar.

– Me deixe dormir com você esta noite.

Annie suspirou. Passou muito tempo antes de ela responder, tempo bastante para ele sentir a esperança indo embora. – Sim – ela disse por fim.

Blake disse a si mesmo que nada importava, exceto aquela resposta. Ignorou a incerteza na voz e as lágrimas nos olhos dela e o fato de Annie não olhar para ele. Ficaria tudo bem novamente se dormissem juntos. Por fim, os pedaços de suas vidas despedaçadas começariam a se juntar outra vez.

Ele queria abraçá-la com entusiasmo, mas se forçou a se mover lentamente. Então, bem devagar, ele foi até a cama e tirou a colcha, entrando por baixo dos lençóis frios de algodão.

Era reconfortante abraçá-la novamente, como calçar os chinelos favoritos depois de um longo dia no trabalho. Ele a beijou suavemente, e, como sempre, ela ficou quieta e não reagiu. Por fim, ele se virou para o outro lado, o começo habitual do ritual noturno deles. Depois de um longo momento, ela se aconchegou atrás dele.

O corpo dela se encostou ao dele, a barriga comprimida contra as costas. Era a forma como sempre dormiram, só que desta vez ela não passou o braço sobre ele.

Ficaram ali, se tocando mas não se tocando na cama que vira toda a paixão deles por tantos anos. Ela não disse nada além de murmurar boa noite, e Blake não conseguiu pensar em mais nada.

Ele demorou muito para pegar no sono.

Natalie colocou uma grande tigela de inox cheia de pipoca no pé da cama de Annie, em seguida, se aninhou junto da mãe. Era sexta-feira à tarde: o dia das garotas. Annie, Natalie e Terri passavam juntas todas as sextas-feiras desde que Annie voltara para casa. Elas riam, conversavam, jogavam cartas e assistiam a filmes.

– Deixei a porta da frente aberta para a Terri – Natalie disse, colocando a tigela de pipoca no colo.

Annie sorriu. – Você sabe o que seu pai diria. Ele acha que os ladrões passam o dia todo atrás das roseiras, só *esperando* nós deixarmos a porta aberta.

Natalie riu. Elas falavam sobre qualquer coisa. A conversa seguiu o fluxo dos anos, indo de um tópico para outro. Elas riram de palhaçadas que eram tão velhas quanto Natalie e tão novas quanto ontem. O tempo todo, Annie ficava maravilhada com a maturidade da filha; a adolescente que tinha ido para Londres retornara uma jovem mulher. Parecia estar a anos-luz o tempo em que Natalie havia se rebelado, que tinha tosado o cabelo e o pintado de platinado, e feito três furos nas orelhas.

– Por que é que o papai nunca fala no bebê?

A pergunta saiu do nada, atingindo Annie com força. Ela tentou não comparar Nick e Blake, mas era impossível em um momento como esse. Nick estaria do seu lado a cada passo, compartilhando o milagre, observando a barriga dela crescer. Ela seguraria a mão dele durante os exames, fazendo piadas para a distrair da agulha... e ela teria rido com ele depois, quando descobrissem que era uma menina, examinando livros de nomes e criando sonhos...

Ela suspirou. – Seu pai está desconfortável com a gravidez; ele sempre foi assim. Muitos homens são assim. Ele vai ficar melhor quando o bebê nascer.

– Cai na real, mãe. O papai é bom em fazer as coisas dele. Quer dizer, vocês deveriam supostamente estar passando pelo "período ruim", mas ele nunca está aqui. Ele ainda trabalha setenta horas por semana, ainda joga basquete nas terças à noite, e ainda vai beber com *os caras* nas sextas. Quando é que vocês trabalham nos problemas? Durante o David Letterman?

Annie sorriu com ar triste. – Quando você ficar mais velha, vai entender. Tem um certo... conforto no que é familiar.

Natalie olhou firme para ela. – Eu quase não tenho recordações com o papai, sabia? Tudo o que lembro dele são alguns beijos apressados de despedida e o som da porta batendo. Quando ouço um motor de carro ligando ou uma porta de garagem fechando, penso no meu pai. E depois deste verão... quando eu for embora?

Annie tremeu, apesar de estar quente no quarto. Ela desviou os olhos, incapaz de encarar a tristeza na expressão da filha. – Quando você for embora, eu vou estar preocupada com as fraldas e com o que fazer com os cristais da sala. Vou estar pensando em fazer uma plástica para que meus seios não fiquem mais no umbigo. Você sabe, o de sempre.

– E você vai ficar sozinha.

Annie quis negar isso. Queria ser adulta e uma boa mãe e dizer a coisa certa que diminuísse a preocupação da filha. Mas desta vez não lhe ocorreu nenhuma mentira típica dos pais. – Talvez um pouco. A vida pode ser assim, Nana. Não temos sempre o que desejamos.

Natalie olhou para as próprias mãos. – Quando eu era pequena, você me disse que a vida nos *dá* o que queremos se tivermos vontade de lutar e acreditarmos nisso. Você me disse que toda nuvem tinha um centro brilhante.

– Isso eram palavras de uma mãe para a filha pequena. Agora estou falando com uma mulher quase adulta.

Natalie olhou para ela, fixamente e por um bom tempo. Então desviou os olhos.

Annie sentiu-se subitamente distante da filha. Lembrou-se de quatro anos antes, quando Natalie se tornou outra pessoa. Pareceu acontecer subitamente; de repente seus gostos divergiam: do que Annie gostava, Natalie detestava. O Natal naquele ano foi tenso, horrível, com Natalie abrindo cada presente e dizendo um *puxa, obrigada* irônico. – Nana? O que foi?

Lentamente, Natalie virou-se para Annie. – Você não precisa ser assim, sabe?

– O que quer dizer?

Natalie balançou a cabeça e desviou os olhos. – Deixa para lá.

A compreensão chegou lentamente e, com ela, a dor. Tudo se encaixou: o desejo de Natalie de estudar bioquímica em Stanford, a súbita viagem para

Londres, a falta de vontade de sair com o mesmo rapaz por mais de cinco meses. Por trás disso tudo havia uma mensagem triste: não quero ser como você, mãe. Não quero depender de um homem para tudo.

– Entendo – Annie disse.

Natalie virou-se para ela novamente, e desta vez havia lágrimas nos seus olhos. – O que você entende?

– Não importa.

– *Importa,* sim. O que você está pensando?

– Estou pensando que você não quer crescer e ser como sua mãe, e... e, por mais que isso doa, sinto orgulho. Eu queria que você contasse consigo mesma na vida. Acho que, no final, nós todos temos de fazer isso.

Natalie suspirou. – Você nunca teria dito isso antes de ele partir seu coração.

– Acho que crescemos um pouco recentemente. A vida não é só dias ensolarados e céus azuis.

– Mas você sempre me ensinou a procurar a parte brilhante de cada nuvem. Você está fazendo isso, mãe? Você está tentando ser feliz?

– Claro que sim – ela respondeu depressa, mas as duas sabiam que era mentira. Annie não conseguia olhar para a filha. – Estou feliz por você não querer ser como eu, Nana.

A tristeza ficou clara no rosto de Natalie. – Não quero ter um casamento como o seu, e não compreendo por que você fica com ele, nunca entendi isso. Mas isso não quer dizer que eu não queira ser como você. Tem só duas pessoas no mundo que não respeitam você... até onde eu sei, pelo menos.

Ela olhou para Natalie, balançando a cabeça levemente, como se pudesse deter as palavras da filha.

– Só duas – Natalie disse. Uma única lágrima correu pelo seu rosto, e ela a enxugou com impaciência. – Papai... e você.

Você. Annie sentiu uma súbita vontade de desaparecer, de derreter nos caros lençóis e sumir. Ela sabia que Natalie estava esperando que dissesse alguma coisa, mas não tinha ideia de qual seria a resposta correta. Sentiu como se fosse a filha, e Natalie, a mãe; como filha, ela havia desapontado a mãe.

Annie abriu a boca para dizer alguma coisa, sem ter ideia do quê, quando subitamente Terri entrou a toda no quarto, como um touro multicolorido, o corpo envolto em camadas de lamê vermelho e dourado.

Ela parou ofegante junto da cama. Apoiando os punhos nos quadris carnudos, Terri olhou para a tigela de pipoca. – Então, onde está a *minha* pipoca? Quer dizer, isso aí é o bastante para duas moças magrinhas como vocês, mas uma mulher de verdade gosta que a pipoca venha em tigelas que podem servir de barco salva-vidas. E eu certamente quero com muita manteiga.

Natalie sorriu. – Oi, Terri.

Terri também sorriu, os cílios com muito rímel quase escondendo os olhos faiscantes. – Olá, princesa.

– Eu vou fazer mais pipoca.

– Faça isso, meu bem. – Terri disse, tirando o turbante dourado da cabeça.

Quando Natalie saiu do quarto, Terri sentou-se na beirada da cama e suspirou. – Puxa, que dia. Desculpe o atraso.

Annie sorriu sem muita força por causa do teatro. – O que houve?

– Minha personagem está fugindo da lei novamente, só que desta vez eles a colocaram em um avião. – Terri balançou a cabeça. – Má notícia.

– O que tem isso de errado?

– Nas novelas, tem só uma coisa pior do que entrar em um avião: é entrar em um carro. Em seguida você ouve sirenes... e música de funeral. Se eles derem o *nome* do voo amanhã, eu estou morta.

– Você vai saltar de volta.

– Ah, perfeito, faça piadas de gorda. – Terri se arrastou na cama e se virou para se sentar ao lado de Annie. – Então, menina, como está indo o dirigível que não para de inflar?

Annie olhou para o próprio ventre. – Estamos indo bem.

– Bom, tenho vindo aqui todas as sextas faz semanas, e conversamos ao telefone constantemente. Acho que já fui paciente demais.

– Sobre o quê?

Terri olhou séria para ela. – Sobre o *quê?* Como assim?

Annie suspirou. – Nick.

– E o que mais seria? Tenho esperado pacientemente, e nós duas sabemos que paciência não é uma das minhas virtudes, que você falasse nele, mas obviamente você não vai fazer isso. Estou cansada de respeitar sua privacidade. Agora, comece a falar. Você tem ligado para ele?

– Claro que não.

– Por que não?

Annie se virou para a melhor amiga. – Vamos lá, Terr.

– Ah... a coisa da honra. Eu li sobre isso. Não vemos muito no sul da Califórnia. E *nunca* nas novelas. Mas você *está* apaixonada por ele?

– Acho que não quero falar disso.

– Não tem sentido mentir para uma mulher vivida como eu. Droga, Annie, eu estive apaixonada mais vezes do que a Liz Taylor e dormi com homens suficientes para proteger este país em época de guerra. Você o ama?

– Sim – ela sussurrou, cruzando os braços. Doeu dizer a palavra em voz alta, e ela lamentou isso imediatamente. – Mas vou superar. Eu *tenho* de superar. Blake está fazendo o possível para reconstruir a família. As coisas estão... duras agora, mas vão melhorar.

Terri sorriu com ar triste. – Espero que dê certo para você, Annie. Para a maioria de nós, quando o amor acaba, nem todo o fingimento e vontade do mundo conseguem fazer com que volte.

– Fazer o quê voltar? – Era Natalie, parada na porta com outra tigela de pipoca e uma garrafa de água.

– Nada, meu bem – Annie disse suavemente.

Natalie mostrou o filme que escondia nas costas. – Aluguei para nós. – Ela o colocou no aparelho, então subiu na cama ao lado de Terri.

Terri pegou um punhado de pipoca. – Que filme é?

– *Same Time, Next Year.*

– Aquele filme do Alan Alda? – Terri olhou com ar expressivo para Annie. – Sempre pensei que essa ideia fosse incrível. Um caso uma vez por ano. O marido da Ellen Burstyn provavelmente é um idiota, um daqueles maníacos por trabalho com a integridade moral de um gato de rua. Ele provavelmente enganou a Ellen e depois voltou rastejando como o verme que é. Como Ellen é gente boa, ela o aceitou de volta e tentou fingir que estava tudo bem. Mas, ainda assim, ela encontra seu amante secreto por um fim de semana por ano na costa selvagem do Oregon. Sim, parece o paraíso para mim.

– Shhh – Natalie disse. – Está começando.

Annie desviou os olhos de Terri. Tentou não sentir nada, mas, quando a música tocou e os créditos começaram a passar, ela afundou mais e mais nos travesseiros, como se a distância pudesse suavizar a força de suas lembranças.

Capítulo 26

Nick atravessou o verão um dia por vez. A última coisa que fazia todas as noites era ficar à beira do lago, onde a lembrança de Annie era mais forte. Às vezes a saudade dela era tão aguda que ele sentia dor no peito. Essas eram as noites em que ouvia o chamado da bebida, o suave ronronado de sua própria fraqueza.

Mas ele estava indo em frente. Pela primeira vez em anos, estava vivendo a vida nos seus próprios termos. Annie estava certa em tantas coisas que tinha lhe dito. Nick tinha voltado ao trabalho, e o trabalho lhe dava propósito. Era o melhor policial que já havia visto. Dava tudo às pessoas a quem protegia, mas, quando seu turno terminava, deixava as preocupações para trás. Tinha aprendido, finalmente, a aceitar que ocorreriam falhas, e que não tinha problema nisso. Tudo o que podia fazer era tentar.

Com Gina, por exemplo. Ela ainda estava lutando contra a atração dos velhos padrões e das rotinas reconfortantes e autodestrutivas. Os outros jovens costumavam ser abertamente cruéis com ela. Os "bons" garotos não queriam ficar com uma perdedora, e os "maus" garotos passavam o tempo todo tentando atraí-la de volta para o círculo de drogas e vagabundagem. E, como Nick, Gina estava se aguentando. Ela tinha voltado para seu velho quarto e estava reconstruindo os laços com a família que desfizera de forma tão descuidada. No mês passado ela se matriculara na escola.

E sempre havia Izzy, esperando por Nick ao fim de cada dia com um sorriso e um desenho que tinha feito ou uma música que havia aprendido. Os dois tinham se tornado inseparáveis. Melhores amigos. Ele nunca perdia um momento ou palavra com ela.

Durante a semana, ele trabalhava das nove às cinco; no instante em que seu turno acabava, ia pegar Izzy na creche. Passavam todo o tempo livre juntos.

Hoje, ele havia saído do trabalho fazia três horas e o ritual noturno dos dois tinha começado. Primeiro, jantar na varanda (lasanha e salada do Vittorio's), depois eles lavaram rapidamente a louça.

Agora, Nick estava sentado de pernas cruzadas nas tábuas frias do assoalho, olhando para o tabuleiro multicolorido do *Candy Land.* Havia três pequenas peças na caixa do começo: uma vermelha, uma azul e uma verde.

Mas somos só nós dois, Izzy, ele disse quando Izzy preparou as três peças para o início do jogo.

Esta outra aqui é a Annie, papai.

Nick ficou olhando com crescente tristeza enquanto Izzy estoicamente jogava o dado e movia a pequena peça azul de quadrinho em quadrinho.

– Venha aqui, Izzy – ele disse por fim, afastando o jogo. Ela engatinhou pelo chão e se sentou no colo dele, envolvendo o corpo com as pernas magras. Ele olhou para ela. As palavras congelaram em sua garganta; como pedir a uma menininha para parar de acreditar?

– Ela vai voltar, papai – Izzy disse com a voz aguda e cheia de certeza da inocência.

Ele acariciou o cabelo dela. – Não tem problema sentir saudade dela, Raio de Sol, mas você não pode ficar pensando que ela vai voltar. Ela tem outra vida... sempre teve. Tivemos sorte de ter a Annie aqui durante algum tempo.

Izzy apoiou as costas nos dedos entrelaçados dele. – Você está errado, papai. Ela vai voltar. Não fique triste.

Triste. Uma palavra tão pequena, só duas sílabas; mas nem começava a descrever o oceano de perda que ele sentia com a falta de Annie.

– Eu amo você, Izzy querida – ele sussurrou.

Ela deu um beijo no rosto dele. – Eu também amo você, papai.

Nick ficou olhando para a filha, com os braços em torno do pijama de flanela cor-de-rosa com os coelhinhos, o cabelo negro ainda úmido e todo despenteado ao redor do rosto dela, e os grandes olhos castanhos piscando para ele com expectativa.

Ele soube, então, como já sabia antes, que, não importava o que acontecesse, sempre amaria Annie pelo que ela havia lhe dado.

O ar estava frio na manhã seguinte, trazendo a promessa do outono. As flores começavam a murchar agora no fim do verão, e as cores da estação, laranja, verde e vermelho, tinham substituído os tons brilhantes de agosto. O céu nublado lançava sombras sobre o cemitério, onde a grama corria gentilmente até uma cortina de pinheiros. O lugar era muito bem cuidado, esse local de descanso final para a maioria dos habitantes de Mystic.

Nick andou lentamente até o canto mais a leste do cemitério. Izzy estava ao seu lado, segurando sua mão. A cada passo, ele sentia o interior se contrair, e, quando chegou ao destino, sua garganta estava seca e ele precisava desesperadamente de uma bebida.

Olhou para a lápide. *Kathleen Marie Delacroix. Amada esposa e mãe.*

Ele suspirou. Quatro palavras para resumir a vida dela. Eram as quatro palavras erradas; sabia disso quando mandou gravá-las, mas naquele momento estava tão contorcido pela dor que deixara o agente funerário cuidar de tudo. Na verdade, Nick não sabia quais outras palavras teria escolhido, mesmo agora. Como poderia descrever o significado da vida de uma pessoa em algumas letras entalhadas na pedra cinza e lisa?

Ele olhou para Izzy. – Eu devia ter trazido você aqui já faz tempo.

Izzy soltou a mão dele. Colocou a mão no bolso e tirou um papel amassado. Na noite anterior, quando ele disse que viriam aqui, Izzy pegou um papel e seus lápis de cera, daí foi sozinha para o quarto. Quando saiu de lá, tinha feito um desenho da flor favorita da mãe. *Papai, vou dar isto para ela. Assim ela vai saber que eu fui lá.*

Ele assentiu com ar solene.

A menina foi até o banco de ferro e se sentou. Desamassando o papel no colo, Izzy olhou para a lápide. – Papai disse que eu podia falar com você, mamãe. Você pode me ouvir? – Ela inspirou com força. – Estou com saudade, mamãe.

Nick baixou a cabeça, pensando em uma dúzia de coisas ao mesmo tempo, e não pensando em nada. – Oi, Kath. – Ele esperou que ela respondesse, mas, claro, não houve nada além do ruído das árvores ao vento e do piar dos pássaros.

Esse lugar tinha tão pouco a ver com sua Kathy. Era por isso que não tinha ido até ali antes, desde o dia em que colocaram o caixão de mogno brilhante em um buraco na terra. Ele não podia aguentar olhar para o carpete de grama e saber que ela estava ali embaixo, sua esposa que sempre tivera medo do escuro e de ficar sozinha...

Nick estendeu a mão, tocando a lápide fria com a ponta de um dedo, traçando as reentrâncias que faziam o nome dela.

– Vim dizer adeus, Kath – ele disse suavemente, fechando os olhos por causa das lágrimas que surgiram repentinamente. A voz fraquejou, e ele não conseguiu mais falar alto. *Amei você durante a maior parte da minha vida, e sei que você me amou também. O que... o que você fez foi outra coisa, algo que nunca vou entender. Eu queria que você soubesse que eu nos perdoo. Fizemos o melhor que podíamos...*

Ele tocou a pedra novamente, sentindo que se aquecia sob a ponta dos dedos, e, por um momento, um instante que voou para a eternidade, ele a imaginou a seu lado, o cabelo dourado misturando-se com a luz do sol, os olhos negros estreitados por um sorriso. Era o dia em que Izzy nasceu, essa foi a lembrança dela que apareceu em sua mente. Kathy sentada na cama do hospital, o cabelo todo despenteado, a pele pálida por causa da exaustão, a camisola cor-de-rosa abotoada errado. Ela nunca pareceu tão adorável, e, quando olhou para o bebê dormindo em seus braços, Kathy começou a chorar suavemente. – Isabella – ela tinha dito, testando o nome na língua antes de olhar para Nick. – Podemos batizá-la de Isabella?

Como se Nick pudesse negar-lhe qualquer coisa. – É perfeito.

Kathy continuou a olhar para ele, enquanto lágrimas desciam pelo rosto. – Você vai sempre cuidar dela, não vai, Nick?

Ela sabia desde então que a escuridão estava se aproximando.

Mas será que ela sabia que ele a amava, que sempre a amara e que sempre amaria? Ela era parte dele, talvez a maior parte, e às vezes, mesmo agora, ele ouvia a risada dela no sussurro do vento. Na semana passada, quando viu aqueles cisnes brancos passando no lago, ele parou, olhou e pensou, *aí estão eles, Kath... Eles voltaram...*

Izzy segurou a mão dele. – Está tudo bem, papai. Ela sabe.

Ele a ergueu nos braços e a abraçou, olhando para o céu através das lágrimas que faziam os olhos arderem. *Eu estou com ela, Kath, a melhor parte de nós. E sempre vou estar aqui com ela.*

Eles colocaram uma cesta de vime com crisântemos na grama, e depois foram para casa.

– Eu vou olhar o jardim – Izzy disse quando o carro parou.

– Não demore. Parece que vai chover.

Assentindo, ela desceu do carro e foi direto até a cerquinha branca. Nick bateu a porta do carro e foi para a casa. Claro, começou a chover antes de ele chegar à varanda.

– Papai, papai, venha aqui, papai!

Ele se virou. Ela estava parada diante da cerejeira que tinham plantado no ano passado. Estava pulando para cima e para baixo como um passarinho agitado, batendo os braços.

Ele correu pelo gramado. Quando chegou lá, ela olhou para ele, sorrindo, o rosto lavado pela chuva. – Olhe, papai.

Nick viu o que ela estava apontando e, lentamente, se ajoelhou na grama molhada.

A cerejeira tinha produzido um único e perfeito botão cor-de-rosa.

* * *

O outono trouxe de volta as cores para o sul da Califórnia. A grama marrom começou a ficar verde. O ar cinza, limpo pelas brisas de setembro, recuperou o azul da primavera. As estações de rádio locais começaram uma sequência interminável de programas sobre futebol americano. O zumbido distante de sopradores de folhas encheu o ar.

Era a estação de mudanças rápidas, súbitas: dias de calor amarelo-limão brilhante seguidos por noites frias iluminadas pelas estrelas. Blusas de verão sem manga foram guardadas em caixas e substituídas por suéteres de gola redonda. Os pássaros começaram um a um a desaparecer, deixando os ninhos sem cuidados. Para os californianos, que passam a maioria dos dias usando roupas finas como papel e menores que lenços, começou a ficar frio. Eles tremiam à medida que o vento aumentava, levando as últimas folhas vermelhas que morriam nas árvores ao longo da estrada. Às vezes minutos inteiros se passavam sem um único carro virar na direção da praia. Os cruzamentos ficaram vazios, e apenas os turistas com espírito mais forte se aventuravam no frio do Oceano Pacífico nesta época do ano. O fluxo de surfistas na praia estadual diminuiu para apenas alguns mais corajosos por dia.

Agora era a hora de desapegar. Mas como fazer isso? Annie tinha passado dezessete anos tentando proteger a filha do mundo, e agora toda essa proteção existia apenas no amor que dedicara a Natalie, nas palavras que usara nas conversas com ela e nos exemplos que tinha dado.

Os exemplos.

Annie suspirou, lembrando-se da conversa que tivera com Natalie e do desapontamento que sentira ao perceber que não tinha sido um bom modelo de vida. Agora era tarde demais para mudar tudo o que tinha sido e feito como mãe. O tempo de Annie tinha acabado.

– Mãe? – Natalie abriu a porta e enfiou a cabeça no quarto.

– Oi, Nana – ela respondeu, tentando dar um tom animado à voz. – Entre.

Natalie subiu na cama e se esticou ao lado de Annie. – Não posso acreditar que estou mesmo indo embora.

Annie passou o braço em torno da filha. Certamente essa bela criatura não podia ser a criança que tinha lambido o poste de metal do teleférico de ski na Montanha Mammoth... ou a menina que subiu na cama dos pais depois de um pesadelo quando estava a apenas um ano de se tornar adolescente.

Dezessete anos tinham se passado em um piscar de olhos. Era rápido demais. Não durara o suficiente...

Sem notar o que fazia, Annie começou a pentear com os dedos o longo cabelo loiro da filha. Estava se preparando para esse dia fazia eras, quase desde a primeira vez em que deixara Nana no jardim de infância, e ainda não estava pronta. – Eu já disse hoje como estou orgulhosa de você?

– Só um bilhão de vezes.

– Então que seja um bilhão e uma.

Natalie se aconchegou junto dela e colocou a mão no ventre de Annie. – Como foram os últimos testes de estresse e ultrassom?

– Tudo está mostrando uma menininha saudável. Não tem nada com que você se preocupar.

– Ela tem sorte de ter você como mãe.

Annie colocou a mão em cima da mão de Natalie. Havia tanto que queria dizer neste dia, quando a filha estava embarcando para a aventura da vida dela, mas sabia que o momento para isso já havia passado. Tudo o que devia ter dito fora dito, e, se não foi, agora era tarde demais. Ainda assim, ela queria poder pensar em um único conselho perfeito para entregar como herança para a filha.

Natalie se encostou a ela. – O que você vai fazer quando eu for embora?

For embora. Uma ideia tão dura e fria. Era como *morte,* ou *divórcio.* Annie arriscou. – Sentir sua falta?

Natalie se ergueu e olhou para ela. – Lembra quando eu era pequena? Você sempre me perguntava o que eu queria ser quando crescesse.

– Lembro.

– E quanto a você, mãe? O que você costumava dizer para o vovô Hank quando ele fazia essa pergunta?

Annie suspirou. Como poderia fazer Natalie entender o que ela mesma só tinha conseguido entender neste ano, depois de quase quarenta anos de vida? Hank nunca fizera essa pergunta para a filha. Ele era um pai solteiro e solitário, pego entre as décadas de Donna Reed[26] e Gloria Steinem[27], e tinha ensinado a filha que uma mulher era definida pelos homens ao redor dela. Haviam ensinado a ele, e era no que acreditava, que as meninas não precisam de sonhos para o futuro; isso era para meninos, que cresceriam para dirigir negócios e ganhar dinheiro.

---

[26] Atriz americana (1921-1986) de cinema e televisão. Participou de mais de quarenta filmes e ganhou o Oscar de melhor atriz coadjuvante em 1953. Também apareceu na série de televisão *Dallas.* (N.T.)

[27] Feminista, jornalista e ativista social e política que foi reconhecida nos Estados Unidos como porta-voz do movimento de liberação da mulher no fim dos anos 1960 e 1970. Nascida em 1934. (N.T.)

Annie cometera tantos erros, e a maioria deles tinha sido porque colocara a si mesma firmemente fora do seu foco de atenção. Mas agora sabia que a vida sem riscos era impossível, e, se por acaso alguém tropeçasse em uma existência calma e serena, era porque essa pessoa nunca tinha realmente ido atrás de coisa alguma.

Por fim, Annie tinha algo que queria alcançar, um risco que queria correr. Ela olhou para a filha. – Quando eu estava em Mystic, comecei a pensar em abrir minha própria livraria. Tem uma linda casa vitoriana no fim da rua principal, e a parte de baixo está para alugar.

– É por isso que você tem lido todos esses livros sobre negócios.

Annie sorriu e assentiu. Sentia-se novamente como uma criança, que tinha acabado de mostrar para uma amiga sua possessão mais preciosa e descobriu que era tão linda como imaginava. – Sim.

O sorriso de Natalie cresceu lentamente. – É isso aí, mãe. Você vai ser *excelente* nisso. Você pode fazer a livraria Malibu ser um sucesso. E quem sabe eu posso vir trabalhar para você nos verões.

Annie desviou os olhos. Isso não fazia parte do seu sonho, abrir a livraria ali, sob os olhos críticos e vigilantes do marido. Já conseguia *ouvir* os comentários dele...

Não seriam como a reação de Nick.

Alguém bateu à porta.

Annie ficou tensa. *Está na hora.* – Entre – ela disse.

Blake entrou no quarto, usando um terno preto e um sorriso brilhante. – Ei, meninas. Natalie está pronta? A senhora Peterson e Sally estão aqui para pegá-la.

Annie produziu uma risada sem muito ânimo. – Sempre me imaginei carregando suas malas escada acima no dormitório e arrumando as roupas para você. Eu queria que você pelo menos *começasse* na faculdade com suas coisas organizadas.

– Eu ia ter de chamar o segurança para me livrar de você. – Natalie começou rindo e terminou chorando.

Annie tomou a filha nos braços. – Vou sentir falta de você, meu bem.

Natalie a abraçou, soluçando. – Não esqueça da livraria quando eu estiver fora.

Annie foi a primeira a recuar, sabendo que era seu papel fazer isso. Ela tocou o rosto suave de Natalie, fitou seus preciosos olhos azuis, lembrando-se pela primeira vez em anos de que antes eram da cor da ardósia. Fazia tanto tempo...

– Adeus, Nana-banana – ela sussurrou.

– Eu amo você, mãe. – Não foi a voz hesitante de uma criança que disse essas palavras. Fungando, com um sorriso trêmulo, Natalie se levantou.

Ela sorriu sem entusiasmo para o pai. – Pai, me leve para fora daqui.

Depois que saíram, Annie ficou olhando enquanto a porta foi fechada suavemente. Ela se surpreendeu por não estar chorando.

Ela sabia que mais tarde, na longa escuridão da noite, e nos muitos dias que teria pela frente, um novo tipo de solidão a tomaria, soltando sua voz silenciosa no eco da casa agora mais vazia, mas ela também sabia que ia sobreviver. Estava mais forte do que era em março. Estava pronta para deixar a filha mais velha sair pelo mundo.

– Adeus, Nana – ela sussurrou.

Annie entrou em trabalho de parto na primeira semana de novembro. Ela acordou no meio da noite. A segunda contração foi tão forte que não conseguia respirar.

Ela se dobrou para a frente. – Deus... – olhando para as próprias mãos, ela jogou as cobertas para o lado e desceu da cama. Começou a gritar, mas outra contração transformou sua voz em um chiado patético. – Blake...

Ele se sentou na cama. – Annie?

– É... muito cedo – ela balbuciou, agarrando a manga do pijama dele. Pensou em Adrian e entrou em pânico. – Ah, Deus, é cedo demais...

– Jesus – ele saltou da cama e correu para as roupas deixadas sobre uma cadeira. Em questão de minutos estava colocando Annie no carro e eles seguiam para o hospital.

– Aguente firme, Annie. – Ele lançou um olhar nervoso para ela. – Aguente firme.

Ela fechou os olhos com força. *Imagine que está em uma praia de areia branca.*

Mais uma contração.

– Merda – ela sussurrou. Era impossível. Tudo em que conseguia pensar era na dor, a dor vermelho-quente que mastigava o interior do seu ventre, e na vida que havia dentro dela. *Seu bebê.* Ela segurou o ventre. – Calma, menininha... calma.

Mas tudo o que via era Adrian, o minúsculo Adrian, ligado a uma dúzia de máquinas, sendo baixado no chão dentro de um caixão do tamanho de uma caixa de pão...

De novo não, ela orou em silêncio de novo e de novo. – *Por favor, Deus... de novo não.*

As estéreis paredes brancas da sala de espera do hospital faziam pressão sobre Blake. Ele andava de um lado para o outro, em um momento olhando o relógio, depois folheando uma revista idiota sobre celebridades e os problemas infantis delas.

Ficava revivendo tudo em sua mente. Annie sendo levada às pressas para a sala de parto, os olhos grandes por causa do medo, e a voz dela, entrecortada, bradando, dizendo de novo e de novo *é muito cedo.*

Tudo passou diante dos olhos dele naquele instante de horror quando eles a colocaram na maca e a levaram. Ele viu o casamento inteiro em um instante, todos os bons momentos, os momentos ruins e os momentos entre os dois; ele viu Annie ir de uma garota da faculdade com rosto de menina para uma mulher grávida de trinta e nove anos.

– Senhor Colwater?

Ele girou o corpo, afastando-se da janela, e viu a obstetra de Annie, a dra. North, parada na porta. Usava um avental branco impecável e um sorriso cansado. – O bebê...

– Como está Annie?

A dra. North franziu a testa por um instante, então disse – Sua esposa está dormindo. O senhor pode vê-la agora.

Ele relaxou de alívio. – Graças a Deus. Vamos. – Ele seguiu a dra. North pelo corredor silencioso até um quarto particular.

Lá dentro, as cortinas estavam fechadas e o quarto, envolto em sombras azuladas. A cama era estreita, de aço, e estava por trás de uma cortina. Na mesa de cabeceira viam-se um telefone e uma garrafa azul de água com o número do quarto escrito nela. Como se alguém fosse roubá-la. Suportes de soro rodeavam a cama como abutres altos e magros, os sacos plásticos e veias transparentes conectados aos pulsos pálidos de Annie.

Ela parecia jovem e frágil na cama estranha. Isso trouxe de volta uma dúzia de lembranças dolorosas sobre o filho.

– Quando ela vai acordar? – ele perguntou à médica.

– Não deve demorar.

Blake não conseguia se mover. Ficou no centro do quarto, olhando para a esposa. Quase a perdera. Era o pensamento que ficava girando em sua mente. Quase a perdera.

Ele foi até a cama e puxou uma cadeira. Sentou-se ali, olhando para a mulher que tinha sido sua esposa por quase vinte anos. A dra. North disse alguma coisa, ele não entendeu o quê, e então saiu do quarto.

Depois de uma eternidade, já que ele perdeu noção do tempo, ela abriu os olhos. – Blake?

Ele ergueu a cabeça subitamente. Viu a esposa sentada, olhando para ele. Ela parecia frágil e assustada. – Annie – ele sussurrou, pegando a mão dela.

– Meu bebê – ela disse. – Como está nossa menininha?

Merda. Ele não tinha nem perguntado. – Eu vou perguntar. – Ele saiu do quarto e correu até o balcão das enfermeiras. Encontrou a dra. North ali, e a arrastou de volta para o quarto de Annie.

Com a entrada da médica, Annie endireitou o corpo. Estava tentando desesperadamente não chorar; Blake podia ver o esforço que ela fazia. – Oi, doutora – ela disse, engolindo em seco.

A dra. North foi até Annie e tocou a mão dela. – Sua filha está viva, Annie. Ela está na UTI neonatal. Ocorreram algumas complicações; ela mal tem dois quilos, e em termos de desenvolvimento isso é um problema. Estamos preocupados porque...

– Ela está viva?

A dra. North assentiu. – Ela ainda tem muitas barreiras para ultrapassar, Annie, mas está viva. Você quer vê-la?

Annie levou a mão até a boca e assentiu. Estava chorando demais para conseguir falar.

Blake ficou ao lado enquanto a médica ajudava Annie a ir para uma cadeira de rodas que estava no canto do quarto. Então, sentindo-se inútil, ele as seguiu pelo corredor até a UTI neonatal.

Annie estava sentada ao lado da incubadora. Por dentro da caixa de vidro, o bebê estava imóvel como se estivesse morto, com uma dúzia de tubos e agulhas conectados aos finos braços vermelhos.

Blake parou ao lado dela e colocou a mão no ombro da esposa.

Ela ergueu os olhos para ele. – Eu quero dar a ela o nome Kathleen Sarah. Tudo bem?

– Claro. – Ele olhou em volta, para cima, para os lados, para qualquer lugar menos para a incubadora. – Eu vou buscar algo para comermos.

– Você não quer se sentar aqui conosco?

Ele não olhou para o bebê. – Eu... não posso.

Annie não sabia dizer por que ficou surpresa, ou por que isso a feriu tão profundamente. Blake não era bom com tragédias ou com o medo; nunca tinha sido. Se as emoções não cabiam em uma caixinha organizada, ele fingia que não existiam. Ela teria de lidar com isso da forma como havia lidado com cada situação emocional em sua vida: sozinha. Ela assentiu. – Está bem. Vá comer alguma coisa. Eu não estou com fome. Ah, e ligue para a Natalie. Ela vai querer saber o que está acontecendo.

– Certo.

Depois que ele saiu, ela enfiou a mão pela abertura lateral com a luva na incubadora e segurou a mão do bebê. Apesar de não poder sentir a pele dela, ainda podia lembrar da suavidade de veludo. Tentou não pensar em Adrian, e nos quatro dias fúteis que passou sentada ao lado dele em uma sala exatamente como aquela, fazendo as mesmas preces, chorando as mesmas lágrimas.

A mão de Katie era tão pequena e frágil. Annie passou os dedos ao redor do pulso minúsculo. Pela hora seguinte ela falou, esperando que o som familiar da sua voz acalmasse a filha, fizesse com que ela soubesse que, mesmo neste mundo com luzes brilhantes e cheio de agulhas e máquinas respiratórias e estranhos, ela não estava sozinha.

Ela não sabia dizer mais tarde sobre o que falou, o que havia arrancado do fundo de sua alma assustada para derramar sobre aquela caixa de plástico austera e assustadora.

Mas não demorou muito para as palavras acabarem, levando o falso otimismo com elas.

Por fim, as enfermeiras vieram e a levaram dali. Elas lembraram Annie de que precisava recuperar as forças, de que precisava dormir e comer. Annie tentou argumentar, elas não sabiam que não ia conseguir? Não enquanto sua preciosa recém-nascida estava lutando por cada inspiração de vida.

Mas, claro, ela voltou para o quarto, deitou-se na cama estreita e desconfortável e ficou olhando para as paredes vazias. Ligou para Stanford a fim de falar com Natalie, que tinha marcado um voo para a noite de sexta, logo depois da grande prova de Oceanografia dela. Depois ligou para Hank e Terri.

Quando terminaram os telefonemas, Annie perdeu a força. Ficou pensando nos pequeninos punhos vermelhos e nas pernas que pareciam fios de espaguete, e fechou os olhos. A dor no peito era tão grande... Ela imaginou se iria conseguir aguentar, ou se o seu velho coração iria simplesmente ceder e morrer.

Em algum lugar, um telefone tocou. O som alto a arrancou dos pensamentos. Piscando, ela olhou em volta, percebendo que era o aparelho fixo ao lado da sua cama.

Ela pegou o fone. – Alô?

– Annie? É o Nick. Sua amiga Terri me ligou...

– Nick? – Foi tudo o que ela disse, apenas o nome dele, e as barragens se abriram. Ela não conseguia mais segurar. – Hãã, Terri contou sobre o bebê? Minha linda menininha... Nick... – ela soluçou ao telefone. – Ela só tem dois quilos. Os pulmões não estão completamente desenvolvidos. Você não imagina as agulhas e... – Ela chorou até não ter mais lágrimas dentro de si, até ficar exausta, sugada e velha de uma forma inimaginável.

– Onde você está?

– No Beverly Hills Memorial, mas...

– Estou indo agora mesmo.

Ela fechou os olhos. – Não precisa fazer isso. Eu vou ficar bem... Blake está aqui.

Houve um longo silêncio cheio de ruídos, então finalmente Nick disse – Você é mais forte do que imagina. Você pode passar por isso. Seja o que for que vá acontecer, você consegue. Apenas não esqueça.

Ela enxugou os olhos. – Não esquecer o quê?

– A chuva – ele disse suavemente. – São as lágrimas de um anjo. E cada copo que você vê está meio cheio. Não se esqueça disso. Sei o que isso faz com alguém... esquecer que a esperança está lá fora.

Ela quase disse *eu amo você, Nick,* mas se conteve no último instante. – Obrigada.

– Eu amo você, Annie Bourne.

Isso a fez querer chorar tudo de novo, o suave lembrete de algo que já estava fazendo. *Colwater,* ela quis dizer. *Eu sou Annie Colwater, e você ama uma mulher que está desaparecendo a cada segundo.* Em vez disso, ela forçou um sorriso cansado, agradecida por ele não poder vê-la. – Obrigada, Nick – ela sussurrou. – Muito obrigada. Diga para a Izzy que vou ligar para ela daqui a alguns dias, quando... quando eu souber o que vai acontecer.

– Vamos rezar por... todos vocês – ele disse por fim.

Ela suspirou, sentindo as lágrimas inúteis começarem novamente. – Adeus, Nick.

Capítulo 27

Era o meio da noite, mas Annie não conseguia dormir. Apesar de tecnicamente não ser mais uma paciente, o hospital havia lhe dado um quarto para ela poder estar perto de Katie. Ela tentou ler, comer e escrever, qualquer coisa para afastar a mente de Katie, mas nada funcionava.

Passava horas junto da incubadora, lendo, cantando, orando. Tirou um pouco do seu leite e colocou em uma mamadeira, mas, quando olhou para o líquido cor de creme, imaginou se seu bebê teria a chance de bebê-lo. Ou a chance de crescer e se mover para fora deste mundo esterilizado, a chance de crescer, ir para a escola e se aninhar com a mamãe...

Vamos superar, ela disse para si mesma, endireitando as costas, mas, a cada vez que uma máquina apitava, ela pensava: *pronto, ela parou de respirar.*

Blake tinha tentado ajudar, do jeito dele, mas não deu certo. Ele dizia *Ela vai ficar bem,* com a voz baixa, de novo e de novo, mas, quando falava, seus olhos estavam vazios e assustados.

Na verdade, Annie ficou feliz quando ele saiu do hospital.

Eu não consigo ficar aqui, ele disse.

Tudo bem. Foi a resposta dela, e, mesmo então, na escuridão silenciosa, essas duas palavras pareceram cheias de tristeza e arrependimento.

Ele tentou rir para aliviar a tensão. *Eu não preciso dormir em uma cadeira para provar meu amor, tenho?*

Claro que não, ela respondeu, sabendo que era mentira. *Vá buscar a Natalie. O avião dela chega às nove.*

Ele agarrou a oportunidade, como ela sabia que faria. Blake preferia estar em qualquer lugar a permanecer naquele mundo frio e não familiar onde a esposa chorava o dia inteiro.

Annie desceu da cama e foi lentamente até a janela. Os pontos doíam, mas ela gostou da dor. Inclinou-se para a frente e apoiou a testa no vidro frio da janela. Lá embaixo, o estacionamento era um imenso quadrado cinza, com alguns pontos mais escuros, que eram os carros.

Por fim, ela se virou. Tinha acabado de voltar para a cama quando o telefone tocou. – Alô?

– Annie? Sou eu, o Nick.

– Nick. – O nome dele saiu em um sussurro de saudade.

– Pensei que você poderia precisar de mim.

Era algo tão simples, aquelas pequenas palavras, mas envolveu o coração dela e o apertou. Annie tinha passado a vida toda enfrentando as crises sozinha, sempre sendo a pessoa forte, sempre estando no controle, e não percebeu até esse momento como ansiava por ser reconfortada.

– Como ela está? – ele perguntou.

Annie passou a mão trêmula pelo cabelo curto. – Ela está aguentando. O médico disse que ela vai ficar bem... aguentar mais algumas semanas... – Começou a chorar baixinho outra vez. – Desculpe, Nick. Estou cansada e assustada. Parece que tudo o que faço é chorar.

– Você quer ouvir uma história?

Ela queria desesperadamente ser levada para longe da realidade nas asas da voz dele. – Sim, por favor...

– É sobre um homem que começou a vida como um menino pobre, um garoto que pegava comida nas lixeiras e morava no banco de trás de um velho Impala. Depois que a mãe dele morreu, o mundo deu a esse menino uma única chance, e ele foi para uma cidadezinha encharcada da qual nunca tinha ouvido falar, onde ninguém sabia sobre seu feio passado. Ele fez o colegial ali e se apaixonou por duas garotas. Uma era o sol e a outra, a lua. Ele era jovem, e ele procurou a lua, porque achou que era um lugar mais seguro e tranquilo, e ele sabia que, se tentasse alcançar o sol, poderia ser queimado e virar cinza. Quando a esposa dele morreu, ele perdeu a alma. Virou as costas para a filha e seus sonhos e rastejou atrás da garrafa de uísque. Só desejava morrer, mas não tinha coragem para fazer isso.

– Nick, não...

– Então esse bêbado esperou que alguém terminasse com a vida dele. Esperou que alguém levasse sua filha. *Depois disso,* ele pensou, depois disso teria coragem para se matar. Só que nada disso aconteceu, porque uma princesa mágica entrou na vida dele. Ele ainda se lembra como foi aquele dia, estava começando a chover e o lago estava parado como vidro. Ele se lembra de tudo sobre o dia em que ela entrou na vida dele.

– Nick, por favor... – Annie queria fazer com que ele parasse agora, antes que a história fizesse seus fios se enredarem no coração dela e a seduzissem além de qualquer chance de retorno.

– Ela mudou o mundo dele, essa mulher que entrou na vida dele sem ser convidada e exigiu o seu melhor. Antes que percebesse, ele tinha parado de beber e dera os primeiros passos para voltar a ser um pai, e ele se apaixonou, pela segunda e última vez na vida.

– Você está me afogando, Nick – ela sussurrou com a voz entrecortada.

– Não quero fazer isso. Só queria que você soubesse que não está sozinha. O amor pode se erguer acima da tragédia e nos dar um caminho para casa. Foi você quem me ensinou, e agora precisa que eu lembre isso para você.

Os dias de Annie mudavam de um para outro em um fluxo monótono de horas passadas junto da incubadora, uma confusão sem fim. O hospital tinha lhe dado outro quarto, para ela poder ficar ainda mais perto de Katie, mas de noite, quando estava deitada sozinha na cama estreita, sentia que estava a quilômetros de distância das pessoas que amava.

Ela contou a passagem do tempo através de pequenas coisas: Natalie passava a semana na faculdade e os fins de semana com ela; Hank apareceu sem ser anunciado e ia todo dia ao hospital; Terri e Blake passavam por lá todo dia depois do trabalho. O relógio seguia em frente. Todo dia, Rosie O'Donnell aparecia na tela da televisão no canto do quarto, e, a cada vez, Annie sabia que um dia havia passado. O dia de Ação de Graças veio e se foi; eles comeram peru de supermercado com molho em lata em bandejas amarelas na cafeteria assustadoramente vazia.

Mas Annie mal notou tudo isso. Às vezes, quando se sentava ao lado da incubadora, Natalie se tornava Adrian e Adrian virava Katie, e, nesses momentos, quando Annie fechava os olhos, não conseguia ver nada, exceto aquele pequeno caixão coberto de flores. Mas então um alarme tocava, ou uma enfermeira entrava, e Annie se lembrava. Com Katie havia esperança.

Ela falava constantemente com o bebê. *(Estou sentada a seu lado agora. Você pode me sentir? Você pode ouvir minha respiração? Consegue sentir quando toco você?)*

– Mãe?

Annie enxugou os olhos e olhou para a porta. Natalie e Hank estavam ali. O pai parecia dez anos mais velho do que realmente era.

– Trouxemos *Yahtzee*[28] – ele disse.

Annie sorriu, cansada. Outra semana devia ter se passado; Natalie estava novamente em casa. – Oi, pessoal. Como foi sua prova de Psicologia, Nana?

Natalie puxou uma cadeira. – Isso foi duas semanas atrás, mãe, e eu já contei que tirei dez. Lembra?

Annie suspirou. Não tinha lembrança nenhuma dessa conversa. – Ah. Desculpe.

Natalie e Hank sentaram-se junto da cama e começaram a preparar o jogo. Os dois ficaram falando sem parar, mas Annie não conseguia se concentrar.

Tudo o que conseguia fazer era olhar para o lado da cama. Era onde ficava o berço, era onde o colocavam quando o pequeno bebê cor-de-rosa dentro dele estava saudável. Ela se lembrava de que o berço estivera ali com Natalie... mas nunca com Adrian.

Hank se inclinou para ela, tocando seu rosto. – Ela vai ficar bem, Annie. Você tem de acreditar nisso.

---

[28] Jogo de dados no qual cada jogador lança cinco dados por vez. Cada jogador tem uma folha de possíveis resultados, e ali vai anotando as jogadas que consegue, se ainda houver espaço para elas. No final somam-se os pontos. (N.T.)

– Ela está ganhando peso, mãe. Eu falei com a Mona, sabe, a enfermeira da noite da UTI? E ela disse que Katie é uma guerreira.

Annie não olhou para nenhum dos dois. – Ela nunca ficou no colo... será que só eu percebi isso? – Isso a incomodava. Esse pensamento a fazia ficar acordada durante a noite. Seu bebê, espetado por agulhas e cheio de tubos, nunca sentira o conforto dos braços da mãe, nunca fora acalmado até dormir por uma canção de ninar...

– Ela vai ficar, mãe – Natalie disse, segurando o pulso dela. – Ela vai ficar bem. Talvez...

Bateram na porta e a dra. North entrou. O dr. Overton, o neonatologista, estava com ela, usando a roupa verde de cirurgião.

O coração de Annie parou ao ver os dois. Tateando, ela procurou a mão de Natalie e apertou os dedos esguios da filha até sentir os ossos se moverem. Hank se levantou e colocou a mão no ombro de Annie.

– Deus – ela sussurrou.

A porta se abriu novamente e uma enfermeira forte, toda de branco, chamada Helen entrou no quarto em uma onda de som de poliéster raspando em poliéster. Nos braços ela trazia algo envolto em um cobertor cor-de-rosa.

A dra. North veio até o pé da cama. – Você gostaria de segurar sua filha?

– Se eu gostaria... – Annie não conseguia respirar direito. Não estava acreditando naquilo; havia torcido por isso, sim, mas não acreditava de verdade. Estava com medo de acreditar; temia que, se acreditasse e perdesse, nunca mais encontraria a superfície outra vez.

Incapaz de dizer qualquer coisa, ela apenas estendeu os braços.

A enfermeira foi até ela e colocou a bebê nos braços de Annie.

O cheiro de bebê encheu as narinas dela, ao mesmo tempo familiar e exótico. Ela afastou o cobertor cor-de-rosa e acariciou a testa da menina, maravilhada com a suavidade da pele.

A pequena boca vermelha de Katie fazia bico e bocejava, e um pequeno punho rosa ergueu-se do cobertor. Sorrindo, produzindo sons suaves, Annie afastou o cobertor e olhou para a filha, que vestia uma minúscula fralda de boneca. Uma rede de veias azuis cruzava o peito pálido dela e se espalhava pelos braços e pernas magrinhos.

Katie abriu a boca e emitiu um som bravo.

Os seios de Annie formigaram; o líquido começou a molhar a camisola. Rapidamente, ela abriu os botões e colocou Katie na posição. Houve um momento de afobação, mas logo Katie estava mamando.

– Katie – ela sussurrou, acariciando a cabeça suave da filha, rindo com o milagre daquilo tudo. – Seja bem-vinda.

Os primeiros dias em casa foram uma loucura. Hank e Terri não saíam de perto de Annie, dizendo que iam ajudar, recusando-se a aceitar um não como resposta. Eles tinham decorado a casa para o Natal, arrastando caixa depois de caixa do sótão e dando gritinhos a cada novo tesouro que descobriam. Montaram uma árvore de três metros na sala e começaram a acrescentar uma quantidade obsessiva de presentes embaixo dela. Natalie ligava para casa depois de cada aula para saber como Katie estava. Annie não podia lidar com tudo, não quando só queria olhar para o milagre que era sua filha. Por fim, Hank foi para casa, mas só depois de prometer voltar para o Natal.

Sozinhos novamente, Blake e Annie tentaram descobrir o caminho de volta para a rotina familiar, mas não foi tão fácil quanto antes. Annie ficava o tempo todo deitada no sofá com Katie, e Blake passava mais e mais tempo no escritório.

Na terceira semana de dezembro, Hank se encontrou com Natalie no aeroporto de San Francisco, e os dois voaram para o LAX juntos. A família compartilhou um calmo mas tenso jantar que só fez Annie se lembrar de como o relacionamento deles estava esfrangalhado. Até mesmo abrir os presentes na manhã de Natal foi um evento sem muita animação.

Hank ficou observando Blake por um minuto. Annie ouviu quando ele lançou perguntas para seu marido: *Aonde você vai? Por que não fica em casa esta noite? Você falou com Annie sobre isso?*

Annie sabia que Blake estava se sentindo um estranho na própria casa. Natalie olhava para ele com cautela, esperando que segurasse Katie no colo, mas ele não o fazia. Annie compreendia; ela já havia passado por isso antes. Blake simplesmente não se apaixonava por recém-nascidos. Eles o assustavam e o confundiam, e ele não gostava de nenhuma das duas emoções. Mas

Natalie não entendia isso, e Annie viu de novo e de novo o desapontamento da filha quando entregava a irmã ao pai delas, só para ver Blake fazer que não com a cabeça e se afastar.

Agora, Annie estava deitada na beirada do colchão. Ao lado dela, Blake estava deitado, um braço estendido sobre ela, um joelho apoiado no quadril dela, ocupando toda a cama como costumava fazer. Ela o ouvia respirando; o som ritmado que acompanhara o seu sono por tantos anos.

Ela saiu cuidadosamente da cama e foi até a porta-balcão, abrindo-a. As cortinas de seda branca esvoaçaram com o ar da noite em torno de sua perna.

Ela acordava com tanta frequência, sozinha, desesperada por encontrar conforto na escuridão, mas não havia nenhum conforto em seu casamento. Eles tentaram, cada um do seu jeito. Ele, com presentes, promessas e conversas sem muito entusiasmo sobre coisas que importavam para Annie; ela, com sorrisos duros, filmes alugados e jantares elegantes para dois. Mas não estava dando certo. Eles eram como borboletas presas cada uma de um lado da janela, ambas tentando desesperadamente atravessar o vidro.

Com um suspiro cansado, Blake jogou os depoimentos de volta na pasta. Estava com problemas para se concentrar recentemente, e o trabalho começava a sofrer com isso. Katie só dormia algumas horas por vez, e, sempre que acordava, Blake não conseguia voltar a dormir.

Ele se levantou e se serviu de uísque escocês. Girando o líquido âmbar no copo de cristal, foi até a janela e olhou para fora. A cidade era um borrão de cinza em janeiro. Alguns restos de decoração do Ano-Novo continuavam esquecidos nos postes de luz da rua.

Ele não queria ir para casa, para sua esposa estranhamente não familiar e a filha recém-nascida que não parava de chorar. Como esperava, a existência inteira de Annie girava em torno das necessidades do bebê. Não restava tempo para Blake, e, quando finalmente fazia a criança dormir, Annie caía desmaiada na cama, exausta demais para qualquer coisa além de um beijinho no rosto e um *boa-noite* balbuciado.

Ele estava velho demais para ser pai novamente. Não tinha sido bom nisso quando era jovem, e tinha ainda menos interesse em tentar ser agora.

Alguém bateu na porta.

Blake baixou o copo. – Entre.

A porta se abriu para Tom Abramson e Ted Swain, dois dos sócios de Blake. – Ei, amigo, são seis e meia – Ted disse com um sorriso malicioso. – O que você acha de descermos para o bar e comemorarmos o caso Martinson?

Blake sabia que devia dizer não. No fundo da mente um pensamento dizia que tinha algo a fazer em casa, mas não conseguia de jeito nenhum se lembrar do que era.

– Claro – ele disse, pegando o paletó. – Mas só um drinque. Tenho de ir para casa.

– Sem problemas – Tommy disse. – Todos nós temos família.

Era verdade, claro. Os três tinham esposas e filhos em casa, esperando por eles. Mas de alguma forma ainda estavam no bar às onze da noite, rindo, gritando e brindando.

Ted foi para casa às onze e meia, e Tom logo o acompanhou. Blake ficou sentado sozinho na banqueta do bar. Ele disse aos amigos que queria terminar a bebida, mas a verdade era que estava com a mesma dose no copo fazia cerca de uma hora. Ficava olhando para a porta, pensando *eu preciso ir;* daí pensava naquela cama grande em casa, e na forma como a esposa dormia bem na beirada do colchão, e ia ficando onde estava.

Annie havia preparado uma mesa linda. A luz das velas iluminava a toalha Battenberg, lançando sombras tremulantes nas travessas de prata que continham todas as comidas favoritas de Natalie: macarrão com queijo feito em casa, pãezinhos com mel e manteiga e espigas de milho. Havia uma pequena pilha de presentes embrulhados com cores variadas em um canto da mesa, e balões brilhantes amarrados em cada cadeira.

Era o aniversário de dezoito anos de Natalie. Annie estava determinada a colocar essa família de volta nos eixos, pelo menos por algumas horas.

Annie olhou mais uma vez para a mesa, os olhos críticos não deixando passar nenhum detalhe. Hank parou ao lado da filha, colocou um braço em volta dos ombros dela e a puxou para mais perto. Através do arco que dava para a cozinha, podiam ouvir Natalie e Terri rindo. Annie se encostou no pai. – Estou feliz por você ter vindo, pai. Significa muito para mim e para Natalie.

– Eu não perderia isso por nada no mundo. – Ele olhou em volta. – Então, onde está aquele seu marido ocupado? Estamos prontos para a festa.

– Ele só está quinze minutos atrasado. Para Blake, isso não é nada. Eu disse para ele seis e meia, assim ele vai estar aqui às sete.

Lentamente, Hank afastou o braço. Virando-se um pouco, ele foi até a janela que dava para a entrada da casa.

Ela o seguiu. – Pai?

Levou um minuto inteiro até ele falar, e, quando o fez, a voz foi a mais suave que ela jamais havia ouvido nele. – Quando você levou o Blake em casa pela primeira vez, fiquei impressionado. Claro, ele era jovem, magrelo e pobre, mas eu podia ver o homem emergindo dentro dele. Ele era o que todo pai sonha para a filha: inteligente e ambicioso. Não era como os garotos que conheci em Mystic. Pensei comigo mesmo: aí está um garoto que vai cuidar da minha menininha...

– Conheço a história, pai...

Ele olhou para ela. – Eu estava errado, não estava?

Ela franziu a testa. – Como assim?

– Você acabou levando para casa mais um para você cuidar. – Ele franziu a testa. – Eu devia ter me preocupado com seu coração em vez do conforto financeiro. Se sua mãe estivesse viva... ela saberia o que era mais importante. Eu só queria que você tivesse mais do que eu podia lhe dar.

– Eu sei, pai.

– Eu... – A voz dele tremeu e ele desviou os olhos. – Eu não gosto de ver como você está agora. Na primavera passada você estava tão feliz. Sinto falta de ouvir você rir. Acho... quando você estava em Mystic eu lhe dei conselhos errados. Droga, eu dei conselhos errados a você a vida toda. Eu devia ter dito que você daria uma ótima vendedora de livros. Eu devia ter dito esse tipo de coisa a você há anos. – Ele se virou por fim para ela. – Eu devia ter dito que você era a pessoa mais inteligente, talentosa e capaz que eu já conheci... e que tinha orgulho de você. É isso o que sua mãe teria dito.

– Ah, papai... – Annie sabia que, se tentasse dizer mais qualquer coisa, ia começar a chorar.

– Um pai... ele ensina responsabilidade e respeito, mas uma mãe... ah, uma mãe ensina os filhos a sonhar, a alcançar as estrelas e a acreditar em contos de fada. Pelo menos seria isso que Sarah teria lhe dado. Mas eu? O que um velho trabalhador de usina sem educação como eu sabe sobre contos de fadas e possibilidades e sonhos? – Ele suspirou, e, quando olhou para ela novamente, havia lágrimas em seus olhos. – Eu queria poder fazer tudo de novo, Annie Virginia...

Ela avançou entre os braços grandes e fortes do pai e o abraçou. – Eu amo você, pai – ela sussurrou contra o pescoço quente dele.

Quando ela finalmente recuou, o rímel estava escorrendo pelo rosto. Ela sorriu. – Devo estar parecendo alguma coisa saída do *Rocky Horror Picture Show.* É melhor eu ir para o banheiro me arrumar.

Ela se virou e correu passando pela cozinha. Passou por Terri e Natalie, que estavam ocupadas colocando velas no bolo.

Natalie ergueu o rosto. – Você está bem?

Annie assentiu. – Sim. Meu rímel está me incomodando.

– Papai já chegou?

– Vou ligar para ele agora mesmo. Ele deve estar chegando.

Por cima da cabeça de Natalie, Terri lançou um olhar irritado para Annie, que encolheu os ombros, sem ter saída, e foi até o telefone, discando o número do celular de Blake. Nem houve nenhum toque; caiu direto na caixa postal.

Annie virou-se, enfrentando as expressões de expectativa das duas. – Ele não atendeu.

Eles esperaram mais quarenta minutos por Blake, e então, por acordo tácito, começaram a festa sem ele. Reuniram-se à mesa, os adultos falando furiosamente para encobrir o desapontamento. Ainda assim, a cadeira vazia na cabeceira da mesa não podia ser ignorada.

Annie forçou um sorriso brilhante durante todo o jantar. Terri contou histórias engraçadas sobre a vida nas novelas, e a morte no ar, e todos riram. Depois do jantar, eles se sentaram junto da lareira para Natalie abrir os presentes.

Às dez, Terri foi para casa com relutância. Ela deu um abraço forte em Natalie, então segurou a mão de Annie quando andaram até a porta da frente. – Ele é um completo idiota – ela sussurrou com fúria.

Não fazia sentido responder. Annie abraçou a amiga e se despediu, depois voltou andando lentamente para a sala.

Hank se levantou no mesmo momento. – Acho que vou para a cama. Nós, velhos, precisamos do nosso sono restaurador. – Ele apertou o ombro de Natalie e deu um beijo nela. – Feliz aniversário, meu bem. – Depois lançou um olhar frustrado para Annie e saiu da sala.

O silêncio caiu.

Natalie foi até a janela. Annie a acompanhou. – Sinto muito, Nana. Eu queria poder mudar isso.

– Eu não sei por que continuo esperando que ele seja diferente...

– Ele ama você. É só que... – Annie ficou sem palavras. Tinha dito essa mesma coisa tantas vezes que não conseguia fingir nesta noite.

– E que bem o amor dele me faz?

A pergunta feita com suavidade ergueu uma farpa vermelha no coração de Annie. – O azar é dele, Natalie.

Os olhos de Natalie se encheram lentamente com lágrimas. – Quando eu era pequena, fingia que ele não era meu pai de verdade. Você sabia disso?

– Nana...

– Por que você fica com ele?

Annie suspirou. Não estava em condições de ter essa conversa. Não nesta noite. – Você é jovem e apaixonada, meu bem. Algum dia você vai entender. Obrigações e compromissos construídos a sua volta... vão se juntando, crescendo, é meio como a placa bacteriana dos dentes. Você tem de fazer a coisa certa. Eu tenho de pensar em outras pessoas.

Natalie fez um muxoxo. – Eu posso ser jovem e apaixonada, mas você é ingênua, mãe. Sempre foi. Às vezes *eu* me sinto a adulta perto de você. Você sempre pensa que tudo vai se ajeitar da melhor forma.

– Eu pensava desse jeito. Não penso mais.

A expressão de Natalie ficou solene. – Você devia ter ouvido a si mesma na primavera, mãe. Você parecia tão... feliz. Agora eu sei por quê. Ele não estava por perto, fazendo você pular cada vez que ele entra na sala e correr para cuidar dele.

Levou um segundo para Annie reencontrar a voz, e, quando o fez, ela soou suave e magoada. – É assim que você me vê?

– Vejo você como é, mãe. Alguém que ama com todo o coração e que faz tudo para nos tornar felizes. Mas, na primavera passada, alguma coisa deixou *você* feliz.

Annie engoliu o bolo que se formou na garganta. Olhou para o outro lado, antes que Natalie visse as lágrimas surgindo em seus olhos.

– Conte-me sobre Izzy. Aposto que você deu um jeito nela.

– Izzy. – Apesar de saber que era uma abertura para sua dor, Annie se permitiu recordar. Os pensamentos voltaram ao jardim, às margaridas, e uma pequena mão com uma luva preta. – Ela era incrível, Natalie. Você a adoraria.

– E quanto a ele?

Annie virou-se lentamente para a filha. – Quem?

– O pai da Izzy.

– Ele é um velho amigo do colegial. – Annie conseguiu ouvir como sua voz ficou mais suave, e, apesar de saber que era perigoso, não podia mudar isso. Ela sorriu com a lembrança. – Ele foi o primeiro garoto que eu beijei.

– Aí está de novo, mãe.

Annie franziu a testa. – Aí está o quê?

– Essa voz. É o modo como sua voz ficava quando eu estava em Londres. Ele é parte do que deixou você feliz, mãe?

Annie sentiu-se vulnerável e exposta, uma mulher andando em uma ponte estreita de palha. Não podia contar a verdade à filha. Talvez um dia, quando a ponte dos anos tivesse levado Natalie para a maturidade adulta, quando ela tivesse visto mais da vida e do amor. Quando pudesse entender. – Uma série de coisas me deixou feliz em Mystic.

Levou um bom tempo até Natalie falar novamente. – Talvez ele e Izzy possam vir aqui algum dia. Ou talvez você deva ir visitá-los.

– Não – Annie disse suavemente. Ela queria dizer algo mais, juntar uma desculpa a essa única palavra que parecia não fazer sentido. Mas não conseguiu. Em vez disso, abraçou Natalie com força. – Lamento seu pai ter esquecido seu aniversário.

Natalie se empertigou. – É por você que eu lamento.

– Como assim?

– Daqui a dezoito anos você vai estar dizendo a mesma coisa para a Katie.

Capítulo 28

Em algum momento por volta da meia-noite, uma mulher se aproximou de Blake. Ela usava um macacão preto grudado à pele com um grande cinto prateado e sapatos pretos de salto alto. Com um sorriso fácil, ela se sentou ao lado dele. E bateu com as unhas longas no balcão. – Vodka martíni, duas azeitonas – ela disse para o barman.

Ao fundo, Dwight Yoakam cantava com sua voz rouca algo sobre o bolso de um palhaço.

A mulher virou-se para ele. Mordiscando uma azeitona, ela o convidou para dançar.

Blake desceu da banqueta e se afastou dela, colocando tanta distância quanto possível entre eles. – Desculpe – ele murmurou. – Sou casado.

Mas ele não se virou para o outro lado; não podia. Ficou ali como um homem possuído, olhando para a mulher. Não podia evitar imaginar a sensação daqueles seios em suas mãos, os seios jovens e sólidos de uma mulher que não tivera filhos, os mamilos pequenos e rosados que nunca amamentaram um bebê.

Com isso, Blake sentiu algo mudar dentro dele e ceder. Ele percebeu a verdade, a verdade que vinha negando fazia meses. Amava Annie, mas isso não bastava. Ia traí-la novamente. Talvez não nesta noite, talvez não neste ano; mas cedo ou tarde iria retornar à velha rotina. Era questão de tempo.

E, quando fizesse isso, estaria perdido novamente. Não havia nada no mundo mais solitário do que um homem que trai a esposa de forma regular. Blake sabia como era sedutora a tentação de possuir uma estranha, fazer amor no meio da noite com uma mulher sem nome. Mas, depois, isso o deixava abatido de alguma forma, envergonhado e incapaz de enfrentar o olhar da esposa.

Trêmulo, ele se afastou da mulher de macacão preto e saiu do bar. Dirigiu até estacionar na garagem. Cansado, entrou na casa escura e fresca. Sem se preocupar em acender qualquer luz, foi até a cozinha.

Encontrou Annie esperando por ele na sala. Ela estava sentada no sofá, sentada sobre os pés. – Alô, Blake – ela disse com uma voz suave e cansada que pareceu cortar o coração dele.

Blake parou no mesmo instante. Sem nenhum motivo, ele achou que ela o vira naquela noite, sabia o que quase tinha feito. – Oi, Annie – ele respondeu, forçando um sorriso.

– Você está atrasado.

– O pessoal foi ao bar de esportes na Fourth. Nós ganhamos um caso que...

– Hoje foi a festa de aniversário da Natalie.

Blake se encolheu. – *Merda.* Esqueci de anotar na minha agenda do escritório.

– Tenho certeza de que ela vai adorar ouvir essa explicação.

– Você devia ter ligado para me lembrar.

– Não jogue isso em mim, Blake. Foi você que fez a besteira. Você pode se lembrar de quando um cliente tem de enviar o cheque da pensão, mas esquece o aniversário de dezoito anos da sua filha. – Ela suspirou. – Você devia ir falar com ela agora. Aposto que ainda está acordada.

– Ela deve estar cansada...

– Ela merece uma explicação.

Ele se virou e foi até a elegante mesa de pedra que abraçava a parede, olhando para o próprio reflexo no espelho de moldura dourada. – Natalie está brava comigo – ele disse suavemente. – Quando ela estava em Londres, não liguei para ela. Mandei flores toda semana. Uma garota adora receber flores, foi o que disse a... – ele percebeu o que estava para dizer e ficou quieto.

– Suzannah estava errada – Annie disse, cansada, lendo os pensamentos dele. – Uma menina de dezessete anos precisa muito mais do que flores enviadas pela secretária do pai toda sexta-feira.

Ele passou a mão pelo cabelo. – Sem você, eu estava... perdido com a Natalie. Eu ficava pensando que devia ligar, e daí tinha um processo na corte, e eu esquecia. Vou recompensar tudo com ela, até mesmo esta noite.

Ele se virou para Annie. Agora ela estava em pé, perto dele, os braços cruzados. Vestindo um moletom velho e uma blusa da UW que já tinha visto dias melhores, ela parecia mais uma adolescente que fugiu de casa do que sua esposa. – Eu vou comprar um laptop para ela.

– Ela vai para a universidade no domingo. Não vamos vê-la de novo até a primavera, e logo... não vamos mais vê-la muito. Ela vai encontrar o lugar dela no mundo e não vai vir mais tanto para casa.

Nós. Ele tentou conseguir coragem com essa única e simples palavra, mas não conseguiu. – Então, o que eu digo a ela?

– Não sei.

– Claro que sabe. Você sempre...

– Chega disso. Você vai ter de criar sua relação com sua filha. É problema seu. Chega de dicas minhas.

– Ah, vamos lá...

– Quem é o namorado dela, Blake?

– Ela não tem namorado.

– Mesmo? Isso vai ser uma surpresa para o Brian. E o que ela está estudando na faculdade?

Era difícil pensar com ela olhando para ele daquela forma. – Direito, como eu. Ela quer trabalhar no meu escritório.

– Mesmo? Quando foi que vocês falaram sobre isso?

– Ano passado? – ele falou em tom de pergunta, e, com o olhar dela, percebeu que estava errado. – Dois anos atrás?

– Mesmo?

Ela continuava jogando essa palavra nele como um dardo. Blake sentiu-se como alguém que estava em perigo tentando agarrar uma corda jogada para ser resgatado, mas ela estava sempre um pouco mais além do que alcançava. Por fim ele desistiu de tentar mentir e disse a verdade. – Eu não sei.

O rosto de Annie suavizou com a admissão. – Você precisa falar com ela, Blake. Mas, principalmente, você precisa ouvir. – Ela deu um sorriso que foi tão triste quanto familiar. – E nós dois sabemos que você não sabe ouvir.

– Certo. Eu vou falar com ela.

Ele disse as palavras, suavemente e no tom de voz exatamente perfeito, mas ambos sabiam a verdade. Tinham tido essa mesma discussão centenas de vezes antes, Annie implorando para ele passar algum tempo com Natalie.

Os dois sabiam que ele nunca ia fazer isso.

No último dia de janeiro, Terri apareceu mais cedo, toda animada, trazendo uma garrafa de Moët & Chandon e um pacote de croissants. – Quando uma mulher faz quarenta – ela disse –, tem de começar a beber bem cedo. E, antes que você comece a reclamar por estar amamentando, vou deixar bem claro que o champanhe é para mim e os croissants são para você.

Elas se sentaram no grande deque de madeira. A banheira aquecida borbulhava suavemente ao lado delas.

– Então – Terri disse, tomando um golinho do champanhe. – Você está com uma aparência horrível, sabe?

– Muito obrigada. Espero que você venha comemorar quando eu fizer cinquenta. Vou precisar *mesmo* ser animada.

– Você não está dormindo.

Annie recuou. Era verdade. Não dormia direito fazia semanas. – Katie está lutando com uma gripe.

– Ah – Terri disse, com ar de quem entendia –, então o problema é a Katie.

– Não... não de verdade, doutor Freud. – Annie olhou para a superfície brilhante do mar, vendo as ondas com espuma branca lambendo gentilmente a areia. Não precisava fechar os olhos para ver outro lugar, um lugar onde os invernos eram reais. Lá, a natureza teria retomado a floresta. Os turistas teriam todos ido embora, empurrados pela súbita escuridão que vinha com o inverno. Haveria laterais de montanha com um metro e meio de neve, onde minúsculas flores roxas continuavam florescendo no meio da branquidão, contra todas as leis da natureza. Bem no interior da floresta, onde a terra nunca foi danificada por mãos humanas, as árvores pareciam ficar mais próximas, criando uma cortina de negro tingida ocasionalmente por pequenos indícios de verde. No meio do dia estaria escuro, e nem mesmo o mais forte sol de inverno seria capaz de atingir o frio e congelado solo da floresta. Qualquer um louco o bastante, desesperado o bastante, para se arriscar no cinza e negro selvagem nesse período do ano ficaria perdido para sempre.

Annie ansiava por ver isso agora, sentir o ar frio do inverno nas faces. Ela queria se cobrir com camadas e mais camadas de roupas e se deitar na neve, para fazer anjos com os braços e pernas enquanto via a respiração sair como fumaça no ar prateado.

– Por que você fica com ele?

Annie suspirou. Ela sabia que essa pergunta ia aparecer, estava esperando por ela desde o dia do fiasco com a festa de aniversário de Natalie. Era a mesma coisa que se perguntava de noite, deitada na cama, ao lado do marido, incapaz de dormir.

Ela pensava tanto em Natalie, agora crescida e cuidando de si mesma, e Katie, com tantos anos pela frente. Nesses momentos, dolorosamente sozinha, ela olhava para a escuridão da própria vida, procurando algum vago reflexo de si mesma. E, quando olhava para trás, via uma menina magricela de cabelo castanho que tinha feito o que esperavam dela, sempre.

Sentia falta da mulher que havia se tornado nas margens do Lago Mystic, aquela que ousava sonhar com a própria livraria e aprendia a arriscar o coração em um jogo arriscado como o amor. Ela sentia falta de Nick e de Izzy e da família que haviam costurado com os pedaços de suas vidas separadas.

Era o tipo de família com que Annie sempre sonhara... o tipo de família que Katie merecia...

Você sabia que não tenho lembranças do papai?

Terri tocou o ombro dela. – Annie? Você está chorando...

Ela estava se segurando fazia tempo demais, fingindo que estava tudo bem, fingindo que todo mundo importava menos ela. Não conseguia mais aguentar.

– Eu importo – ela disse baixinho.

– Bem, finalmente – Terri sussurrou e abraçou a amiga. Annie se deixou abraçar e ser balançada para a frente e para trás por sua melhor amiga.

– Não consigo mais viver assim.

– Claro que não.

Annie recuou, tirando com a mão trêmula o cabelo que estava crescendo da frente dos olhos. – Não quero ouvir Katie me dizer também que não tem lembranças do pai.

– E quanto a *você,* Annie?

– Mereço mais que isso... Blake eu não temos mais nada em comum. Nem mesmo o milagre das nossas duas filhas.

Era a verdade que ela vinha evitando por todos esses meses. O amor deles tinha acabado, simplesmente acabara, se extinguira de forma tão limpa quanto uma vela, com o cheiro de fumaça que era o único lembrete de que um dia havia queimado. Ela nem mesmo conseguia se lembrar desses dias, tanto tempo atrás, quando estavam apaixonados.

Não podia evitar lamentar a perda desse fogo, e tinha tanta culpa por isso quanto ele. Passara a vida toda nas sombras, com medo demais de fracassar e sem ter coragem de ir atrás sequer da luz de uma única vela. O casamento era o que tinham criado juntos, e essa era a verdade mais triste de todas.

Blake também não estava feliz. Disso ela não tinha dúvida. Ele ainda não estava pronto para deixá-la ir, mas a Annie que ele queria era Annalise Bourne Colwater, a mulher que tinha se tornado depois de anos e anos vivendo na rotina criada pelos dois.

Ele queria de volta algo que não podia mais ter.

* * *

Saía uma música baixa dos alto-falantes do quarto. Blake estava parado diante do berço, olhando para o bebê de cor-de-rosa.

Ele colocou a mão no bolso e tirou uma caixa fina de veludo. Seus dedos passaram pelo tecido macio quando se lembrou de uma dúzia de presentes que havia dado para Annie no passado, presentes nas manhãs de Natal, aniversários, aniversários de casamento.

Ele sempre dava o que achava que ela devia ter. Como a aliança de casamento. No décimo aniversário de casamento comprou o solitário de três quilates, não porque ela quisesse. Annie estava perfeitamente feliz com a aliança de ouro que compraram quando era tudo o que conseguiam pagar... Era porque isso melhorava a imagem de Blake. Todos que viam o anel da esposa sabiam que Blake era bem-sucedido, um homem rico.

Ele nunca dera o que ela precisava, o que ela queria. Nunca tinha dado a si mesmo para ela.

– Blake?

Com o som da voz dela, suave e hesitante, ele se virou. Ela estava no arco aberto, usando um belo robe de seda azul que ele havia lhe dado anos atrás, e parecia incrivelmente adorável.

– Precisamos conversar – ela disse.

Preparando-se, ele foi até ela. – É verdade.

Ela olhou para ele, e, por um segundo, tudo o que ele queria fazer era abraçá-la com tanta força que ela nunca poderia deixá-lo de novo. Mas tinha aprendido que prender demais era tão danoso quanto não ter contato algum. – Tenho uma coisa para você. Um presente de aniversário. – Ele lhe mostrou a caixa, pousada na palma de sua mão como uma ferida negra.

Hesitante, ainda olhando para ele, Annie pegou a caixa e a abriu. Em uma cama de seda azul-clara havia um bracelete de ouro. O nome *Annie* estava gravado no alto.

– Ah, Blake – ela murmurou, mordendo o lábio de baixo.

– Vire – ele disse.

Ela tirou o bracelete da caixa e ele viu que as mãos dela estavam tremendo quando o virou e leu a inscrição.

Eu vou sempre amar você.

Ela olhou para ele, com os olhos cheios de lágrimas. – Não vai dar certo, Blake. É tarde demais.

– Eu sei – ele sussurrou, ouvindo o tom nada masculino em sua voz e não se importando nem um pouco. Talvez, se se preocupasse menos com coisas como essa no passado, não estaria agora parado ali, dizendo adeus para a única mulher que o amara de verdade. – Eu queria... – ele nem mesmo sabia o que queria. Que ela fosse diferente? Que ele fosse diferente? Que os dois tivessem visto essa verdade muito tempo atrás?

– Eu também – ela respondeu.

– Você vai... lembrar das palavras no bracelete?

– Blake, não preciso de um bracelete para lembrar quanto amei você. Você foi a minha vida por mais de vinte anos. Sempre que olhar para trás, vou pensar em você. – Lágrimas desceram em faixas prateadas pelo rosto dela. – E quanto a Katie?

– Eu vou sustentá-la, claro...

Ele percebeu que a resposta a magoou. – Não estou falando de dinheiro.

Ele se aproximou dela, tocou o rosto dela. Sabia o que queria dele nesse momento, mas realmente estava fora do seu alcance. Sempre estivera, isso era parte do problema deles. Ele não estaria ali perto de Katie, assim como não estivera perto de Natalie. Subitamente, ficou triste com tudo. Os bons e os maus momentos, as estradas que não percorreram e a vida que tinham seguido em direções diferentes sem nenhum cuidado. Triste, ele olhou para ela. – Quer que eu minta para você?

Ela fez que não com a cabeça. – Não.

Lentamente, ele a tomou nos braços. Apertou-a com força, sabendo que ia levar essa imagem no coração enquanto vivesse. – Acho que está mesmo acabado – ele sussurrou contra o doce perfume do cabelo dela. Depois de um longo momento, ele escutou a resposta dela, um trêmulo e baixo sim.

O quarto de Natalie na faculdade estava cheio de lembranças de Londres. Fotos de novos amigos ocupavam a mesa, misturadas com fotos da família e pilhas de trabalhos. A cama com estrutura de metal tinha lençóis caros da Laura Ashley, e no centro havia uma almofada cor-de-rosa que Annie havia bordado uma vida atrás, aquela que dizia: UMA PRINCESA DORME AQUI.

Natalie estava sentada na cama com as pernas cruzadas, o cabelo longo flutuando ao redor dos ombros. Ela já parecia nervosa e preocupada, a resposta normal de uma adolescente quando *ambos* os pais iam juntos visitá-la na faculdade.

Annie queria que houvesse algum modo de dar a notícia do divórcio sem palavras, uma forma de comunicar silenciosamente a verdade triste e dolorosa.

Blake ficou no canto do quarto. Ele parecia calmo e à vontade, usando a expressão de tribunal dele, mas Annie podia ver o nervosismo no modo como ele ficava olhando a cada instante para o relógio.

Annie sabia que era ela quem teria de fazer isso; não fazia sentido ficar adiando. Foi até a cama e se sentou ao lado de Natalie. Blake deu alguns passos hesitantes na direção delas e parou no meio do quarto.

Natalie olhou para Annie. – O que aconteceu, mãe?

– Seu pai e eu temos algo para contar a você. – Ela segurou a mão de Natalie, olhou para os dedos esguios, para o anel com a pequena pedra do mês em que ela nasceu, que deram à filha quando ela fez dezesseis anos. Precisou de um esforço para manter as costas eretas e ficar ali parada. Respirando fundo, seguiu adiante. – Nós vamos nos divorciar.

Natalie ficou imóvel. – Acho que não estou surpresa. – A voz dela estava suave, e nela Annie escutou o eco da criança que Natalie tinha sido e da mulher que estava se tornando.

Annie acariciou o cabelo da filha, desembaraçando-o com os dedos como costumava fazer quando Natalie era pequena. – Eu lamento, meu bem.

Quando Natalie ergueu o rosto, havia lágrimas nos olhos dela. – Você está bem, mãe?

Annie sentiu um fluxo de calor causado pelo orgulho que tinha da filha. – Estou bem, e não quero que você se preocupe com nada. Ainda não definimos os detalhes. Não sabemos onde cada um de nós vai morar. Coisas como endereços, férias e fins de semana ainda estão no ar. Mas sei de uma coisa. Sempre seremos uma família, só que de um tipo diferente. Acho que agora você vai ter dois lugares no mundo a que vai pertencer, em vez de apenas um.

Natalie assentiu lentamente, daí se virou para o pai.

Blake se aproximou, ajoelhando-se na frente de Natalie. Pela primeira vez ele não parecia um advogado que cobrava trezentos e cinquenta dólares por hora. Parecia um homem assustado e vulnerável. – Eu cometi alguns erros... – Ele olhou para Annie e sorriu de forma hesitante, então olhou novamente para a filha. – Com sua mãe e com você. Me desculpe, amor. – Ele tocou o rosto dela.

Lágrimas surgiram nos olhos de Natalie. – Você não me chama assim desde que caí do trepa-trepa no terceiro ano.

– Tem muitas coisas que eu não disse, nem fiz, em muitos anos. Mas quero recuperar o tempo perdido. Quero que você e eu façamos coisas juntos, se você quiser.

– *O Fantasma da Ópera* vai estrear em maio. Que tal irmos juntos?

Ele sorriu. – Eu adoraria.

– Você está falando sério desta vez? Posso comprar dois ingressos?

– Estou falando sério – ele disse, e, pela forma como falou, Annie acreditou nele. Claro, ela sempre acreditara nele.

Lentamente, Blake se levantou e recuou.

– Ainda somos uma família – Annie disse, passando o cabelo da filha por trás da orelha. – Sempre seremos uma família. – Ela olhou para Blake e sorriu.

Era verdade. Blake sempre seria uma parte dela, sempre seria sua juventude. Tinham crescido juntos, se apaixonado e construído uma família; nada jamais apagaria a conexão. Um pedaço de papel e o tribunal de Justiça não podiam acabar com isso; poderia acabar apenas com o que eles desejassem que terminasse, e Annie ia se agarrar a tudo: as coisas boas, as ruins e tudo o mais. Era parte deles. Fazia serem quem eles eram.

Ela estendeu a mão. Ele a segurou, e juntos ele se aproximaram de Natalie, envolvendo-a nos seus braços. Quando Natalie era pequena, eles diziam que isso era um "abraço de família", e Annie não pôde evitar pensar por que é que tinham parado de fazer isso.

Ela ouviu o som abafado da filha chorando e soube que esse seria um dos arrependimentos que sempre carregaria consigo.

* * *

Foi como voltar no tempo. Mais uma vez, Annie e Blake estavam caminhando pelo campus da Stanford. Mas desta vez Annie estava com quarenta anos e tinha tanto da vida no passado quanto pela frente... e estava empurrando um carrinho de bebê.

– É estranho estar aqui de novo – disse Blake.

– Sim – ela concordou suavemente.

Tinham passado o dia todo com Natalie, sendo mais família naquela tarde do que em muitos dos anos anteriores, mas agora estava na hora de cada um seguir seu caminho. Annie tinha ido com o Cadillac até lá, e Blake foi de avião, alugando um carro para chegar ao campus.

Eles pararam junto do carro de Annie. Ela se curvou e soltou Katie do carrinho.

– O que você vai fazer agora? – ele perguntou.

Annie fez uma pausa. Era a mesma pergunta que ele havia feito quando Natalie saiu de casa no verão passado. Então, a pergunta a aterrorizara. Agora, muitos meses depois, as mesmas palavras abriam uma porta pela qual Annie enxergava um mundo de possibilidades. – Eu não sei. Ainda tenho muito para fazer em casa. Vinte anos de coisas para separar, catalogar e empacotar. Sei que quero vender a casa. Ela não é... mais eu. – Ela se ergueu, olhando para ele. – A menos que você queira ficar com ela.

– Sem você? Não.

Annie olhou em volta, um pouco incerta sobre o que dizer. Essa era a encruzilhada no caminho das vidas deles; depois de todos esses anos, ele seguiria numa direção, e ela em outra. Não tinha ideia de quando o veria novamente. Provavelmente no escritório do advogado, onde se tornariam um clichê, um ex-casal cordial chegando para assinar papéis...

Blake olhou para ela. Havia uma tristeza distante nos olhos dele que a fez se aproximar dele. Com a voz suave, ele perguntou – O que você vai dizer para a Katie sobre mim?

Annie ouviu a dor na voz dele, e isso a comoveu, fazendo com que tocasse o rosto de Blake. – Eu não sei. Meu eu antigo inventaria uma ficção elaborada para evitar magoar os sentimentos dela. – Ela riu. – Talvez eu dissesse a ela que você era um espião do governo e que entrar em contato conosco colocaria sua vida em perigo. Mas agora... eu não sei. Acho que vou cruzar essa ponte quando chegar o momento. Mas não vou mentir para a Katie.

Ele virou o rosto e olhou para outro lugar. Ela imaginou o que ele estaria pensando, se era sobre mentir, e quanto isso custara para ele ao longo dos anos. Ou se era sobre a filha com quem vivera dezoito anos e a quem não conhecia, ou a filha com quem não ia viver, e nunca viria a conhecer. Ou se era sobre o futuro, todos os dias que estavam adiante de um homem sozinho, a vida calma que não incluía a risada de crianças. Ela imaginou se ele já teria percebido que, quando fosse um velho, velho, quando seu cabelo estivesse branco e os olhos tivessem catarata, ele não teria netos para balançar nas pernas, nem uma filha para se ajoelhar na grama do lado da cadeira de rodas dele e falar sobre as histórias do passado. A menos que se esforçasse agora, nos dias que importavam, ele ia aprender que alguns caminhos não podem ser redescobertos e que o verdadeiro amor leva tempo e requer esforço... que uma vida vivida sob o brilho da luz de verão do sol nunca produz um arco-íris.

– Você vai ter saudade de mim? – ele perguntou, finalmente olhando para ela novamente.

Annie sorriu de forma triste. – Vou sentir saudade do que fomos, já estou sentindo. E vou sentir saudade do que poderia ter sido.

Os olhos dele se encheram lentamente de lágrimas. – Eu amo você, Annie.

– Eu sempre vou amar o garoto por quem me apaixonei, Blake. Sempre...

Ela se aproximou dele, erguendo-se na ponta dos pés para beijá-lo. Era o tipo de beijo que eles não compartilhavam fazia anos; lento, suave, com o coração. Não havia a correnteza do sexo nele. Era tudo o que um beijo devia ser, uma expressão de emoção pura, e eles deixaram isso sumir com tanta facilidade em sua vida a dois. Ela não se lembrava de quando os beijos tinham se tornado algo rotineiro e sem sentido. Talvez, se tivessem se beijado desse jeito todos os dias, não estariam ali agora, parados juntos no meio do campus da Stanford, dizendo adeus a uma relação que deveria ter durado para sempre.

Quando Blake recuou, parecia triste e cansado. – Acho que eu estraguei tudo.

– Você vai ter outra chance, Blake. Homens como você sempre têm. Você é atraente e rico; as mulheres vão fazer fila para lhe dar outra chance. O que você vai fazer com essa chance é você quem decide.

Ele passou a mão pelo cabelo e olhou para o lado. – Droga, Annie. Nós dois sabemos que vou estragar essa chance também.

Ela riu. – Provavelmente.

Eles olharam um para o outro por um longo minuto, e, nesse momento, Annie viu o arco do amor deles; o começo claro e brilhante, todos aqueles anos atrás, e o modo como havia erodido noite após noite durante anos. Por fim, Blake olhou para o relógio. – Tenho de ir. Meu avião sai às seis. – Ele se curvou sobre o carrinho e deu um último e rápido beijo em Katie. Quando se ergueu, sorriu sem muito empenho para Annie. – Isso é difícil.

Ela o abraçou, uma última vez, depois recuou lentamente. – Tenha um bom voo.

Ele assentiu e se afastou. Entrou no carro alugado e foi embora.

Ela ficou ali olhando até o carro sumir de vista. Annie esperava ficar deprimida pela tristeza desse momento, mas na verdade sentia-se quase alegre. Na semana passada tinha feito o que nunca imaginara que poderia fazer: tinha viajado sozinha. Só por diversão. Deixara Katie com Terri por um dia, sem esquecer uma lista de instruções e uma prateleira cheia de leite que bombeara dos seios, e então simplesmente começou a dirigir. Antes de perceber para onde ia, tinha chegado à fronteira com o México. Um momento de medo quase a deteve quando viu o ônibus velho parar junto da calçada, mas não se deixou dominar. Embarcou no ônibus com todos os outros turistas e foi para o México. Sozinha.

O dia tinha sido maravilhoso, mágico. Ela andou pelas ruazinhas cheias de gente, comendo churros das barraquinhas no caminho. Na hora do almoço, comeu um prato que não conseguia reconhecer e adorou cada momento. Quando a noite começou a cair e os letreiros de neon ganharam vida, ela compreendeu por que sempre tivera medo de viajar sozinha. Isso mudava a pessoa de algum modo... mas não era essa a intenção, afinal de contas? Ir para um lugar completamente diferente e aprender que você pode negociar o preço de uma lembrancinha boba em outra língua, e daí ficar com essa lembrancinha perto do coração porque representa algo do seu próprio ser. Cada *peso* que economizou de alguma forma se tornou uma expressão do quanto tinha conseguido ir longe. E, quando finalmente voltou para casa naquela noite, arrastando o corpo cansado escada acima, e se deitou ao lado da filha mal-humorada na cama imensa, ela soube que finalmente, com quarenta anos de idade, havia começado alguma coisa.

– Vamos lá, Katie Sarah. Pare com isso. – Ela pegou a filha quase adormecida e a prendeu na cadeirinha no banco traseiro do Cadillac. Depois, jogando a sacola de fraldas no banco do passageiro, entrou no carro e ligou o motor. Antes de partir, ligou o rádio e encontrou uma estação de que gostava. Cantarolando junto com Mick Jagger, seguiu até a rodovia e acelerou até cem quilômetros por hora.

O que você vai fazer agora?

Ela ainda tinha meses de responsabilidades para cuidar no sul da Califórnia. Fechar e vender a casa, empacotar tudo, decidir onde queria viver e o que queria fazer. Não precisava trabalhar, claro, mas não queria cair novamente na armadilha da vida fácil. *Precisava* trabalhar.

Pensou novamente na livraria em Mystic. Certamente tinha o capital para montá-la, e a casa vitoriana na rua principal tinha muito espaço para morar no segundo andar. Ela e Katie poderiam ficar confortáveis ali, só elas duas.

Mystic.

Nick. Izzy.

O amor que sentia por eles era tão agudo quanto cacos de vidro. Às vezes, quando acordava no meio da noite, procurava por Nick, só que ele não estava ali, e nesses momentos a saudade era uma dor de verdade em seu peito.

Sabia que ia voltar para ele quando sua vida estivesse em ordem; tinha planejado isso sem parar nas últimas semanas.

Ia comprar um conversível e dirigir pela Highway 101 passando pelas praias selvagens, com o cabelo batendo no rosto. Ia tocar músicas conhecidas e cantar a toda voz, livre por fim para fazer o que quisesse. Ia dirigir quando o sol estivesse alto no céu e continuar quando as estrelas começassem a brilhar. Ia aparecer sem nenhum aviso e torcer para que não ser tarde demais.

Seria primavera quando voltaria para ele, naquela semana mágica quando a mudança estaria no ar, quando tudo cheiraria fresco e novo.

Ela ia aparecer na varanda dele um dia, vestindo uma capa de chuva amarela que cobrisse a maior parte do rosto. Levaria um minuto para alcançar a campainha; as lembranças seriam tão fortes, iria querer absorver tudo. Nos braços teria Katie, agora quase engatinhando, vestindo um traje para neve azul, algo que elas comprariam especialmente para Mystic.

E, quando ele abrisse a porta, iria dizer a ele que, em todos aqueles meses em que estiveram separados, ela tinha se descoberto caindo, caindo, e não havia ninguém para segurá-la...

Adiante, a estrada terminou na interestadual. Duas placas grandes apareceram contra o céu cinzento. Havia duas opções: I-5 South. I-5 North.

Não.

Era loucura o que ela estava pensando. Não estava pronta. Tinha oceanos de coisas para fazer na Califórnia, e nem mesmo uma escova de dentes na sacola de fraldas. Era inverno em Mystic, frio, cinza e úmido, e ela estava vestindo seda...

Para o sul ficavam Los Angeles e uma bela casa branca junto do mar que continha os restos de sua vida antiga.

Para o norte ficava Mystic, e em Mystic estavam um homem e uma criança que a amavam. Uma vez, ela desprezara o amor. Mas nunca faria isso de novo. O amor era o sol, a lua e as estrelas em um mundo que sem eles era frio e escuro.

Nick sabia disso. Foi uma das últimas coisas que dissera a ela: *Você está errada, Annie. O amor importa. Talvez seja a única coisa que importe.*

Ela olhou pelo retrovisor para a filha, que estava quase adormecida. – Escute, Kathleen Sarah. Vou lhe dar a lição número um do livro da vida de Annalise Bourne Colwater. Eu posso não saber tudo, mas tenho quarenta anos e sei muito, então preste atenção. Às vezes você tem de fazer tudo certo e seguir as regras. Tem de esperar até todos os patos estarem alinhados antes de se mover. – Ela sorriu. – E em outras vezes... como agora... você tem de dizer “que se dane” e ir em frente.

Rindo alto, Annie acionou a seta e mudou de pista...

E seguiu para o norte.

Querida Leitora

ALÔ. BEM-VINDA AO MEU MUNDO. Estou realmente feliz por lhe oferecer esta nova versão de *O Lago Místico.* Este livro ocupa um lugar muito especial no meu coração. Representa várias primeiras vezes para mim. Foi meu primeiro livro de capa dura, meu primeiro best-seller do *The New York Times* e minha primeira incursão no tipo de história que acabaria sendo o meu futuro. Escrevendo estas páginas, encontrei minha voz verdadeira, e isso não é pouco para uma escritora. Annie, Nick e Izzy me ensinaram muito sobre eu mesma. Com eles, descobri uma paixão por escrever histórias sobre as questões difíceis que as mulheres enfrentam em sua vida.

Parece quase impossível acreditar como faz tempo que venho escrevendo. Quando escrevi esta história, meu filho estava no primeiro grau; agora ele entrou na faculdade. Desde então eu tenho feito o que muitas de nós fazem. Levei as crianças para a escola, organizei festinhas, ajudei com a lição de casa e compreendi que uma casa pode se tornar um ninho vazio quando as crianças partem. Escrevi vários livros e estive com meus amigos nos bons e maus momentos. Experimentei a alegria de viajar e a paz de ficar em casa. Acho que isso é só uma forma de dizer que cresci um pouco. Mas, nesse tempo todo, *O Lago Místico* ficou comigo. Talvez porque ele fale sobre uma mulher que se encontra depois que a filha sai de casa. Lembro dessa história tão claramente como se tivesse acabado de escrevê-la. A jornada de autodescobrimento de Annie não é diferente do caminho que muitas de nossas vidas seguem, e a pequena Izzy permanece sendo uma das minhas personagens favoritas; se você não se apaixonar por ela, seu coração é feito de um material mais inflexível do que o meu.

Fiquei sabendo através de muitos clubes do livro pelo país que *O Lago Místico* provocou discussões animadas sobre as escolhas que nós, mulheres, fazemos em nossa vida. Então, quer você esteja lendo este livro em um grupo ou sozinha na praia, espero que esta história de amor, esperança e segundas chances toque você tão profundamente quanto me tocou.

Uma conversa com Kristin Hannah

Entrevista concedida à escritora Jennifer Morgan Gray

JMG: Você começou *O Lago Místico* com uma ideia ou imagem em particular, talvez o título? Houve um personagem em especial que fez a história avançar?

KH: Às vezes o começo de um livro é uma coisa amorfa e fácil de esquecer, mas, neste caso, eu lembro claramente como tudo começou. Vi uma menininha que pensava que estava desaparecendo. Apesar de *O Lago Místico* não ser exatamente a história dela, ainda acho que ela é o coração de tudo; o catalisador que força os outros personagens a mudar e crescer. Para mim, o desafio foi colocar a menininha em um contexto, envolver a história ao redor dela, descobrir por que ela achava que estava desaparecendo lentamente.

JMG: As passagens da perspectiva da Izzy são muito vívidas. Como você conseguiu entrar na mente de uma menina tão pequena e perturbada? Foi difícil encontrar e manter essa voz distinta ao longo do livro?

KH: Escrever na voz de uma criança é um desafio especial. Você começa com restrições um tanto rígidas sobre as palavras, a sintaxe e a capacidade descritiva. No fim, tudo tem de ser adequado à idade e experiência da criança. Daí você tem de encontrar um modo de voar dentro desse espaço, ser imaginativa e quase estar em outro mundo, para ver tudo e todos através de olhos novos e inocentes. Adorei ser criança de novo, e espero que essa paixão que descobri tenha aparecido na voz de Izzy.

JMG: Annie é o reflexo de muitas mulheres, no sentido de que ela enterra os próprios impulsos criativos, e suas necessidades emocionais básicas, pelo bem da família. Ela foi inspirada em alguém que você conheça? Quando escreveu este livro, você esperava que algumas mulheres que estivessem no mesmo barco que ela pudessem pegar uma caneta, um pincel ou simplesmente arranjar tempo para si mesmas? Escrever é o extravasar criativo para você? Especialmente levando em conta que começou a escrever quando se tornou mãe e passou a ficar em casa.

KH: Annie poderia ser inspirada em muitas das mulheres na minha vida: amigas, vizinhas, parentes. À medida que o tempo passa, vejo tantas Annies ao meu redor. Mulheres que escolheram se casar e ter filhos e amaram cada instante disso, mas daí, em algum ponto ao longo do caminho, percebem que perderam uma parte essencial de si mesmas. Aquelas de nós que cuidam dos outros, e eu definitivamente me incluo nessa categoria, costumam colocar as necessidades de todos os outros em primeiro lugar. Apesar de isso ser compreensível e até admirável, também pode ser a receita para um desastre. Precisamos cuidar de nós mesmas e também de nosso casamento. Acho que essa é a lição que Annie precisava aprender. Espero que *O Lago Místico* faça muitas mulheres que sabem como é fácil perder de vista seu próprio reflexo se enxergarem nele. E, sim, escrever é minha forma de me colocar para fora. Quando me sento diante do computador, sou a menina de que recordo e a mulher que quero ser. Posso fechar a porta da minha vida "real" e me tornar, por alguns momentos preciosos, apenas eu.

JMG: O conceito de família muda com o passar do tempo, e essa é uma parte importante no livro. Por que Annie tem tanta dificuldade de se afastar da estrutura tradicional de família? O que a sua "vida perfeita" representa inicialmente para ela? Como escritora, o que a leva a contar essas histórias sobre maternidade e família?

KH: Annie cresceu sem a mãe. Essa é a base da sua personalidade. Quando criança, ela imaginava como seria a mãe, e, portanto, ela mesma se guiou para a idade adulta. O pai, apesar de a amar, era um homem preso à estrutura em que ele mesmo cresceu. Ele ensinou o que sabia sobre o lugar de uma mulher no mundo. Por causa disso, Annie cresceu acreditando que poderia ter sucesso na vida apenas se fosse a perfeita mãe e esposa. Ninguém nunca a ensinou que também devia lutar por si mesma, que merecia a felicidade individual. Além disso, quando o casamento desmonta e a filha sai de casa, ela fica completamente perdida. É nesse momento, quando está sozinha, confusa e com o coração partido, que ela deve finalmente crescer e definir a mulher que vai se tornar.

Bem, por que eu escrevo tanto sobre maternidade, você perguntou. A resposta fácil é que isso é a base da minha vida. Escrever é o que eu faço; eu sou uma mãe. Escrevo sobre mulheres que são várias encarnações e versões de mim. Annie, talvez, seja aquele eu que não tinha coragem de escrever o primeiro livro, tantos anos atrás... ou o eu que cresceu sem uma mãe que acreditasse que eu poderia conseguir alguma coisa na vida.

JMG: Annie se caracteriza como "uma boa garota que nunca chora". Como criança e depois como adulta, por que ela abafa a própria tristeza? Quais outros personagens também enterram suas emoções, com resultados ruins?

KH: Annie passou a vida toda tentando ser perfeita para aqueles que amava. Primeiro, como filha. O pai sofrido não conseguia aguentar as lágrimas dela, então ela aprendeu a contê-las e a continuar sorrindo. Mais tarde, ela tenta ser uma esposa e mãe impecável. Uma tarefa impossível, como todas nós sabemos, uma tarefa que leva com grande frequência à loucura, aos remédios ou à negação. Annie escolheu a negação como mecanismo para suportar tudo isso. Ao longo dos anos, ela suprime todas as suas emoções em um nível maior ou menor: tristeza, perda, desapontamento. Annie tem medo de que expressar essas emoções ruins a leve à ruina, mas, nessa supressão, ela acaba ficando muda.

Cada um dos personagens do livro está lutando com a força e a dor de grandes emoções, e a maioria as evita de uma forma ou outra. Nick anestesia sua dor por meio do álcool, nadando na própria culpa; Blake está usando o sexo anônimo para aumentar seu ego.

JMG: Adoro a forma como você faz o paralelo da crença de Izzy de que está desaparecendo com a percepção de Annie de que a personalidade e a vida dela desapareceram. De que forma o "desaparecimento" de Izzy a torna capaz de lidar com a dor e a conecta com a mãe? O que compele Annie a "desaparecer" figurativamente? Como ambas as personagens voltam a ficar completas?

KH: O desaparecimento de algum aspecto da pessoa é realmente o tema central do livro. Para Izzy, obviamente, essa perda de si mesma está na incapacidade de compreender seu lugar em um mundo novo, um mundo onde ela é agora uma criança sem mãe. Ela sabe que, ao perder Kathy, também perdeu uma parte essencial de si mesma. A manifestação física dessa emoção é a crença de que está desaparecendo. Na mente dela, ela imagina que, se sumir completamente, ela vai ter acesso ao paraíso ou mundo espiritual onde a mãe agora está. É simbólico que ela pense que perdeu a mão primeiro, porque, quando descobre uma forma de procurar amor em Annie e Nick, ela vai ver a mão retornar.

Para Annie, o desaparecimento lento é mais metafórico. Ela está sentindo a dor da perda de seus próprios sonhos, do fim da sua vida da forma como sempre imaginou que seria. Acho que esse tipo de desaparecimento silencioso é comum em mulheres de certa idade que deram muito de si no esforço de cuidar de outras pessoas. Ao longo do livro, a busca de Annie é olhar além de suas próprias expectativas juvenis e encontrar a verdade em si mesma. Ela deve finalmente, como todos devemos, entrar no palco da vida e se tornar a protagonista. Cada uma dessas personagens vai, no final, se tornar inteira novamente ao aceitar a vida como ela realmente é e ousar amar apesar dos prognósticos contrários.

JMG: Tanto Blake quando Nick se voltam para o álcool a fim de se anestesiar. Por que você escolheu dar aos dois um escape similar para a dor e a frustração? Você acha que as questões de Blake com o álcool, se não forem resolvidas, poderiam levar a um problema tão grave quanto o de Nick? Eles têm outras similaridades?

KH: Nick e Blake procuram o conforto entorpecedor do álcool porque eles têm a mesma fraqueza básica: ambos querem fugir dos problemas. É comum as pessoas que têm problemas com a intimidade procurarem fontes externas de conforto. O que separa esses homens e oferece a Nick a esperança de um futuro melhor é que ele aprende a mudar. Ele admite seu problema e procura uma solução honesta, mesmo que não seja fácil. Blake, por outro lado, vê suas falhas e decide ficar no mesmo caminho autodestrutivo e alienante. E, sim, ele corre o sério risco de se tornar alcoólatra.

Sempre vi Blake como o personagem verdadeiramente trágico. Por causa de sua inabilidade para amar, ele poderia acordar um dia e perceber que está completamente sozinho.

JMG: Você estudou Direito antes de ser escritora, o que torna o personagem do advogado Blake ainda mais interessante. Suas experiências na área ajudaram a construí-lo? Como você o desenvolveu até ser um personagem de carne e osso, multidimensional, em vez de apenas uma caricatura do marido que trai?

KH: Era importante para mim que Blake fosse mais do que o clichê estereotipado do marido que trai. Um dos modos de humanizá-lo foi a profissão dele, uma profissão que conheço bem. Ele é um advogado poderoso e respeitado, um homem isolado em um campo onde as emoções são marginalizadas e o sucesso é tudo o que importa no final. Seu foco na carreira permitiu que se tornasse cada vez mais egoísta e distante da esposa dona de casa. Mas a culpa não é só dele, e isso também o humaniza. Do modo como o vejo, talvez tenha havido um momento, anos atrás, quando Annie poderia ter exigido mais dele, do casamento deles, mas ela deixou esse momento passar em silêncio. A aceitação silenciosa dela causou tantos problemas para o casamento quanto o egoísmo dele. Juntos eles criaram uma dinâmica que não podia dar certo porque não continha intimidade honesta nem igualdade verdadeira. Os dois são culpados, e não dá para ser mais humano que isso.

JMG: Os *lugares* no livro são tão coloridos quanto os personagens. Como você conseguiu essa sensação, especialmente ao comparar o sul da Califórnia com Mystic, em Washington? O que a atrai em cada lugar, tanto pessoalmente quanto no que escreve?

KH: A resposta fácil é que eu vivi no sul da Califórnia no começo da infância e em Washington todo o tempo depois disso. Os dois lugares eu conheço bem, e, obviamente, o contraste entre o calor marrom de Los Angeles e o silêncio majestoso do Lago Mystic foi uma representação perfeita das duas escolhas na vida de Annie. O que realmente importa, eu acho, é minha conexão profunda com o Estado de Washington. Minhas histórias recentemente parecem estar enraizadas nesse solo úmido; amo mostrar para as leitoras o *meu* noroeste. A Floresta

Olympic, onde fica Mystic, é particularmente especial para mim. Nesse local úmido e mítico estão algumas das lembranças mais maravilhosas da minha mãe.

JMG: Annie acha que não é um bom modelo para Natalie. Quanto ela está certa e quanto está errada? Como você imagina a mulher que Natalie vai se tornar?

KH: Annie acredita que falhou em ensinar a filha a ter coragem, dedicação e individualidade. Olhando para trás, para sua vida e seu casamento, Annie percebe que deixou grande parte de si mesma sumir sem lutar, que se tornou um capacho, e fica envergonhada por mostrar tamanha fraqueza para a filha. Mas qual é a mãe que não se preocupa em não ter feito um trabalho bom o bastante, em ter falhado de alguma forma com os filhos? O que importa no final, e o que Annie acaba compreendendo, é que ela ensinou à filha que vale a pena lutar pelo amor, que vale a pena se sacrificar pelo amor, que vale a pena arriscar tudo pelo amor.

JMG: O livro termina com Annie jogando a cautela às favas e indo para Mystic a fim de ficar com Nick. De que forma isso mostra a evolução dela quanto a aceitar a si mesma e suas próprias necessidades? Você pensou em escrever uma cena mostrando o reencontro deles e terminando o livro dessa forma, com um final feliz? Ou *esse* foi um final feliz?

KH: Na verdade, acho que o final não é exatamente "jogando a cautela às favas e indo para Mystic a fim de ficar com Nick". Para mim, Annie finalmente estava encarando seu futuro e permitindo que o passado fosse parte de quem ela se tornou. Eu a vejo, essa mulher que se fez confinada e contida, caminhando para o futuro que ela escolheu para si mesma... e Nick foi a recompensa para essa escolha corajosa, e não o motivo dela. Não é surpresa que eu não tenha escrito a cena de final feliz deles se reencontrando; ela aparece em várias das versões do livro. No final, decidi não a incluir. Pensei que isso fazia a história parecer um pouco menor. Preferi terminar com Annie tendo um mundo aberto diante de si, e era ela quem estava no banco do motorista. Ela podia ir para qualquer lugar; para mim, *isso* foi o final feliz. E vamos encarar: todos sabemos que ela termina com Nick.

JMG: À medida que a história progride, o que Annie fez que foi mais surpreendente para você? Ou você sabia o tempo todo exatamente qual seria o passo seguinte dela?

KH: Não costumo ser surpreendida pelos meus personagens. Como escritora, estou sempre no controle. Talvez seja meu passado na advocacia. Apesar disso, fiquei chocada pelo fato de Nick e Annie terem dormido juntos no primeiro encontro. Eu sabia que haveria faíscas do passado, o amor juvenil não completamente esquecido, mas sexo? Disso eu não sabia.

JMG: Tenho certeza de que os leitores vão adorar ver o que acontece com Annie, Nick, Blake e todos os outros personagens em uma continuação. Você tem planos de escrever uma? Ou acha que o arco dessa história, e desses personagens, está completo?

KH: De todos os livros que escrevi, *O Lago Místico* é o que único que parece pedir uma continuação. Pelo menos é o que as leitoras dizem. Para mim, no entanto, a história está completa. Contei toda a história que era minha para contar. Eles realmente viveram felizes para sempre. Aprendi a nunca dizer nunca, mas certamente não vejo uma continuação acontecendo no futuro.

JMG: Você tem alguma rotina ou ritual enquanto está escrevendo que facilite o processo e traga criatividade? Quais são?

KH: Para mim, o processo de escrever não é alguma coisa mágica que requeira uma musa, um clima especial ou inspiração. Eu sou muito direta. Talvez seja a advogada dentro de mim: escrever é o melhor trabalho do mundo, mas é um trabalho, apesar de tudo. Por isso, tenho uma rotina. Levanto cedo, vou correr ou para a academia. Tento estar de volta, de banho tomado, às oito e meia. É quando começo meu dia de trabalho.

Não passo muito tempo navegando na internet, respondendo a e-mails ou ligando para amigos. Eu basicamente começo a trabalhar. Escrevo a mão, em blocos de papel amarelo, com canetas de ponta fina de gel. Quando termino um bloco, passo para minha assistente, que digita e me entrega uma versão impressa. Eu faço as revisões nessa cópia, quando tenho sorte de ficar com mais do que apago. Geralmente preciso de cerca de sete meses para escrever uma primeira versão que me satisfaça e outros seis ou sete meses para editar essa versão até se tornar o livro final.

Eu costumava escrever no computador, como a maioria dos escritores no novo milênio, mas passo tantas horas trabalhando que meu corpo se rebelou. Comecei a ter dores nas costas e problemas nos pulsos. Por mais incrível que pareça, escrever a caneta acabou com todos esse problemas. Por sinal, isso quer dizer que eu posso escrever em qualquer lugar: na praia, no deque da minha casa, na cama. Adoro essa liberdade.

Quanto a rotinas que me inspiram, eu diria que o que mais excita minha criatividade é viver a vida da forma mais completa que puder, ver e conversar com amigos, ficar com minha família, viajar, ir ao cinema. Quanto mais faço parte da loucura da vida diária, mais tenho sobre o que escrever.

JMG: Você escreveu esse livro faz muitos anos. Ele é diferente dos que vieram antes, e daqueles que vieram depois? De que maneira?

KH: *O Lago Místico* foi realmente uma revelação, um livro que mudou tudo. Antes dele, eu vinha escrevendo romances históricos, e, apesar de adorar isso, à medida que fui amadurecendo descobri que queria escrever romances contemporâneos, que refletissem o mundo ao meu redor. Apesar de muitos dos meus livros ainda conterem histórias de amor, eles também exploram agora a miríade de outras relações que tocam e dão forma a nossa vida. Tenho seguido nesse caminho desde *O Lago Místico.* A maioria dos meus livros é centrada em uma mulher que se transforma, uma coisa que pode acontecer a qualquer momento da vida e que sempre traz uma série de escolhas e desafios inesperados.

JMG: Existe alguma ideia especial para uma história que esteja se desenvolvendo agora na sua imaginação? O que as leitoras podem esperar a seguir?

KH: Estou sempre trabalhando em alguma outra coisa. É um dos truques verdadeiros que descobri ao longo do caminho nesta carreira. O melhor antídoto para o sucesso ou fracasso é continuar escrevendo, continuar colocando palavras nas páginas. Descobri ao longo dos anos que tenho um período curto de atenção. Então, trabalhar no próximo livro é sempre minha tarefa predileta. Além disso, nunca sei exatamente o que vai capturar meu coração e me fazer começar um livro.

Perguntas e tópicos para discussão

O Lago Místico começa com duas cenas de despedida: Natalie indo da Califórnia para a Inglaterra e Blake acabando com o casamento. Como esses dois atos determinam o tom do resto do livro? De que forma é significativo o fato de Annie ter pouca ação, ou escolha, nas duas decisões?

No começo do livro, de que maneira podemos considerar que Annie está, de fato, em uma armadilha que é a imagem que faz de si mesma? Como foi que ela criou essa persona, e de que forma ela é criação do seu marido, Blake?

Em sua opinião, por que Kristin Hannah conta a história a partir de vários pontos de vista, incluindo Annie, Blake, Nick e Izzy? O que isso acrescenta a sua compreensão do livro? Há um personagem que você considere a voz verdadeira de *O Lago Místico?*

Depois de Blake pedir o divórcio, Annie admite que coloca os interesses da família adiante dos dela. Quais eventos do seu passado a levaram a fazer isso? Que tipo de recompensa ela recebeu pela generosidade, e de que forma isso foi ruim para o desenvolvimento dela?

Annie e Nick estão ligados por perdas na família. De que maneira aprender a viver sozinha, e a se descobrir no processo, constitui um dos temas do livro? Em sua opinião, quem é mais bem-sucedido em forjar a própria identidade? Por quê?

Por que Kathy e Annie perderam o contato depois do colegial? Você acha que Annie se sentiu culpada por isso? Por quê?

Por que você acha que Nick escolhe namorar e casar com Kathy e não com Annie? De que forma essa decisão afeta a dinâmica do "trio assombroso"? No final, você acha que Nick tomou a decisão correta? Com base nas lembranças que ele tem sobre Kathy, você acha que ele realmente amava a esposa? Por quê?

Como Annie reage quando sabe do suicídio de Kathy? O que você acha que levou Kathy a se matar? Como isso afetou Nick e, mais importante, Izzy?

Por que cuidar de Nick e Izzy é tão importante para Annie? Que ferramentas ela usa para se aproximar de Izzy e para fazer a menina se sentir querida e cuidada? O que em Annie atrai Izzy, e vice-versa? De que forma a relação entre Annie e Natalie tem paralelo com a relação entre ela e Izzy?

As relações entre pais e filhas são essenciais para o desenvolvimento da ação em *O Lago Místico.* Compare e contraste as relações entre Hank e Annie, Blake e Natalie e Nick e Izzy. O que cada uma das filhas quer do pai? À medida que a história progride, os pais mudam, tornando-se mais receptivos em relação às necessidades das filhas? De que maneira? Em sua opinião, quem teve a melhor chance de estabelecer e manter uma relação pai-filha bem-sucedida?

O que a bússola simboliza para Annie? Por que ela deixa de usá-la no pescoço, e por que começa a usá-la novamente? Por que ela a dá de presente a Izzy?

"Não importa", Annie diz para Nick sobre o amor dela por ele. A essa altura, por que ela não acredita que a paixão por Nick possa guiar sua vida? Por que ela é pragmática, e de que maneira ela é também uma romântica? No fim, o que a compele a mudar de ideia e deixar Blake?

Kathy não queria "viver na escuridão". De que maneira cada um dos personagens no livro lida com a tristeza, a depressão e a solidão? Quais mecanismos eles usam para lidar com isso e crescer?

O que leva Nick a procurar ajuda para o problema com bebida? Em que medida o seu vício é igual ao de sua mãe? De que maneira ele pode ser considerado um produto do argumento genética *versus* criação?

Por que Izzy para de falar? O que a compele a falar novamente, e de que maneira Annie consegue fazer Izzy se abrir? Por que ela teme falar com Nick, e como os dois lentamente reconstroem a relação? De que maneira Annie ajuda a diminuir a distância entre pai e filha?

"Nossa vida é mapeada muito antes de sabermos o suficiente para fazermos as perguntas certas", Nick diz. Que perguntas você acha que Nick gostaria de fazer? De que modos Nick e Annie estão presos, tendo de fazer o que se espera deles? No final, como eles exercem o livre-arbítrio na vida deles? De que maneira os outros personagens do livro fazem o mesmo?

Annie é conhecida de várias formas: como Annie Bourne, Annalise Colwater, sra. Blake Colwater, mãe, esposa. Em que medida cada um dos nomes ou designações constitui uma identidade diferente? No final do livro, ela assume uma ou outra dessas identidades ou desenvolve uma nova? Como ela incorpora cada uma dessas identidades em um personagem recém-construído?

O que leva Blake a terminar o caso com Suzannah e procurar Annie? Por que Annie não volta imediatamente para ele e para o casamento? De que maneira ele a vê como um prêmio a ser conquistado? Ele demonstra amor por ela? Como?

Em que medida a relação de Annie com a filha muda quando Natalie vai para a Inglaterra? De que formas Natalie admira Annie e segue seus exemplos? Em que aspectos do caráter da mãe Natalie vê defeitos? Você acha que a personalidade de Natalie é similar à do pai? Como?

Como a gravidez de Annie representa um ponto de virada para ela? Por que ela volta para Blake depois de descobrir que o filho é dele? Por que não fica com Nick?

De que forma Nick ajuda Annie a enfrentar o medo e a preocupação com o bebê prematuro? Como as ações dele contrastam com as de Blake? Por que o marido de Annie não se conecta com as crianças?

Como você acha que Annie vai agir e se sentir depois de assinar os papéis do divórcio? De que maneira essa personagem é diferente daquela que conhecemos no começo do livro? Por que Annie se sente feliz no final do livro?

Você acredita que no final da história Annie vai ter um reencontro feliz com Nick e Izzy? Você acha que ela vai abrir a livraria em Mystic? Por quê?

Agradecimentos

ALGUNS LIVROS SÃO BATALHAS. Outros são guerras. Para minhas generalas, Ann Patty, Jane Berkey e Linda Grey, obrigada por sempre exigirem o meu melhor; para Stephanie Tade, obrigada por acreditar neste livro desde o começo; para Elisa Wares e o time maravilhoso da Ballantine Books, obrigada pelo apoio e encorajamento constantes ao longo do caminho; para minhas camaradas Megan Chance, Jill Marie Landis, Jill Barnett, Penelope Williamson e Susan Wiggs, obrigada por sempre estarem aí, por escutarem e pelas risadas e tudo o mais entre as duas coisas; e para minha anja guardiã, minha superagente, mentora e amiga Andrea Cirillo, obrigada por tudo.

#LIT42919
O lago místico